Engiisn-Czech
Czech-English

Word to Word® Bilingual Dictionary

Compiled by:
C. Sesma, M.A.

Translated & Edited by:
Maros Podstupka

Bilingual Dictionaries, Inc.

Czech Word to Word® Bilingual Dictionary
2nd Edition © Copyright 2013

Published in the United States by:

Bilingual Dictionaries, Inc.
PO Box 1154
Murrieta, CA 92564
T: (951) 296-2445 • F: (951) 296-9911
www.BilingualDictionaries.com

ISBN13: 978-0-933146-62-4
ISBN: 0-933146-62-0

Table of Contents

Preface	4
Word to Word®	5
List of Irregular Verbs	7-10
English - Czech	11-204
Czech - English	205-410
Order/Contact Information	411-414

Preface

Bilingual Dictionaries, Inc. is committed to providing schools, libraries and educators with a great selection of bilingual materials for students. Along with bilingual dictionaries we also provide ESL materials, children's bilingual stories and children's bilingual picture dictionaries.

Sesma's Czech Word to Word® Bilingual Dictionary was created specifically with students in mind to be used for reference and testing. This dictionary contains approximately 22,000 entries targeting common words used in the English language.

Word to Word®

Bilingual Dictionaries, Inc. is the publisher of the Word to Word® bilingual dictionary series with over 30 languages that are 100% Word to Word®. The Word to Word® series provides ELL students with standardized bilingual dictionaries approved for state testing. Students with different backgrounds can now use dictionaries from the same series that are specifically designed to create an equal resource that strictly adheres to the guidelines set by districts and states.

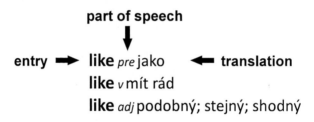

entry: our selection of English vocabulary includes common words found in school usage and everyday conversation.

part of speech: part of speech is necessary to ensure the translation is appropriate. Entries can be spelled the same but have different translations and meanings depending on the part of speech.

translation: our translation is Word to Word® meaning no definitions or explanations. Purely the most simple common accurate translation.

List of Irregular Verbs

present - past - past participle

arise - arose - arisen
awake - awoke - awoken, awaked
be - was - been
bear - bore - borne
beat - beat - beaten
become - became - become
begin - began - begun
behold - beheld - beheld
bend - bent - bent
beseech - besought - besought
bet - bet - betted
bid - bade (bid) - bidden (bid)
bind - bound - bound
bite - bit - bitten
bleed - bled - bled
blow - blew - blown
break - broke - broken
breed - bred - bred
bring - brought - brought
build - built - built
burn - burnt - burnt *
burst - burst - burst
buy - bought - bought
cast - cast - cast
catch - caught - caught
choose - chose - chosen
cling - clung - clung
come - came - come
cost - cost - cost
creep - crept - crept
cut - cut - cut
deal - dealt - dealt

dig - dug - dug
do - did - done
draw - drew - drawn
dream - dreamt - dreamed
drink - drank - drunk
drive - drove - driven
dwell - dwelt - dwelt
eat - ate - eaten
fall - fell - fallen
feed - fed - fed
feel - felt - felt
fight - fought - fought
find - found - found
flee - fled - fled
fling - flung - flung
fly - flew - flown
forebear - forbore - forborne
forbid - forbade - forbidden
forecast - forecast - forecast
forget - forgot - forgotten
forgive - forgave - forgiven
forego - forewent - foregone
foresee - foresaw - foreseen
foretell - foretold - foretold
forget - forgot - forgotten
forsake - forsook - forsaken
freeze - froze - frozen
get - got - gotten
give - gave - given
go - went - gone
grind - ground - ground
grow - grew - grown
hang - hung * - hung *
have - had - had

hear - heard - heard	**ring** - rang - rung
hide - hid - hidden	**rise** - rose - risen
hit - hit - hit	**run** - ran - run
hold - held - held	**saw** - sawed - sawn
hurt - hurt - hurt	**say** - said - said
hit - hit - hit	**see** - saw - seen
hold - held - held	**seek** - sought - sought
keep - kept - kept	**sell** - sold - sold
kneel - knelt * - knelt *	**send** - sent - sent
know - knew - known	**set** - set - set
lay - laid - laid	**sew** - sewed - sewn
lead - led - led	**shake** - shook - shaken
lean - leant * - leant *	**shear** - sheared - shorn
leap - lept * - lept *	**shed** - shed - shed
learn - learnt * - learnt *	**shine** - shone - shone
leave - left - left	**shoot** - shot - shot
lend - lent - lent	**show** - showed - shown
let - let - let	**shrink** - shrank - shrunk
lie - lay - lain	**shut** - shut - shut
light - lit * - lit *	**sing** - sang - sung
lose - lost - lost	**sink** - sank - sunk
make - made - made	**sit** - sat - sat
mean - meant - meant	**slay** - slew - slain
meet - met - met	**sleep** - sleep - slept
mistake - mistook - mistaken	**slide** - slid - slid
must - had to - had to	**sling** - slung - slung
pay - paid - paid	**smell** - smelt * - smelt *
plead - pleaded - pled	**sow** - sowed - sown *
prove - proved - proven	**speak** - spoke - spoken
put - put - put	**speed** - sped * - sped *
quit - quit * - quit *	**spell** - spelt * - spelt *
read - read - read	**spend** - spent - spent
rid - rid - rid	**spill** - spilt * - spilt *
ride - rode - ridden	**spin** - spun - spun

spit - spat - spat
split - split - split
spread - spread - spread
spring - sprang - sprung
stand - stood - stood
steal - stole - stolen
stick - stuck - stuck
sting - stung - stung
stink - stank - stunk
stride - strode - stridden
strike - struck - struck (stricken)
strive - strove - striven
swear - swore - sworn
sweep - swept - swept
swell - swelled - swollen *
swim - swam - swum
take - took - taken
teach - taught - taught
tear - tore - torn

tell - told - told
think - thought - thought
throw - threw - thrown
thrust - thrust - thrust
tread - trod - trodden
wake - woke - woken
wear - wore - worn
weave - wove * - woven *
wed - wed * - wed *
weep - wept - wept
win - won - won
wind - wound - wound
wring - wrung - wrung
write - wrote - written

Those tenses with an * also have regular forms.

English-Czech

Bilingual Dictionaries, Inc.

Abbreviations

a - article
n - noun
e - exclamation
pro - pronoun
adj - adjective
adv - adverb
v - verb
iv - irregular verb
pre - preposition
c - conjunction

a *a* neurčitý člen

abandon *v* opustit

abandonment *n* opuštění

abbey *n* opatství

abbot *n* opat

abbreviate *v* zkrátit, zestručnit

abbreviation *n* zkratka

abdicate *v* odstoupit

abdication *n* odstoupení

abdomen *n* břicho

abduct *v* unést

abduction *n* únos

aberration *n* odchylka, vybočení

abhor *v* odmítat; hrozit se

abide by *v* řídit se; trvat na

ability *n* schopnost

ablaze *adj* hořící

able *adj* schopný

abnormal *adj* abnormální

abnormality *n* abnormalita, anomálie, vada

aboard *adv* na palubě

abolish *v* zrušit

abort *v* přerušit, zrušit; potratit

abortion *n* interrupce

abound *v* oplývat

about *pre* o; u; asi; po

about *adv* okolo; přibližně; kolem

above *pre* nad, nade, přes

abreast *adv* bok po boku, v jedné řadě, vedle sebe

abridge *v* zkrátit

abroad *adv* v cizině, v zahraničí

abrogate *v* odvolat

abruptly *adv* náhle

absence *n* nepřítomnost

absent *adj* nepřítomný

absolute *adj* absolutní, úplný, naprostý

absolution *n* zproštění; rozhřešení

absolve *v* osvobodit, zprostit; rozhřešit

absorb *v* pohlcovat

absorbent *adj* pohlcující

abstain *v* zdržet se

abstinence *n* zdrženlivost

abstract *adj* abstraktní

absurd *adj* absurdní

abundance *n* hojnost

abundant *adj* hojný, překypující

abuse *v* zneužívat

abuse *n* zneužívání

abusive *adj* hrubý

abysmal *adj* bezútěšný

abyss *n* propast

academic *adj* akademický

academy *n* akademie

accelerate *v* zrychlovat, urychlovat

accelerator *n* akcelerátor

accent n přízvuk; důraz
accept v přijímat
acceptable adj přijatelný
acceptance n souhlas
access n přístup
accessible adj přístupný, dostupný
accident n nehoda
accidental adj neúmyslný; nezaviněný
acclaim v nadšeně uvítat
acclimatize v přizpůsobit se, aklimatizovat
accommodate v opatřit; vyhovět; ubytovat
accompany v provázet, doprovázet
accomplice n spolupachatel
accomplish v dosáhnout, splnit
accomplishment n dosažení úspěchu
accord n shoda, soulad; souzvuk
according to pre v souladu s, podle čeho
accordion n harmonika
account n účet, konto
account for v zodpovídat za
accountable adj odpovědný
accountant n účetní
accumulate v nahromadit
accuracy n přesnost
accurate adj přesný

accusation n obvinění
accuse v obvinit
accustom v přivyknout si
ace n eso; jednička
ache n bolest
achieve v dosáhnout čeho
achievement n úspěch, dosažení
acid n kyselina
acidity n kyselost
acknowledge v brát na vědomí
acorn n žalud; špička
acoustic adj akustický, zvukový
acquaint v obeznámit
acquaintance n známost, známá osoba
acquire v získat
acquisition n získání, akvizice
acquit v zprostit viny, osvobodit
acquittal n osvobozující rozsudek, zproštění obžaloby
acre n akr
acrobat n akrobat
across pre napříč, přes, křížem
act n čin; herecký výkon; dějství
act v hrát roli
action n čin, činnost, akce
activate v spustit, aktivovat
activation n aktivace
active adj aktivní; platný
activity n činnost, aktivita
actor n herec
actress n herečka

actual *adj* skutečný, současný, nynější, aktuální

actually *adv* vlastně; skutečně; doopravdy

acute *adj* náhlý, prudký, akutní

adamant *adj* pevný

adapt *v* přizpůsobit

adaptable *adj* přizpůsobivý, přizpůsobitelný

adaptation *n* přizpůsobení, adaptace

adapter *n* adaptér

add *v* přidat; přičíst

addicted *adj* závislý

addiction *n* závislost

addictive *adj* návykový

addition *n* přidání, přídavek, doplněk

additional *adj* další, přídavný, dodatkový

address *n* adresa; projev

address *v* adresovat; oslovit; promluvit

addressee *n* adresát, příjemce

adequate *adj* přiměřený, úměrný

adhere *v* držet

adhesive *adj* přilnavý

adjacent *adj* přiléhající, přilehlý

adjective *n* přídavné jméno

adjoin *v* sousedit

adjoining *adj* sousedící, vedlejší

adjourn *v* odložit, odročit, skončit

adjust *v* napravit; přizpůsobit

adjustable *adj* nastavitelný, přizpůsobitelný

adjustment *n* nastavení, přizpůsobení

administer *v* spravovat, řídit

admirable *adj* obdivuhodný

admiral *n* admirál

admiration *n* obdiv

admire *v* obdivovat

admirer *n* obdivovatel, ctitel

admissible *adj* přípustný, přijatelný

admission *n* přijetí

admit *v* přiznávat, připustit

admittance *n* vstup, vpuštění

admonish *v* upozornit

admonition *n* napomenutí

adolescence *n* dospívání

adolescent *n* dospívající člověk

adopt *v* přijmout; adoptovat; osvojit si

adoption *n* přijetí; schválení; osvojení; adopce

adoptive *adj* adoptivní

adorable *adj* roztomilý, rozkošný

adoration *n* uctívání

adore *v* uctívat

adorn *v* zdobit

adrift *adv* bez cíle; na pospas

adulation *n* patolízalství, pochlebnictví

adult *n* dospělý
adulterate *v* cizoložit
adultery *n* cizoložství
advance *v* pokročit, postoupit
advance *n* pokrok
advantage *n* výhoda; převaha
Advent *n* advent, příchod, objevení se
adventure *n* dobrodružství
adverb *n* příslovce
adversary *n* sok, soupeř, odpůrce
adverse *adj* nepříznivý
adversity *n* nepřízeň
advertise *v* reklamovat, propagovat, veřejně ohlásit
advertising *n* reklama, inzerce
advice *n* rada
advisable *adj* vhodný; doporučeníhodný
advise *v* poradit
adviser *n* rádce, poradce, konzultant
advocate *v* hájit; přimlouvat se; zastat se; prosazovat
aesthetic *adj* estetický
afar *adv* daleko
affable *adj* vlídný
affair *n* záležitost; milostný poměr
affect *v* ovlivnit; dojmout
affection *n* zalíbení, náklonnost, láska
affectionate *adj* laskavý, láskyplný

affiliate *v* sdružit se
affiliation *n* přidružení; obchodní partnerství
affinity *n* blízkost
affirm *v* ujistit, utvrdit, potvrdit
affirmative *adj* potvrzující, souhlasný, pozitivní
affix *v* připojit, přidat
afflict *v* postihnout
affliction *n* trápení
affluence *n* blahobyt
affluent *adj* blahobytný
afford *v* dovolit si
affordable *adj* cenově dostupný
affront *v* urazit
affront *n* urážka
afloat *adv* v oběhu; na cestě; na lodi
afraid *adj* polekaný, bázlivý
afresh *adv* nanovo
after *pre* po
afternoon *n* odpoledne
afterwards *adv* pak, poté, potom, následně
again *adv* opět, zas, znovu
against *pre* proti, oproti
age *n* věk, doba
agency *n* agentura, úřad, zastoupení
agenda *n* program, agenda
agent *n* činitel; prostředek; zástupce; agent

agglomerate v nahromadit
aggravate v rozčílit; zhoršit; zvýšit
aggravation n přitěžující okolnost, podrážděnost; hněv
aggregate v hromadit, shluknout
aggression n útok, agrese, výboj, násilí
aggressive adj agresivní
aggressor n útočník, agresor
aghast adj zděšený
agile adj hbitý
agitator n agitátor
agnostic n agnostik
agonize v týrat, trápit
agonizing adj trýznivý
agony n muka, utrpení
agree v souhlasit, dohodnout se
agreeable adj potěšitelný; milý; souhlasící
agreement n smlouva, dohoda, domluva
agricultural adj zemědělský
agriculture n zemědělství
ahead pre vpředu
aid n prostředek; pomoc
aid v pomáhat; podporovat
aide n pobočník
ailing adj nemocný; stonavý
ailment n onemocnění; stonání
aim v mířit, cílit
aimless adj bezcílný
air n vzduch

air v vysílat
aircraft n letadlo
airfare n cena letenky
airfield n přistávací plocha
airline n aerolinie
airliner n dopravní letoun
airmail n letecká pošta
airplane n letadlo
airport n letiště
airspace n vzdušný prostor
airstrip n dráha pro letadla
airtight adj vzduchotěsný
aisle n chodba, ulička
ajar adj pootevřený
akin adj příbuzný
alarm n budík; poplach
alarm clock n budík
alarming adj alarmující, znepokojivý
alcoholic adj alkoholický
alcoholism n alkoholizmus
alert n výstraha, poplach
alert adj ostražitý
alert v upozorňovat; alarmovat
algebra n algebra
alien n vetřelec; cizinec; mimozemšťan
alight adv na světle; na ohni
align v vyrovnat, srovnat, uspořádat
alignment n vyrovnávání, uspořádání

alike *adj* stejný; podobný

alive *adj* živý

all *adj* celý

allegation *n* obvinění

allege *v* udávat

allegedly *adv* údajně

allegiance *n* oddanost

allegory *n* jinotaj, alegorie

allergic *adj* alergický

allergy *n* alergie

alleviate *v* zlehčit, zmírnit

alley *n* alej, ulička

alliance *n* spojení, aliance, spolek, svaz

allied *adj* spojenecký

alligator *n* aligátor

allocate *v* přiřadit, alokovat

allot *v* přidělit

allotment *n* příděl

allow *v* dovolit, povolit

allowance *n* kapesné

alloy *n* slitina

allure *n* lákat

alluring *adj* lákavý

allusion *n* narážka

ally *n* spojenec

ally *v* formovat spojenectví

almanac *n* ročenka, almanach

almighty *adj* všemohoucí

almond *n* mandle

almost *adv* téměř

alms *n* almužny

alone *adj* samotný, osamělý

along *pre* okolo, kolem, po, podél, dál, vpřed, s

alongside *pre* po boku

aloof *adj* odměřený

aloud *adv* hlasitě

alphabet *n* abeceda

already *adv* právě, již, už

alright *adv* dobře

also *adv* rovněž, taky, také, též

altar *n* oltář

alter *v* měnit, upravit, pozměnit

alteration *n* změna, úprava

altercation *n* výměna názorů

alternate *v* střídat, kolísat

alternate *adj* střídavý, kolísavý

alternative *n* alternativa

although *c* ačkoliv

altitude *n* výška

altogether *adj* celkový

aluminum *n* hliník

always *adv* vždy, vždycky

amass *v* nahromadit

amateur *adj* amatérský

amaze *v* ohromit, užasnout

amazement *n* úžas

amazing *adj* úžasný

ambassador *n* velvyslanec

ambiguous *adj* dvojsmyslný

ambition *n* ctižádost

ambitious *adj* ctižádostivý, ambiciózní

ambivalent *adj* rozpolcený
ambulance *n* sanitka, ambulance
ambush *v* přepadnout
amenable *adj* podléhající
amend *v* doplnit, pozměnit, novelizovat
amendment *n* dodatek, doplněk, oprava, novelizace
amenities *n* vymoženosti
American *adj* americký
amiable *adj* laskavý
amicable *adj* vlídný
amid *pre* uprostřed, mezi
ammonia *n* čpavek
ammunition *n* munice
amnesia *n* částečná ztráta paměti, amnézie
amnesty *n* amnestie
among *pre* mezi
amoral *adj* amorální
amorphous *adj* beztvarý, amorfní
amortize *v* umořovat
amount *n* částka, množství
amount to *v* činit částku
amphibious *adj* obojživelný
amphitheater *n* amfiteátr
ample *adj* bohatý, postačující
amplifier *n* zesilovač, amplion
amplify *v* zesilovat
amputate *v* amputovat
amputation *n* amputace
amuse *v* obveselovat

amusement *n* pobavení
amusing *adj* zábavný
an *a* neurčitý člen
analogy *n* analogie
analysis *n* analýza, rozbor
analyze *v* analyzovat
anarchist *n* anarchista
anarchy *n* anarchie, bezvládí, zmatek
anatomy *n* anatomie
ancestor *n* předchůdce, předek
ancestry *n* předkové
anchor *n* kotva; upnutí
anchovy *n* sardel
ancient *adj* starobylý
and *c* a, i
anecdote *n* anekdota
anemia *n* chudokrevnost
anemic *adj* chudokrevný
anesthesia *n* anestézie
anew *adv* nanovo, nově
angel *n* anděl
angelic *adj* andělský
anger *v* rozzlobit
anger *n* hněv
angina *n* angína
angle *n* úhel, hledisko
angle *v* zaměřit; natočit; otočit
Anglican *adj* anglikánský
angry *adj* rozzlobený
anguish *n* trápení, muka, trýzeň
animal *n* zvíře

animate v oživit; animovat
animation n oživení; animace
animosity n zášť
ankle n kotník
annex n dovětek; přístavba
annexation n anektovat území, anexe
annihilate v zničit, rozdrtit, vyhladit
annihilation n zkáza, vyhlazení, rozdrcení
anniversary n výročí
annotate v opatřit poznámkami
annotation n poznámka, anotace
announce v prohlásit
announcement n prohlášení
announcer n hlasatel; oznamovatel
annoy v obtěžovat, zlobit
annoying adj obtěžující
annual adj každoroční, výroční
annul v anulovat
annulment n anulování
anoint v namazat; posvětit
anonymity n anonymita
anonymous adj anonymní
another adj další
answer v odpovědět
answer n odpověď, odezva
ant n mravenec
antagonize v odporovat, působit proti

antecedent n předchůdce, předchozí
antecedents n předchůdci
antelope n antilopa
antenna n anténa; tykadlo
anthem n hymna
antibiotic n antibiotikum
anticipate v předvídat, očekávat
anticipation n předtucha, předvídání
antidote n protijed
antipathy n antipatie
antiquated adj zastaralý
antiquity n starobylost
anvil n kovadlina
anxiety n úzkost
anxious adj úzkostlivý; horlivě usilující; nedočkavý
any adj každý; nějaký
anybody pro kdokoliv
anyhow pro jakkoli, jakkoliv
anyone pro kterýkoli, kterýkoliv
anything pro cokoliv
apart adv stranou; od sebe
apartment n byt; hotelový pokoj
apathy n netečnost
ape n opice, lidoop
aperitif n aperitiv
apex n špice, vrchol
aphrodisiac adj afrodiziakální
apiece adv za kus, za každý, na osobu

apocalypse *n* apokalypsa
apologize *v* omluvit
apology *n* omluva
apostle *n* apoštol
apostolic *adj* apoštolský
apostrophe *n* apostrof; oslovení
appall *v* vyděsit
appalling *adj* zděšený
apparel *n* oblečení
apparent *adj* zjevný
apparently *adv* zjevně
apparition *n* zjevení
appeal *n* půvab; žádost, odvolání
appeal *v* líbit se; žádat, odvolat
appealing *adj* přitažlivý
appear *v* jevit, zjevit, objevit se
appearance *n* vzhled
appease *v* obměkčit
appeasement *v* usmíření
appendicitis *n* zánět slepého střeva
appendix *n* slepé střevo; dodatek
appetite *n* chuť
appetizer *n* aperitiv; předkrm
applaud *v* tleskat, aplaudovat
applause *n* potlesk, aplaus
apple *n* jablko
appliance *n* zařízení, spotřebič
applicable *adj* použitelný
applicant *n* žadatel; uchazeč
application *n* přihláška; žádost; aplikace

apply *v* žádat, ucházet se; použít, aplikovat
apply for *v* ucházet se o
appoint *v* sjednat, určit
appointment *n* schůzka, termín setkání
appraisal *n* odhad, ocenění, odhadnutí
appraise *v* odhadnout, ocenit, zhodnotit
appreciate *v* ocenit, vážit si čeho
appreciation *n* ocenění, zhodnocení, přírůstek hodnoty
apprehend *v* chápat; dopadnout
apprehensive *adj* úzkostlivý
apprentice *n* učeň, začátečník
approach *v* přiblížit se, přistupovat
approach *n* přístup
approachable *adj* přístupný, přátelský
approbation *n* souhlas, úřední uznání
appropriate *adj* odpovídající, patřičný, náležitý
approval *n* schválení, souhlas
approve *v* schválit
approximate *adj* přibližný
apricot *n* meruňka
April *n* duben
apron *n* zástěra; předscéna; ochranný plech

aptitude *n* nadání, vlohy, schopnost, pohotovost, inteligence

aquarium *n* akvárium

aquatic *adj* vodní

aqueduct *n* kanál, akvadukt

Arabic *adj* arabský

arable *adj* orný

arbiter *n* soudce, rozhodce

arbitrary *adj* svévolný, libovolný

arbitrate *v* rozhodovat

arbitration *n* arbitráž

arc *n* oblouk

arch *n* oblouk, klenba

archaeology *n* archeologie

archaic *adj* starobylý

archbishop *n* arcibiskup

architect *n* architekt

architecture *n* architektura; struktura

archive *n* archív

arctic *adj* polární, arktický

ardent *adj* žhavý

ardor *n* nadšení

arduous *adj* houževnatý; obtížný

area *n* plocha, oblast, prostor, územní, rozloha

arena *n* aréna

argue *v* dohadovat se, hádat se

argument *n* spor, hádka; argument

arid *adj* suchý, vyprahlý

arise *iv* povstat; naskytnout se

aristocracy *n* šlechta, aristokracie

aristocrat *n* šlechtic, aristokrat

arithmetic *n* aritmetický

ark *n* archa

arm *n* ruka, paže, rameno

arm *v* vyzbrojit

armaments *n* výzbroj

armchair *n* křeslo

armed *adj* ozbrojený, nabitý

armistice *n* příměří

armor *n* pancíř, brnění

armpit *n* podpaždí

army *n* armáda

aromatic *adj* aromatický, vonný

around *pro* okolo, u, kolem, poblíž

arouse *v* vzrušit; povzbudit

arrange *v* uspořádat, nastrojit

arrangement *n* uspořádání; dohoda

array *n* pole

arrest *v* zadržet; zatknout

arrest *n* zatčení; aretace

arrival *n* příchod, příjezd

arrive *v* přijít, přijet

arrogance *n* drzost, arogance

arrogant *adj* arogantní, povýšený, drzý

arrow *n* šíp, šipka

arsenal *n* arsenál

arsenic *n* arzén

arson *n* žhář

arsonist *n* žhář

art *n* umění

artery *n* tepna, arterie

arthritis *n* artritida

artichoke *n* artyčok

article *n* článek, bod, odstavec

articulate *v* vyjádřit; členit

articulation *n* vyjádření; rozčlenění; srozumitelnost

artificial *adj* umělý

artillery *n* dělostřelectvo

artisan *n* řemeslník

artist *n* umělec

artistic *adj* umělecký

artwork *n* umělecké dílo

as *c* za, což, co

as *adv* jak, tak, jako, jakkoliv, který, protože, ačkoli

ascend *v* stoupat

ascendancy *n* nadvláda

ascertain *v* přesvědčit

ascetic *adj* asketický

ash *n* popel

ashamed *adj* zahanbený

ashore *adv* k břehu, k pobřeží

ashtray *n* popelník

aside *adv* mimo, vedle, stranou

aside from *adv* stranou od, vedle

ask *v* žádat; zeptat se

asleep *adj* spící

asparagus *n* asparágus

aspect *n* zřetel, hledisko, aspekt

asphalt *n* asfalt

asphyxiate *v* zadusit

asphyxiation *n* udušení

aspiration *n* úsilí; vdech; odsátí

aspire *v* usilovat o, aspirovat

aspirin *n* aspirin

assail *v* útočit, napadnout

assailant *n* útočník

assassin *n* nájemný vrah

assassinate *v* úkladně zavraždit

assassination *n* atentát, úkladná vražda

assault *n* útok

assault *v* zaútočit

assemble *v* sestavit

assembly *n* montáž

assent *v* souhlasit

assert *v* prosazovat

assertion *n* prosazování

assess *v* ohodnotit

assessment *n* odhad, ohodnocení

asset *n* aktivum; hodnota majetku

assets *n* aktiva; celkový majetek

assign *v* přiřadit, přidělit, připsat

assignment *n* úkol; pověření; přiřazení

assimilate *v* přizpůsobit se

assimilation *n* přizpůsobení

assist *v* napomáhat, asistovat

assistance *n* pomoc, asistence

associate *v* spojit, přičlenit, asociovat

association *n* svaz, sdružení

assorted *adj* míchaný, smíšený; roztříděný

assortment *n* sortiment, směs, třídění

assume *v* předpokládat, domnívat se

assumption *n* předpoklad, domněnka

assurance *n* ujištění, zajištění, jistota

assure *v* ujistit, pojistit, zajistit

asterisk *n* hvězdička

asteroid *n* asteroid

asthma *n* astma

asthmatic *adj* astmatický

astonish *v* udivit, ohromit

astonishing *adj* úžasný

astound *v* ohromit, šokovat

astounding *adj* úžasný, ohromný

astray *adv* z cesty

astrologer *n* astrolog

astrology *n* astrologie

astronaut *n* kosmonaut

astronomer *n* astronom

astronomic *adj* hvězdářský; obrovský

astronomy *n* astronomie

astute *adj* vychytralý

asunder *adv* od sebe

asylum *n* útočiště, útulek, azyl

at *pre* k, ke, ve, v, na, po, z, u, o, při, za

atheism *n* ateismus

atheist *n* ateista

athlete *n* sportovec, atlet

athletic *adj* sportovní, atletický

atmosphere *n* atmosféra

atmospheric *adj* atmosférický

atom *n* atom

atomic *adj* atomový

atone *v* odčinit; pykat

atonement *n* odčinění; pykání

atrocious *adj* otřesný, ohavný, ukrutný

atrocity *n* zvěrstvo, ohavnost, ukrutnost

atrophy *v* zakrnět

attach *v* přidělat, připnout

attached *adj* připojený; oddaný; svázaný

attachment *n* připojení; upevnění; pouto; příloha; spoj; přípojka

attack *n* útok; záchvat

attack *v* útočit

attacker *n* útočník

attain *v* dosáhnout

attainable *adj* dosažitelný

attainment *n* dosažení

attempt *v* zkusit, pokusit

attempt *n* pokus

attend *v* docházet, účastnit se

attendance *n* účast

attendant *n* průvodce; obsluha; účastník

attention *n* pozornost

attentive *adj* pozorný

attenuate *v* zeslabit, tlumit, zmírnit

attenuating *adj* zmírňující, polehčující

attest *v* potvrdit

attic *n* podkroví

attitude *n* postoj

attorney *n* právní zástupce

attract *v* přitahovat

attraction *n* přitažlivost

attractive *adj* přitažlivý

attribute *v* přisuzovat

auction *n* dražba, aukce

auction *v* dražit

auctioneer *n* dražebník, licitátor

audacious *adj* smělý

audacity *n* smělost

audible *adj* slyšitelný, zvukový

audience *n* publikum

audit *v* kontrolovat, revidovat

auditorium *n* posluchárna

augment *v* zvětšit

August *n* srpen

aunt *n* teta

auspicious *adj* nadějný

austere *adj* přísný, vážný

austerity *n* přísnost, vážnost

authentic *adj* věrohodný, autentický

authenticate *v* ověřit

authenticity *n* hodnověrnost

author *n* autor

authoritarian *adj* autoritativní

authority *n* úřední moc, pravomoc

authorization *n* oprávnění

authorize *v* oprávnit

auto *n* auto

autograph *n* autogram

automatic *adj* automatický

automobile *n* automobil

autonomous *adj* autonomní

autonomy *n* autonomie, správní samostatnost

autopsy *n* pitva

autumn *n* podzim

auxiliary *adj* pomocný; doplňkový; rezervní

avail *v* prospívat

availability *n* dostupnost

available *adj* dostupný; disponibilní

avalanche *n* lavina

avarice *n* lakomství

avaricious *adj* lakomý

avenge *v* pomstít

avenue *n* bulvár, široká ulice, městská třída

average *n* průměr
averse *adj* odmítavý
aversion *n* odpor, averze
avert *v* zamezit; odvrátit
aviation *n* letectví
aviator *n* letec
avid *adj* horlivý, chtivý
avoid *v* vyhnout se
avoidable *adj* vyhnutelný
avoidance *n* vyhýbání se
avowed *adj* uznávaný
await *v* očekávat
awake *iv* vzbudit
awake *adj* bdělý
awakening *n* probuzení
award *v* odměnit, ocenit
award *n* cena, ocenění
aware *adj* vědomý
awareness *n* vědomí, povědomí
away *adv* pryč, mimo
awe *n* bázeň
awesome *adj* úchvatný
awful *adj* hrozný
awkward *adj* nepříhodný, nepříjemný
awning *n* markýza, baldachýn
ax *n* sekera
axiom *n* princip, axióm
axis *n* osa
axle *n* osa, náprava

babble *v* blábolit
baby *n* děťátko, malé dítě
babysitter *n* opatrovatelka dětí
bachelor *n* svobodný mládenec; bakalář
back *n* záda; rub; zadní část; zadní strana
back *adv* zpět; vzadu
back *v* podporovat; garantovat; couvat
back down *v* odvolat, ustoupit, odtáhnout se
back up *v* podpírat; zálohovat
backbone *n* páteř
backdoor *n* zadní vchod; zadní vrátka
backfire *v* mít opačný účinek
background *n* původ; pozadí
backing *n* krytí
backlash *n* odpor
backlog *n* nedodělek, rest
backpack *n* batoh
backup *n* záloha
backward *adj* zpětný, zpáteční; zaostalý
backwards *adv* dozadu
backyard *n* dvorek za domem
bacon *n* slanina, bůček
bacteria *n* baktérie

B

bad *adj* zlý, špatný

badge *n* odznak; legitimace

badly *adv* špatně

baffle *v* mást; tlumit

bag *n* taška, vak, pytel, sáček, kabelka

bag *v* balit

baggage *n* zavazadla

baggy *adj* plandavý

baguette *n* bageta

bail *n* kauce

bail out *v* zaplatit kauci; vyplatit někoho dluh; zachránit finančně

bailiff *n* soudní zřízenec, vykonavatel

bait *n* návnada

bake *v* péct

baker *n* pekař

bakery *n* pekařství

balance *v* udržet v rovnováze, vyrovnávat

balance *n* rovnováha; bilance

balcony *n* balkón

bald *adj* lysý, plešatý

bale *n* balík

ball *n* koule, míč

balloon *n* balón

ballot *n* hlasování

ballroom *n* taneční sál; sál v hotelu

balm *n* balzám

balmy *adj* hojivý, utišující

bamboo *n* bambus

ban *n* zákaz

ban *v* zakazovat

banality *n* banálnost, všednost

banana *n* banán

band *n* pásek; vysílací pásmo; hnací řemen; hudební skupina

bandage *n* obvaz

bandage *v* obvázat

bandit *n* zbojník

bang *v* bušit, udeřit

bangs *n* ofina

banish *v* vyhnat, vypudit

banishment *n* vyhoštění, vypovězení

bank *n* banka; břeh; svah

bankrupt *v* krachovat

bankrupt *adj* zkrachovalý

bankruptcy *n* bankrot, krach, konkurs

banner *n* prapor, plakát, reklamní tabule

banquet *n* hody; banket

baptism *n* křest

baptize *v* pokřtít

bar *n* pult; příčka; sloupec; tyčka; bar; bufet; hrazda; zábrana

bar *v* zatarasit

barbarian *n* barbar

barbaric *adj* barbarský

barbarism *n* barbarství

barbecue *n* rožeň, gril

B

barber *n* holič
bare *adj* holý, obnažený
barefoot *adj* bosý
barely *adv* sotva, stěží
bargain *n* uzavření obchodu; výhodná koupě
bargain *v* smlouvat se
bargaining *n* smlouvání
barge *n* dohoda
bark *v* štěkat
bark *n* štěkot
barley *n* ječmen
barmaid *n* barmanka
barman *n* barman
barn *n* stodola
barometer *n* barometr; tlakoměr
barracks *n* kasárna
barrage *n* přehrada
barrel *n* barel; sud; hlaveň; válec
barren *adj* pustý, prázdný
barricade *n* barikáda
barrier *n* bariéra, ohrada, mantinel
barring *pre* mimo, kromě, vyjma
bartender *n* barman
barter *v* výměnný obchod
base *n* báze, základ, základna
base *v* zakládat
baseball *n* baseball
baseless *adj* nepodložený
basement *n* podzemní podlaží, suterén

bashful *adj* ostýchavý, nespolečenský
basic *adj* základní
basics *n* základy
basin *n* zdrž, nádrž, umyvadlo, přístavní zátoka
basis *n* základ, základna, báze
bask *v* slunit se, opalovat se
basket *n* koš
basketball *n* košíková, basketbal
bass *n* bas, kontrabas; nízké slyšitelné frekvence
bastard *n* mizera; kříženec
bat *n* pálka; netopýr
batch *n* dávka
bath *n* koupel
bathe *v* koupat
bathrobe *n* župan
bathroom *n* koupelna
bathtub *n* vana
baton *n* obušek, štafetový kolík
battalion *n* prapor
batter *v* napadnout, bušit, zbít
battery *n* baterie; napadení; ublížení na zdraví
battle *n* bitva
battle *v* bojovat
battleship *n* válečná loď
bay *n* zátoka
bayonet *n* bodák
bazaar *n* bazar, tržiště
be *iv* být

B

be born *v* narodit se
beach *n* pláž
beacon *n* signální oheň; maják
beak *n* zobák
beam *n* paprsek, svazek
bean *n* fazole
bear *n* medvěd
bear *iv* nosit, snášet, trpět
bearable *adj* snesitelný
beard *n* plnovous
bearded *adj* bradatý
bearer *n* nositel; nosič
beast *n* zvíře, bestie
beat *iv* bít, tlouct, klepat
beat *n* tlukot, takt, tempo
beaten *adj* zbitý
beating *n* bití, tlučení
beautiful *adj* krásný
beautify *v* zkrášlit
beauty *n* krása
beaver *n* bobr
because *c* neboť, protože, jelikož, že
because of *pre* kvůli
beckon *v* dát znamení; pokynout; lákat
become *iv* stane se
bed *n* lůžko
bedding *n* podklad, ložní prádlo
bedroom *n* ložnice
bedspread *n* pokrývka na postel
bee *n* včela

beef *n* hovězí maso
beef up *v* zesílit
beehive *n* včelín
beer *n* pivo
beet *n* červená řepa
beetle *n* brouk
before *adv* předtím, dříve, před, vpředu
before *pre* před, než
beforehand *adv* předem
befriend *v* spřátelit
beg *v* žádat, prosit, žebrat
beggar *n* žebrák
begin *iv* začínat
beginner *n* začátečník
beginning *n* začátek, počátek
beguile *v* očarovat
behalf (on) *adv* jménem koho, v zájmu koho
behave *v* chovat se
behavior *n* chování
behead *v* setnout hlavu
behind *pre* za, vzadu, dozadu
behold *iv* spatřit
being *n* bytí, existence
belated *adj* opožděný
belch *v* říhat
belch *n* říhnutí
belfry *n* zvonice
Belgian *adj* belgický
Belgium *n* Belgie
belief *n* víra, přesvědčení

believable *adj* uvěřitelný

believe *v* věřit

believer *n* věřící

belittle *v* snižovat, podceňovat, bagatelizovat

bell *n* zvon

bell pepper *n* paprika

belligerent *adj* hašteřivý, bojechtivý

belly *n* břicho

belly button *n* pupík

belong *v* patřit

belongings *n* osobní věci; náležitosti; zavazadla; svršky; příslušenství

beloved *adj* milovaný

below *adv* pod, dole, níže, dolů

below *pre* pod, pode

belt *n* pásek, pás

bench *n* lavice

bend *iv* ohnout, ohýbat

bend down *v* ohnout, sehnout

beneath *pre* za, pod, v, ve, pode, dole

benediction *n* dobrořečení, požehnání

benefactor *n* patron, mecenáš

beneficial *adj* prospěšný

beneficiary *n* příjemce, beneficient

benefit *n* výhoda, prospěšnost

benefit *v* mít prospěch

benevolence *n* shovívavost, laskavost

benevolent *adj* shovívavý, štědrý, laskavý, dobrotivý

benign *adj* benigní

bequeath *v* odkázat, zanechat

bereaved *adj* pozůstalý

bereavement *n* bolestná ztráta úmrtím, úmrtí blízké osoby

beret *n* baret

berserk *adv* zběsile

berth *n* lůžko, volné místo; kotviště; pracovní pozice

beseech *iv* naléhat, žadonit

beset *iv* obklopit; sužovat; sklíčit

beside *pre* při, u

besides *pre* mimo to, kromě toho

besiege *iv* obléhat

best *adj* nejlepší

best man *n* svatební svědek

bestial *adj* brutální, bestiální

bestiality *n* zvěrstvo

bestow *v* poskytnout, udělit, umístit

bet *iv* sázet

bet *n* sázka

betray *v* zradit

betrayal *n* zrada

better *adj* lepší

between *pre* mezi

beverage *n* nápoj

beware *v* dát si pozor

B

bewilder *v* zmást, poplést
bewitch *v* učarovat, uhranout
beyond *adv* dále než, mimo, i později, támhle, v dálce, navíc, přes
bias *n* zaujatost, předsudek
bible *n* bible
biblical *adj* biblický
bibliography *n* knihověda, bibliografie
bicycle *n* jízdní kolo
bid *n* nabídka, podání v dražbě, přihození
bid *iv* vyzvat, přihazovat, podávat při dražbě
big *adj* velký
bigamy *n* dvojženství, bigamie
bigot *adj* bigotní, fanatický
bigotry *n* slepý fanatismus, pobožnůstkářství, bigotnost
bike *n* jízdní kolo
bile *n* žluč
bilingual *adj* dvojjazyčný
bill *n* účet, bankovka
bill *v* vystavit účet
billiards *n* kulečník
billion *n* miliarda
billionaire *n* miliardář
bimonthly *adj* dvouměsíční; dvoutýdenní
bin *n* zásobník, koš, popelnice
bind *iv* vázat, navázat

bind *adj* vazebný, vázající
binoculars *n* dalekohled
biography *n* životopis, biografie
biological *adj* biologický
biology *n* biologie
bird *n* pták
birth *n* narození, zrod
birthday *n* narozeniny
biscuit *n* sušenka
bishop *n* biskup; střelec v šachu
bison *n* bizon, zubr
bit *n* kousek; hrot, nástavec, počítačový bit
bite *iv* kousat
bite *n* kousnutí
bitter *adj* hořký, zatrpklý
bitterly *adv* hořce
bitterness *n* zatrpklost, zloba
bizarre *adj* divný, bizarní
black *adj* černý
blackberry *n* ostružina
blackboard *n* školní tabule
blackmail *n* vydírání, vyděračství
blackmail *v* vydírat
blackness *n* černost, čerň; temnota
blackout *n* výpadek proudu, zatemnění; přechodná ztráta paměti
blacksmith *n* kovář
bladder *n* měchýř
blade *n* ostří, čepel; stéblo trávy

B

blame *n* obviňování, obvinění, vina

blame *v* obviňovat, vinit

blameless *adj* bezúhonný, nevinný

bland *adj* mírný, jemný, nedráždivý

blank *adj* prázdný, čistý

blanket *n* deka, přikrývka

blaspheme *v* rouhat

blasphemy *n* rouhání

blast *n* výbuch, rána

blaze *v* roztrubovat; vyznačkovat; hořet

bleach *v* bělit, bílit, odbarvovat

bleach *n* bělidlo, čistidlo

bleak *adj* drsný; neradostný

bleed *iv* krvácet

bleeding *n* krvácení

blemish *n* vada, skvrna, poškození, úhona

blemish *v* porušit, pokazit, zkazit, zmařit

blend *n* směs

blend *v* smísit

blender *n* mixér

bless *v* žehnat

blessed *adj* požehnaný, blažený

blessing *n* požehnání

blind *v* oslepit, zaslepit

blind *adj* slepý, nevidomý

blindfold *n* páska přes oči

blindfold *v* zavázat oči

blindly *adv* slepě, zaslepeně

blindness *n* slepota

blink *v* mrkat; blikat

bliss *n* blaženost, slast, blaho

blissful *adj* báječný

blister *n* puchýř

blizzard *n* sněhová vichřice

bloat *v* nadýmat

bloated *adj* nadutý, nafouklý

block *n* blok

block *v* blokovat

blockade *v* uzavírat přístup

blockade *n* blokáda

blockage *n* blokování, blokáda

blond *adj* plavý, blonďatý

blood *n* krev

bloodthirsty *adj* krvežíznivý

bloody *adj* krvavý

bloom *v* rozkvést

blossom *v* květ

blot *n* skvrna

blot *v* poskvrnit

blouse *n* halenka

blow *n* rána, úder; fouknutí

blow *iv* foukat, dout

blow out *iv* sfouknout; odvát; prasknout

blow up *iv* nafouknout; vyhodit do vzduchu, vybouchnout

blowout *n* veselá oslava; vytrysknutí

bludgeon v bít, tlouct
blue adj modrý
blueprint n projektová dokumentace
bluff n klam, fígl
bluff v oklamat, oblafnout
blunder n hrubý omyl, trapas
blunt adj hrubý, neotesaný, tupý
bluntness n tupost, neotesanost
blur v rozmazat
blurred adj rozmazaný, zastřený
blush v červenat se
blush n ruměnec, zčervenání
boar n kanec
board n deska; paluba; komise, rada
board v nastoupit do letadla, nastoupit do lodě
boast v pochlubit se, chvástat se
boat n člun, loďka
bodily adj tělesný
body n tělo, těleso
bog n bahno; hák; latrína; močál
bog down v uváznout v blátě
boil v vařit
boil down to v scvrknout se
boil over v převařit, překypět
boiler n varník, ohřívač
boisterous adj bouřlivý
bold adj smělý; výrazný; drzý; tučný
boldness n smělost, drzost
bolster v zesílit; podložit, vycpat

bolt n blesk; zástrčka; šipka; útěk; čep; šroub
bolt v šroubovat; utéct; splašit
bomb n bomba
bomb v bombardovat, zničit bombami
bombing n bombardování
bombshell n bomba, šrapnel; šokující zpráva
bond n pouto, spojení; obligace
bondage n svázanost
bone n kost
bone marrow n kostní dřeň
bonfire n vatra
bonus n bonus, prémie
book n kniha
bookcase n knihovna
bookkeeper n účetní
bookkeeping n účetnictví
booklet n brožura
bookseller n knihkupec
bookstore n knihkupectví
boom n úspěch, rozmach
boom v vzkvétat
boost v zesílit, zvýšit
boost n vzestup, zesílení, zvýšení
boot n bota, holínka
booth n stánek, bouda
booty n lup, kořist
booze n alkohol
border n hranice, lem, rám, obruba

B

border on v hraničit

borderline adj pomezní čára, hranice

bore v nudit

bored adj znuděný

boredom n nuda

boring adj nudný

born adj narozený

borough n čtvrť, městský obvod

borrow v půjčit

bosom n prsa, poprsí; blízký člověk

boss n šéf

boss around v přísně řídit

bossy adj panovačný

botany n botanika

botch v zkazit, zpackat

both adj obojí

bother v obtěžovat

bothersome adj obtěžující

bottle n láhev

bottle v stáčet do lahví; potlačovat

bottleneck n hrdlo láhve; ucpané místo; horná hranice

bottom n zadek; dno

bottomless adj bezedný

bough n hlavní větev

boulder n balvan

boulevard n bulvár, široká ulice

bounce v odrážet; skákat

bounce n skok; odraz

bound adj svázaný, vázaný

bound v omezit

bound for adj směrovaný

boundary n mez, hranice

boundless adj neohraničený

bounty n odměna, štědrost

bourgeois adj buržoazní, měšťácký

bow n smyčka; luk; oblouk; úklona

bow v ohnout, uklonit

bow out v uklonit se; sestoupit z funkce; vypoklonkovat

bowels n střeva

bowl n mísa; nádobka

bowl v honit; koulet; házet

box n krabice; bedna; kóje

box v boxovat; balit do krabic

box office n pokladna

boxer n boxer

boxing n box

boy n kluk

boycott v bojkotovat

boyfriend n přítel, kamarád; milenec

boyhood n chlapectví

bra n podprsenka

brace for v povzbudit, podpořit

bracelet n náramek, náhrdelník

bracket n závorka; rozpětí; držák; věci jednoho druhu

brag v chvástat se

braid *n* cop; lem; tkanice
brain *n* mozek
brainwash *v* vymýt mozek
brake *n* brzda
brake *v* brzdit
branch *n* větev; odvětví
branch office *n* pobočka
branch out *v* větvit se
brand *n* značka
brand *v* označkovat
brand-new *adj* zbrusu nový
brandy *n* brandy, kořalka
brat *adj* nevychovaný
brave *adj* statečný
bravely *adv* statečně
bravery *n* hrdinství
brawl *n* rvačka
breach *n* přerušení, rozpor,
  násilné vniknutí
bread *n* chléb
breadth *n* šířka
break *n* zlomit
break *iv* zlomení, přerušení;
  přestávka
break away *v* ulomit; uprchnout
break down *v* pokazit, rozbít
break free *v* osvobodit se
break in *v* vlámat se; přerušit
break off *v* odlomit
break open *v* vylomit, vloupat se
break out *v* rozlomit; porušit;
  vylomit

break up *v* ukončit, rozpojit,
  rozejít se
breakable *adj* rozbitný
breakdown *n* kolaps
breakfast *n* snídaně
breakthrough *n* průlom
breast *n* prsa, hruď
breath *n* dech
breathe *v* dýchat
breathing *n* dýchání
breathtaking *adj* úchvatný,
  beroucí dech
breed *iv* plodit, rodit, množit se
breed *n* rod, plemeno, odrůda
breeze *n* vánek
brethren *n* bratři, krajani
brevity *n* stručnost
brew *v* vařit pivo
brewery *n* pivovar
bribe *v* uplatit
bribe *n* úplatek
bribery *n* úplatkářství, korupce
brick *n* cihla
bricklayer *n* zedník
bridal *adj* svatební
bride *n* nevěsta
bridegroom *n* ženich
bridesmaid *n* družička
bridge *n* most
bridle *n* provaz, řetěz, uzda,
  ukotvení
brief *adj* strohý

B

brief *v* informovat, instruovat
briefcase *n* aktovka
briefing *n* rozprava, krátká porada, tisková konference
briefly *adv* stručně
briefs *n* pánské spodky
brigade *n* oddíl, brigáda, sbor
bright *adj* bystrý, chytrý; jasný, světlý
brighten *v* vyjasnit
brightness *n* jas
brilliant *adj* vynikající, skvělý
brim *n* práh, kraj, okraj
bring *iv* přinést
bring back *v* vrátit
bring down *v* srazit, porazit; snížit; zesmutnit
bring up *v* vychovávat; zvracet; napomínat; zlepšit
brink *n* břeh, kraj, okraj
brisk *adj* hbitý, živý
Britain *n* Británie
British *adj* britský
brittle *adj* křehký
broad *adj* široký; širý; obsáhlý
broadcast *v* vysílat
broadcast *n* vysílání
broadcaster *n* vysílač
broaden *v* rozšířit
broadly *adv* široce
broadminded *adj* tolerantní, otevřený, velkorysý

brochure *n* brožura
broil *v* péct na roštu, grilovat
broiler *n* gril
broke *adj* chudý, úplně bez peněz
broken *adj* zlomený
bronchitis *n* zánět průdušek, bronchitida
bronze *n* bronz
broom *n* koště
broth *n* vývar
brothel *n* nevěstinec, bordel
brother *n* bratr
brotherhood *n* bratrství
brother-in-law *n* švagr
brotherly *adj* bratrský
brow *n* sráz, vrchol stoupání
brown *adj* hnědý
browse *v* prohlížet
browser *n* prohlížeč
bruise *n* modřina, zhmoždění
bruise *v* zranit, pohmoždit, otlouct
brunch *n* pozdní snídaně
brunette *adj* hnědovláska, tmavovláska
brush *n* kartáč, štětec, štětka
brush *v* kartáčovat
brush aside *v* zamést, vyhnout se
brush up *v* kartáčovat, natupírovat
brusque *adj* příkrý
brutal *adj* surový, brutální

brutality *n* surovost
brutalize *v* brutálně zacházet
brute *adj* hrubý, brutální
bubble *n* bublina
bubble gum *n* žvýkačka
buck *n* srnec
buck *v* vypínat se, vzpínat se; potácet; stavět se proti
bucket *n* kbelík
buckle *n* spona
buckle up *v* připoutat
bud *n* poupě, klíček
buddy *n* kamarád
budge *v* ustoupit, hnout se
budget *n* rozpočet
buffalo *n* buvol
bug *n* brouk; moucha, chyba
build *iv* stavět
builder *n* stavitel
building *n* budova
buildup *n* vzrůst, nahromadění
built-in *adj* vestavěný
bulb *n* žárovka, cibulka
bulge *n* boule
bulk *n* velký objem, náklad
bulky *adj* objemný
bull *n* býk
bull fight *n* býčí zápas
bull fighter *n* zápasník s býky
bulldoze *v* srovnat, upravit buldozerem
bullet *n* projektil, kulka

bulletin *n* věstník, bulletin, zpravodaj
bully *adj* šikanující
bulwark *n* val, ochrana, záštita
bum *n* tulák
bump *n* náraz; hrbolek
bump into *v* narazit do, narazit na
bumper *n* nárazník
bumpy *adj* hrbolatý
bun *n* žemle, houska, bochánek
bunch *n* shluk, svazek, parta
bundle *n* stoh; balení
bundle *v* udělat svazek
bunk bed *n* patrové lůžko
bunker *n* bunkr
buoy *n* bóje
burden *n* břemeno
burden *v* zatěžovat
burdensome *adj* tíživý, těžký, únavný
bureau *n* úřad
bureaucracy *n* byrokracie
bureaucrat *n* byrokrat
burger *n* hamburger, karbanátek
burglar *n* domovní lupič
burglarize *v* vloupat se
burglary *n* vloupání do domu
burial *n* pohřební
burly *adj* statný
burn *iv* pálit, hořet
burn *n* spálenina

B
C

burp v říhat, krkat
burp n říhnutí
burrow n nora
burst iv shluk, výbuch
burst into v propuknout v
bury v pohřbívat
bus n autobus
bus v dopravit autobusem
bush n křovina, pustina, buš
busily adv spěšně; pilně, horlivě
business n obchod, podnikání
businessman n podnikatel
bust n poprsí; bysta
bustling adj ustaraný; rušný
busy adj zaneprázdněný; obsazený
but c ale, aby, zato, že, leč, však, jenom, nýbrž
butcher n řezník
butchery n řeznictví
butler n sluha
butt n držadlo; špaček; zadek; pažba
butter n máslo
butterfly n motýl
button n knoflík, tlačítko
buttonhole n knoflíková dírka
buy iv koupit
buy off v vykoupit; vyplatit z podílu
buyer n kupec, zákazník
buzz n hukot, bzučení, šum
buzz v pustit bzučák; hučet, drnčet
buzzard n krkavec

buzzer n bzučák, siréna
by pre kolem, na, po, podle, přes, při, za, do, ode, od, u, v, mimo, o, okolo
bye e ahoj, na shledanou
bypass n obtok, objížďka, překlenutí
bypass v obejít, vyhnout se, vést kolem
by-product n vedlejší produkt
bystander n přihlížející osoba, nezúčastněný divák

C

cab n taxi; kabina
cabbage n zelí
cabin n chata; kabina
cabinet n sekretář
cable n kabel
cafeteria n jídelna, bufet
caffeine n kofein
cage n klec
cake n dort, koláč
calamity n pohroma
calculate v počítat
calculation n výpočet
calculator n kalkulačka

calendar n kalendář
calf n lýtko; tele
caliber n ráže; význam
calibrate v cejchovat, kalibrovat
call n volání; zavolání; hovor
call v volat; zavolat; nazvat
call off v odvolat
call on v povolat; vyzývat
call out v zvolat
calling n volání
callous adj tvrdý, bezcitný, otupělý
calm adj klidný, tichý
calm n klid; tišina
calm down v utišit, zklidnit, uklidnit
calorie n kalorie
calumny n pomluva
camel n velbloud
camera n fotoaparát; kamera
camouflage v maskovat
camouflage n maskování; maskáč; maskovací vzor
camp n tábor, kemp
camp v tábořit, kempovat
campaign v účastnit se válečného tažení; vést kampaň
campaign n válečné tažení; kampaň
campfire n táborák
can iv umět, moci, smět
can v konzervovat
can n plechovka, konzerva

can opener n otvírák na konzervy
canal n kanál, průplav
canary n kanárek
cancel v zrušit, stornovat, anulovat
cancellation n anulování, zrušení, storno
cancer n rakovina
cancerous adj rakovinotvorný
candid adj otevřený, upřímný
candidacy n kandidatura
candidate n uchazeč, kandidát
candle n svíce
candlestick n svícen
candor n nestrannost, objektivita
candy n cukrovinky
cane n prut, rákoska
canister n sud, kanystr, plechovka
canned adj konzervovaný
cannibal n lidožrout
cannon n dělo
canoe n kánoe
canonize v svatořečit
cantaloupe n druh melounu
canteen n jídelna, kantýna
canvas n plátno
canvas v pročesat okolí; podrobně zkoumat
canyon n kaňon
cap n čepice; víko; uzávěr
cap v opatřit závěrem; završit
capability n schopnost
capable adj schopný, způsobilý

C

capacity *n* schopnost; kapacita

cape *n* mys; pláštěnka

capital *n* kapitál; hlavní; hlavní město

capital letter *n* velké písmeno

capitalism *n* kapitalismus

capitalize *v* kapitalizovat; psát s velkým počátečním písmenem

capitulate *v* kapitulovat

capsize *v* převrhnout

capsule *n* kapsle; pouzdro

captain *n* kapitán

captivate *v* zaujmout, upoutat

captive *n* zajatec

captivity *n* zajetí

capture *v* chytit, dopadnout, zajmout

capture *n* dopadení; zachycení

car *n* auto; vůz; vagon

carat *n* karát

caravan *n* karavana; obytný přívěs

carburetor *n* karburátor

carcass *n* zdechlina

card *n* karta; pohlednice; vizitka

cardboard *n* karton

cardiac *adj* srdeční

cardiac arrest *n* srdeční zástava

cardiology *n* kardiologie

care *n* péče

care *v* pečovat; starat se; mít zájem

care about *v* zajímat se

care for *v* pečovat; mít rád

career *n* profese, zaměstnání, kariéra

carefree *adj* bezstarostný

careful *adj* pečlivý; opatrný

careless *adj* nedbající, bezohledný

carelessness *n* nedbalost

caress *n* pohlazení, mazlení

caress *v* pohladit, mazlit

caretaker *n* hlídač, vrátný, domovník

cargo *n* náklad

caricature *n* karikatura

caring *adj* laskavý, láskyplný, dobrosrdečný

carnage *n* masakr

carnal *adj* pohlavní, sexuální, smyslný

carnation *n* karafiát

carol *n* koleda

carpenter *n* tesař

carpentry *n* tesařina

carpet *n* koberec

carriage *n* kočár

carrot *n* mrkev

carry *v* nést, nosit

carry on *v* pokračovat

carry out *v* provést

cart *n* vozík

cart *v* vozit vozíkem

cartoon *n* kreslený vtip, kreslený film

cartridge *n* náplň; náboj; kazeta

C

carve v rýt
cascade n vodopád
case n případ; pouzdro; kryt
cash n hotovost
cashier n pokladník
casino n kasino
casket n rakev
casserole n kastrol
cast n odlitek; hod; obsazení
cast iv obsadit; vrhnout; odlévat
castaway n ztroskotat
caste n kasta
castle n hrad, zámek
casual adj běžný; ležérní;
  příležitostný
casualty n oběť
cat n kočka
cataclysm n zkáza
catacomb n katakomby
catalog n soupis, katalog
catalog v katalogizovat
cataract n vodopád; proud;
  katarakt; šedý zákal
catastrophe n katastrofa
catch iv chytnout, polapit,
  zachytnout
catch up v dohánět
catching adj nakažlivý
catchword n slogan; módní slovo
catechism n katechismus
category n kategorie
cater to v obstarávat

caterpillar n housenka
cathedral n chrám, katedrála
catholic adj katolický
Catholicism n katolicizmus
cattle n hovězí dobytek
cauliflower n květák
cause n důvod, příčina, kauza
cause v způsobit
caution n výstraha
cautious adj obezřetný
cavalry n kavalerie
cave n jeskyně
cave in v zbořit se, zhroutit se,
  propadnout
cavern n dutina
cavity n dutina, otvor
cease v zastavit, přestat
cease-fire n příměří
ceaselessly adv nepřetržitě
ceiling n strop
celebrate v oslavovat; celebrovat
celebration n oslava; mše
celebrity n slavná osoba
celery n celer
celestial adj nebeský
celibacy n celibát
celibate adj celibátní
cell phone n mobilní telefon
cellar n sklep
cement n cement, tmel
cemetery n hřbitov
censorship n cenzura

C

censure v zavržení, omítání
census n sčítání lidu
cent n cent, haléř
centenary n sté výročí
center n střed; středisko
center v soustředit; centrovat
centimeter n centimetr
central adj centrální, střední
centralize v centralizovat
century n století
ceramic n keramika
cereal n obilovina
cerebral adj mozkový
ceremony n obřad, slavnost, ceremonie
certain adj určitý, jistý
certainty n jistota
certificate n osvědčení, vysvědčení, certifikát, průkaz
certify v potvrzovat, osvědčit
chagrin n starost, mrzutost
chain n řetěz; řetízek; řetězec
chain v uvázat na řetěz; řetězit
chainsaw n řetězová pila
chair n křeslo, židle
chair v předsedat
chairman n předseda
chalet n chata
chalice n kalich
chalk n křída
chalkboard n psací tabule
challenge v vyzvat

challenge n výzva; námitka
challenging adj náročný; vyzývající
chamber n komora
champ n hryzení, žvýkání
champion n borec; šampión; vítěz; bojovník
champion v bojovat, obránit, vítězit
chance n šance
chancellor n kancléř
chandelier n lustr
change v změnit, měnit, vyměnit
change n změna; drobné peníze
channel n kanál; vodní koryto
channel v brázdit; usměrňovat
chant n chorál
chaos n zmatek; chaos
chaotic adj chaotický
chapel n kaple
chaplain n kaplan
chapter n kapitola
char v spálit
character n písmeno; znak; postava; charakter
characteristic adj charakteristický
charade n šaráda
charbroil v roštovat na uhlí
charcoal n uhlí, uhel
charge v nabít; obvinit; zasáhnout; napadnout
charge n náboj; nabití; břímě; útok; nálož; obvinění; napadení

charisma *n* charisma
charismatic *adj* charismatický
charitable *adj* dobročinný
charity *n* charita
charm *v* okouzlit
charm *n* šarm, půvab
charming *adj* půvabný
chart *n* tabulka, diagram, graf, žebříček
charter *n* pronájem; smlouva; charta
charter *v* najmout
chase *v* štvát, honit
chase *n* hon, honička
chase away *v* zahnat
chasm *n* rokle
chaste *adj* cudný
chastise *v* trestat
chastisement *n* výprask; kárání
chastity *n* zdrženlivost, cudnost
chat *v* kecat, povídat si
chauffeur *n* šofér
cheap *adj* levný; lakomý
cheat *v* ošidit
cheater *n* podvodník
check *n* kontrola; ověření; šek; zaškrtnutí
check *v* ověřovat, prověřit, kontrolovat; zaškrtnout
check in *v* registrovat; dostavit se ke vstupní kontrole
check up *n* vyšetření

checkbook *n* šeková knížka
cheek *n* líc
cheekbone *n* lícní kost
cheeky *adj* nestoudný, troufalý, drzý
cheer *v* povzbudit, fandit
cheer up *v* povzbudit
cheerful *adj* veselý, radostný
cheers *n* nazdar, na zdraví
cheese *n* sýr
chef *n* šéfkuchař
chemical *adj* chemický
chemist *n* chemik
chemistry *n* chemie
cherish *v* opatrovat, starat se s láskou
cherry *n* třešeň, višeň
chess *n* šachy
chest *n* hruď, prsa; truhla, bedna
chestnut *n* kaštan
chew *v* žvýkat
chick *n* kuřátko
chicken *n* kuře
chicken out *v* zbaběle couvnout
chicken pox *n* varicela
chide *v* plísnit; peskovat
chief *n* šéf; předseda; vedoucí; hlavní
chiefly *adv* zejména, především
child *n* dítě
childhood *n* dětství
childish *adj* dětinský

C

C

childless *adj* bezdětný

children *n* děti

chill *n* ochlazení, chlad, mráz

chill *v* zchladit; zklidnit;
oddechovat

chill out *v* zklidnit se, oddechovat

chilly *adj* chladný, mrazivý

chimney *n* komín

chimpanzee *n* šimpanz

chin *n* brada

chip *n* odštěpek; žeton; čip

chisel *n* dláto

chocolate *n* čokoláda

choice *n* výběr, volba

choir *n* chóry, sbory

choke *v* dusit

cholera *n* cholera

cholesterol *n* cholesterol

choose *iv* zvolit si

choosy *adj* vybíravý

chop *v* sekat

chop *n* seknutí

chopper *n* vrtulník; sekáček

chore *n* práce

chorus *n* refrén; pěvecký sbor

christen *v* pokřtít

christening *n* křest, křtiny

Christian *adj* křesťanský

Christianity *n* křesťanství

Christmas *n* Vánoce

chronic *adj* chronický

chronicle *n* kronika

chronology *n* chronologie,
časová posloupnost

chubby *adj* boubelatý

chuckle *v* usmívat se

chunk *n* poleno; kus

church *n* kostel; církev

chute *n* padák

cider *n* mošt

cigar *n* doutník

cigarette *n* cigareta

cinder *n* popel, oharek, uhlík,
škvára

cinema *n* kino

cinnamon *n* skořice

circle *n* kruh

circle *v* kroužit

circuit *n* obvod

circular *adj* kruhový

circulate *v* obíhat, uvádět do
oběhu

circulation *n* oběh, koloběh

circumcise *v* obřezat

circumcision *n* obřízka

circumstance *n* okolnost, situace

circumstantial *adj* vedlejší,
podružný, nepřímý

circus *n* cirkus

cistern *n* rezervoár; vodní nádrž;
cisterna

citizen *n* občan

citizenship *n* občanství

city *n* město, obec

city hall *n* radnice

civic *adj* občanský

civil *adj* zdvořilý; civilní; občanský

civilization *n* civilizace

civilize *v* civilizovat

claim *v* vyžádat; tvrdit; domáhat; požadovat; reklamovat

claim *n* nárok; žádost; vyžádání; reklamace; tvrzení

clam *n* lastura, škeble, mlž; hlupák

clamor *v* lomozit

clamp *n* svorka, upínadlo

clan *n* klan

clandestine *adj* utajovaný

clap *v* tleskat

clarification *n* objasnění

clarify *v* objasnit

clarinet *n* klarinet

clarity *n* jasnost

clash *v* utkat; kolidovat

clash *n* střet, kolize; rozpor

class *n* třída; ročník; jakost

classic *adj* klasický

classify *v* třídit; klasifikovat

classmate *n* spolužák

classroom *n* třída, učebna

classy *adj* vytříbený

clause *n* klauzule; doložka; jednoduchá věta

claw *n* dráp

claw *v* drápat

clay *n* hlína, plastelína

clean *adj* čistý

clean *v* čistit, uklízet

cleaner *n* čisticí prostředek; uklízeč

cleanliness *n* čistota

cleanse *v* očistit, opláchnout

cleanser *n* čistič

clear *adj* jasný

clear *v* vyjasnit; vyčistit

clearance *n* odklizení; zúčtování

clear-cut *adj* jednoznačný

clearly *adv* zjevně, zřetelně, jasně

clearness *n* průzračnost

cleft *n* trhlina

clemency *n* vlídnost

clench *v* sevřít

clergy *n* duchovenstvo

clergyman *n* duchovní

clerical *adj* duchovenský, klerikální

clerk *n* úředník

clever *adj* moudrý, chytrý

click *v* kliknout, klapnout, cvaknout

client *n* zákazník, klient

clientele *n* klientela

cliff *n* útes

climate *n* podnebí, klima

climatic *adj* klimatický

climax *n* nejvyšší bod, vrchol

climb *v* šplhat, lézt

climbing *n* horolezectví
clinch *v* sevřít
cling *iv* přiléhat, lpět
clinic *n* klinika, poliklinika
clip *n* spona, svorka
clip *v* připnout; stříhat; těsně obepnout
clipping *n* výstřižek
cloak *n* plášť
clock *n* hodiny
clog *v* zacpat
cloister *n* klášter
clone *v* klonovat
cloning *n* klonování
close *v* zavřít
close *adj* blízký; těsný
close to *pre* při, blízko u
closed *adj* zavřený
closely *adv* zblízka, úzce, těsně
closet *n* šatník
closure *n* závěr, uzavření
clot *n* sraženina
cloth *n* plátno
clothe *v* obléct
clothes *n* oděv, šaty, oblečení
clothing *n* šatstvo, oděvy
cloud *n* oblak
cloudless *adj* bezmračný
cloudy *adj* chmurný
clown *n* klaun, šašek
club *n* kyj, hůl; klub
club *v* navštěvovat kluby

clue *n* vodítko, stopa; ponětí
clumsiness *n* neohrabanost
clumsy *adj* neohrabaný
cluster *n* svazek, shluk
cluster *v* seskupit
clutch *n* spojka; sevření
coach *v* trénovat, učit
coach *n* trenér; kočár; autobus; vůz
coaching *n* trénovaní; vyučování
coagulate *v* koagulovat
coagulation *n* koagulace
coal *n* uhlí
coalition *n* koalice, sdružení
coarse *adj* drsný, hrubý
coast *n* pobřeží
coast *v* sjíždět
coastal *adj* pobřežní
coastline *n* obrys pobřeží
coat *n* kabát; potah
coax *v* vyloudit
cob *n* bochníček
cobblestone *n* dlažební kostka
cobweb *n* pavučina
cock *n* kohout
cockpit *n* kabina
cockroach *n* šváb
cocktail *n* koktejl; směs
cocky *adj* nafoukaný, nadutý
cocoa *n* kakao, kakaovník
coconut *n* kokos
cod *n* treska

code *n* kód; zákoník; zásada
codify *v* kodifikovat
coefficient *n* koeficient
coerce *v* nutit
coercion *n* nucení
coexist *v* spoluužívat, koexistovat
coffee *n* káva
coffin *n* rakev
cohabit *v* společně obývat
coherent *adj* srozumitelný
cohesion *n* soudržnost
coin *n* mince
coincide *v* připadat na stejnou dobu
coincidence *n* shoda okolností, náhoda
coincidental *adj* náhodný
cold *adj* chladný
coldness *n* chlad
colic *n* kolika
collaborate *v* spolupracovat; kolaborovat
collaboration *n* spolupráce
collaborator *n* spolupracovník; kolaborant
collapse *v* padnout, zbortit se
collapse *n* pád, kolaps, zhroucení
collar *n* obojek, ohlávka
collarbone *n* klíční kost
collateral *adj* vedlejší
colleague *n* kolega
collect *v* sebrat, sbírat

collection *n* sběr, sbírka
collector *n* sběratel; výběrčí
college *n* kolej, vysoká škola; vyšší odborná škola
collide *v* srazit se; být v rozporu
collision *n* srážka, kolize
cologne *n* kolínská
colon *n* tlusté střevo; dvojtečka
colonel *n* plukovník
colonial *adj* koloniální; osadní
colonization *n* kolonizace
colonize *v* osídlit; kolonizovat
colony *n* kolonie
color *n* barva
color *v* barvit
colorful *adj* barevný, pestrý
colossal *adj* kolosální
colt *n* kolt
column *n* sloup; sloupek; rubrika; kolona
coma *n* kóma
comb *n* hřeben
comb *v* pročesat
combat *n* boj
combat *v* bojovat
combatant *n* bojovník
combination *n* kombinace
combine *v* spojovat, zkombinovat
combustible *n* hořlavina
combustion *n* spalování
come *iv* přijít; přijet; přijíždět; stát se

C

come about v stát se, přijít k něčemu
come across v narazit na; přejít
come apart v rozložit se
come back v vrátit se
come down v ukázat se
come forward v předstoupit
come from v přijít z, vzejít z
come in v vstoupit
come out v vyjít
come over v přijít
come up v přijít s; objevit se
comeback n návrat
comedian n komediant, komik
comedy n komedie
comet n kometa
comfort n pohodlí
comfortable adj pohodlný
comforter n pokrývka
comical adj směšný
coming n příchod
coming adj přicházející
comma n čárka
command v příkaz, rozkaz, velení
commander n velitel
commandment n přikázání
commemorate v připomenout památku
commence v zahájit
commend v doporučit; chválit
commendation n doporučení; uznání; chvála

comment v komentovat
comment n komentář, poznámka, připomínka
commerce n obchod
commercial adj obchodní, komerční
commission n provize, odměna
commit v spáchat
commitment n závazek
committed adj oddaný, zavázaný
committee n komise
common adj obvyklý, běžný; veřejný; společný
commotion n rozruch
communicate v komunikovat
communication n komunikace
communion n spojení, společenství; přijímání svátosti
communism n komunismus
communist adj komunistický
community n společenství, komunita
commute v dojíždět denně
compact adj jednolitý, ucelený
compact v stlačit, slisovat
companion n společník
companionship n společnost, přátelství
company n společnost
comparable adj srovnatelný
comparative adj srovnávající
compare v srovnávat, přirovnat

comparison *n* porovnání
compartment *n* přihrádka, oddělení
compass *n* kompas
compassion *n* soucit
compassionate *adj* soucitný
compatibility *n* zaměnitelnost, slučitelnost
compatible *adj* zaměnitelný, slučitelný
compatriot *n* krajan
compel *v* vynutit si
compelling *adj* přesvědčivý
compendium *n* přehled, souhrn, výtah
compensate *v* nahradit, odškodnit, vyrovnat
compensation *n* vyrovnání, náhrada, kompenzace
compete *v* soutěžit
competence *n* pravomoc, kompetence
competent *adj* kompetentní
competition *n* soutěž; konkurence
competitive *adj* soutěživý
competitor *n* konkurent
compile *v* sestavit
complain *v* stěžovat si
complaint *n* stížnost
complement *n* doplněk
complete *adj* úplný

complete *v* dokončit, ukončit
completely *adv* úplně
completion *n* dokončení, kompletace
complex *adj* složitý
complexion *n* pleť
complexity *n* složitost
compliance *n* vyhovění
compliant *adj* vyhovující
complicate *v* komplikovat
complication *n* komplikace
complicity *n* spolupachatelství
compliment *n* pochvala; kompliment; věcná pozornost
complimentary *adj* pochvalný, zdvořilý
comply *v* splňovat, dodržet
component *n* složka; prvek; součástka
compose *v* skládat
composed *adj* klidný, vyrovnaný
composer *n* skladatel
composition *n* skladba, kompozice
compost *n* kompost
composure *n* klid, klidná mysl
compound *n* směs; sloučenina; složka
compound *v* sloučit, smíchat
comprehend *v* chápat
comprehensive *adj* obsáhlý
compress *v* stláčet

C

compression *n* stlačení

comprise *v* zahrnout

compromise *n* vzájemné ústupky, kompromis

compromise *v* kompromitovat; uzavřít kompromis

compulsion *n* nátlak, nucení

compulsive *adj* nutící

compulsory *adj* povinný

compute *v* vypočítat

computer *n* počítač

comrade *n* kamarád, druh; soudruh

con man *n* podvodník

conceal *v* skrýt, zatajit

concede *v* uznat, přiznat, povolit

conceited *adj* domýšlivý, ješitný

conceive *v* počít, zplodit; formulovat

concentrate *v* soustředit

concentration *n* soustřeďování, koncentrace

concentric *adj* soustředěný

concept *n* návrh, pojetí, koncept

conception *n* nápad, chápání; početí

concern *v* zajímat

concern *n* zájem; znepokojení; podnik, koncern

concerning *pre* co se týče, ve vztahu k

concert *n* koncert

concession *n* koncese, oprávnění, výsada

conciliate *v* smířit, uvést v soulad

conciliatory *adj* smírčí

concise *adj* stručný; lapidární; koncízní

conclude *v* usuzovat; rozhodnout se; uzavřít dohodu

conclusion *n* závěr, konečný úsudek

conclusive *adj* rozhodující; přesvědčivý; nezvratný

concoct *v* svařit, kout; vymyslet; vařit; konstruovat

concoction *n* smíšení; odvar; směs; výmysl

concrete *n* beton; hmota

concrete *adj* betonový; hmotný; konkrétní

concur *v* souhlasit, být ve shodě; shodovat se

concurrent *adj* souběžný

concussion *n* otřes mozku

condemn *v* zavrhnout, zatratit

condemnation *n* zavržení

condensation *n* srážení, zkapalnění, kondenzace

condense *v* srážet, kondenzovat

condescend *v* snížit se

condiment *n* chuťová přísada, koření

condition *n* stav; podmínka

conditional *adj* podmínečný

conditioner *n* kondicionér
condo *n* byt, kondominium
condolences *n* soustrast
condone *v* prominout, odpustit
conducive *adj* vodivý
conduct *n* vedení; provedení;
chování se
conduct *v* vést; provádět; chovat
se
conductor *n* vodič
cone *n* kužel
confer *v* jednat
conference *n* konference
confess *v* přiznat se; zpovídat se
confession *n* přiznání, doznání;
zpověď
confessional *n* zpovědní
confessor *n* zpovědník
confidant *n* důvěrník
confide *v* důvěřovat, svěřovat
confidence *n* důvěrnost;
sebedůvěra; smělost
confident *adj* důvěrník
confidential *adj* důvěrný
confine *v* omezit, ohraničit
confinement *n* uvěznění,
omezení
confirm *v* stvrdit, potvrdit
confirmation *n* potvrzení
confiscate *v* zabavit, konfiskovat
confiscation *n* zabavení,
konfiskace

conflict *n* spor; rozpor; neshoda;
boj; konflikt
conflict *v* být v rozporu
conflicting *adj* protikladný,
protichůdný, kolidující
conform *v* podřídit
conformist *adj* podřízený;
přizpůsobený; souhlasný
conformity *n* podrobení se,
konformita
confound *v* zmást, mařit
confront *v* konfrontovat
confrontation *n* konfrontace
confuse *v* mást
confusing *adj* zmatený
confusion *n* zmatek
congenial *adj* příbuzný;
sympatický; příjemný
congested *adj* ucpaný
congestion *n* zácpa
congratulate *v* gratulovat
congratulations *n* blahopřání
congregate *v* shromáždit
congregation *n* shromáždění,
kongregace
congress *n* kongres
conjecture *n* konjuktura
conjugal *adj* manželský
conjugate *v* časovat
conjunction *n* spojení; časování;
spojka
conjure up *v* vykouzlit

C

C

connect v spojit, připojit
connection n spojení, připojení
connive v intrikovat
connote v přihlížet, mlčky schvalovat, mlčky trpět
conquer v dobýt
conqueror n dobyvatel
conquest n dobytí
conscience n svědomí
conscious adj úmyslný, vědomý
consciousness n vědomí
conscript n branec
consecrate v zasvětit, vysvětlit
consecration n vysvěcení
consecutive adj následující; po sobě jdoucí
consensus n shoda, konsenzus
consent v svolit
consent n souhlas
consequence n důsledek
consequent adj vyplývající
conservation n uchování
conservative adj konzervativní
conserve v uchovat
conserve n zavařenina
consider v zvážit, uvážit
considerable adj značný
considerate adj rozvážný
consideration n uvážení
consignment n vydání, odevzdání
consist v skládat se

consistency n hutnost; konzistence
consistent adj konzistentní
consolation n útěcha
console v utěšit, chlácholit
consolidate v sjednotit, posílit, konsolidovat
consonant n souhláska
conspicuous adj zřetelný, jasný
conspiracy n spiknutí, konspirace
conspirator n spiklenec
conspire v spiknout
constancy n stálost
constant adj stálý, konstantní
constellation n konstelace
consternation n ohromení, úžas, děs
constipate v zacpat, ucpat
constipated adj mající zácpu
constipation n zácpa
constitute v být podstatou čeho; ustanovit; dát právní formu
constitution n ústava; zřízení; ustanovení
constrain v omezit; přinutit
constraint n stísněnost
construct v sestrojit, stavět
construction n stavba, konstrukce
constructive adj konstruktivní; stavební
consul n konzul

consulate n konzulát
consult v poradit se
consultation n porada, konzultace
consume v spotřebovat
consumer n spotřebitel, zákazník
consumption n spotřeba
contact v kontaktovat, spojit se
contact n kontakt, styk, spojení
contagious adj nakažlivý
contain v obsahovat
container n zásobník, nádoba, kontejner
contaminate v nakazit, kontaminovat
contamination n znečištění; nákaza; kontaminace
contemplate v zamýšlet
contemporary adj současný; soudobý
contempt n opovržení
contend v potýkat, zápasit
contender n uchazeč
content adj spokojený
content n obsah
contentious adj sporný, problematický
contents n obsah
contest n soutěž
contestant n soutěžící
context n souvislost, kontext
continent n kontinent, pevnina

continental adj zdrženlivý; souvislý
contingency n souvislost; možnost; eventualita; náhoda
contingent adj podmíněný; vedlejší
continuation n pokračování
continue v pokračovat
continuity n kontinuita
continuous adj průběžný
contour n obrys, tvar
contraband n kontraband
contract v smluvně se zavázat
contract n smlouva
contraction n stažení, kontrakce
contradict v protiřečit
contradiction n protiřečení
contrary adj opačný
contrast v být v rozporu
contrast n opak; rozdíl; kontrast
contribute v přispět
contribution n příspěvek, přispění
contributor n přispěvatel
contrition n kajícnost
control n ovládání
control v ovládat
controversial adj kontroverzní
controversy n kontroverze
convalescent adj zotavující se
convene v shromáždit se
convenience n příhodnost

C

C

convenient *adj* příhodný; vyhovující
convent *n* klášter, konvent
convention *n* shromáždění; úmluva
conventional *adj* tradiční, konvenční
converge *v* konvergovat
conversation *n* rozhovor, konverzace
converse *v* konverzovat
conversely *adv* naopak
conversion *n* přechod, konverze
convert *v* převést
convert *n* převedení
convey *v* dopravit
convict *v* odsouzený
conviction *n* odsouzení; rozsudek
convince *v* přesvědčit
convincing *adj* přesvědčující, přesvědčivý
convoluted *adj* spletitý
convoy *n* konvoj
convulse *v* zmítat se
convulsion *n* křeč, záškub, spasma
cook *v* vařit
cook *n* kuchař
cookie *n* sušenka
cooking *n* vaření
cool *adj* chladivý
cool *v* chladit

cool down *v* zchladit
cooling *adj* chladicí, chladivý
coolness *n* chladnost
cooperate *v* spolupracovat
cooperation *n* spolupráce
cooperative *adj* spolupracující
coordinate *v* přivést v soulad
coordination *n* sladění, koordinace
coordinator *n* koordinátor
cop *n* policista
cope *v* zvládat; vyrovnat se; zápasit s
copier *n* kopírka
copper *n* měď
copy *v* kopírovat
copy *n* kopie; výtisk
copyright *n* autorská práva
cord *n* šňůra, drát, motouz, provaz
cordial *adj* srdečný
cordless *adj* bezdrátový
cordon *n* kordón; stužka
cordon off *v* uzavřít; obklíčit
core *n* jádro
cork *n* korek, zátka
corn *n* kukuřice
corner *n* roh, kout
corner *v* zahnat do úzkých
cornerstone *n* základní kámen
cornet *n* roh; kornout
corollary *n* důsledek

coupon

coronary *adj* věnčitý
coronation *n* korunovace
corporal *adj* tělesný
corporal *n* desátník, kaprál
corporation *n* společnost, společenství, korporace
corpse *n* mrtvola
corpulent *adj* tělnatý, otylý
corpuscle *n* částice; krvinka
correct *v* napravit, opravit
correct *adj* správný
correction *n* oprava, náprava, korekce
correlate *v* korelovat
correspond *v* souhlasit; odpovídat; korespondovat
correspondent *n* zpravodaj; dopisovatel
corresponding *adj* odpovídající
corridor *n* chodba; ulička
corroborate *v* doložit, dosvědčit
corrode *v* korodovat, rezavět
corrupt *v* zkazit; zkorumpovat
corrupt *adj* zkažený
corruption *n* zkaženost; korupce
cosmetic *n* kosmetický
cosmic *adj* kosmický
cosmonaut *n* kosmonaut
cost *iv* stát
cost *n* výdaje; náklady; cena
costly *adj* drahý, nákladný
costume *n* kostým

cottage *n* chalupa
cotton *n* bavlna
couch *n* gauč
cough *n* kašel
cough *v* kašlat
council *n* rada
counsel *v* konzultovat; právní poradenství; právní zastupování
counsel *n* konzultace; obhajoba; právní zástupce
counselor *n* poradce
count *v* počítat
count *n* počet
countdown *n* odpočítávání
countenance *n* výraz; nálada
counter *n* pult; počitadlo; kuchyňská linka
counter *v* odpovědět útokem
counteract *v* působit proti
counterfeit *v* falšovat, padělat
counterfeit *adj* falešný
counterpart *n* protějšek
countess *n* hraběnka
countless *adj* nespočetný
country *n* vlast; země; venkov
country *adj* agrární; venkovský
countryman *n* venkovan
countryside *n* krajina
county *n* kraj; okres; hrabství
coup *n* puč
couple *n* dvojice, pár
coupon *n* kupón

courage *n* odvaha
courageous *adj* odvážný
courier *n* kurýr, posel
course *n* trať; kurz; průběh
court *n* soud; hřiště
court *v* dvořit se
courteous *adj* zdvořilý
courtesy *n* svolení
courthouse *n* soudní budova
courtship *n* známost; dvoření
courtyard *n* nádvoří
cousin *n* bratranec, sestřenice
cove *n* zátoka
covenant *n* smlouva
cover *n* úkryt; kryt; krytí
cover *v* krýt, skrýt
cover up *v* zakrývat
coverage *n* krytí
covert *adj* tajený
cover-up *n* kamufláž
covet *v* bažit
cow *n* kráva
coward *n* zbabělec
cowardice *n* zbabělost
cowardly *adv* zbaběle
cowboy *n* kovboj
cozy *adj* útulný
crab *n* krab
crack *n* prasknutí; lupnutí; trhlina; prasklina
crack *v* rozlousknout; naštípnout; praskat; prolomit; řehtat se

cradle *n* kolébka
craft *n* řemeslo, zručnost
craftsman *n* řemeslník
cram *v* nacpat; naučit se
cramp *n* křeč
cramped *adj* křečovitý
crane *n* jeřáb
crank *n* vrtoch; pomatenec; zkomolenina
cranky *adj* rozmrzelý
crap *n* hloupost; výkal
crappy *adj* mizerný; podělaný
crash *n* náraz, nehoda
crash *v* narazit; havarovat
crass *adj* hrubý; omezený
crater *n* kráter
crave *v* nutně potřebovat
craving *n* touha po
crawl *v* plazit se
crayon *n* pastelka
craziness *n* bláznivost
crazy *adj* bláznivý
creak *v* skřípat
creak *n* skřípot
cream *n* krém
creamy *adj* krémový
crease *n* zmačkání; záhyb
crease *v* mačkat
create *v* vytvářet
creation *n* vytvoření, stvoření, dílo
creative *adj* tvůrčí
creativity *n* tvořivost

creator *n* tvůrce
creature *n* stvoření, bytost
credibility *n* hodnověrnost
credible *adj* hodnověrný
credit *n* kredit; zápočet; úvěr;
důvěra
credit *v* mít důvěru v
creditor *n* věřitel
creed *n* vyznání
creek *n* záliv, zátoka
creep *v* vloudit se
creepy *adj* strašidelný
cremate *v* zpopelnit
crematorium *n* krematorium
crest *n* hřebínek; hřbet; chochol;
erb
crevice *n* štěrbina
crew *n* posádka, sbor, osazenstvo
crib *n* kolébka; chata; barák
cricket *n* kriket; cvrček
crime *n* zločin, zločinnost
criminal *adj* kriminální; trestní
cripple *adj* zmrzačený
cripple *v* zmrzačit
crisis *n* krize
crisp *adj* křupavý
crispy *adj* křupavý
criterion *n* kritérium
critical *adj* kritický; rozhodující
criticism *n* kritika
criticize *v* kritizovat
critique *n* recenze, kritika

crocodile *n* krokodýl
crony *n* blízký přítel
crook *n* darebák, kriminálník
crooked *adj* křivý, nepoctivý
crop *n* úroda, sklizeň
crop *v* ořezat, osekat
cross *n* kříž, křížek
cross *adj* rozmrzelý
cross *v* zkřížit
cross out *v* vyškrtnout
crossfire *n* křížová palba
crossing *n* křížení
crossroads *n* křižovatka
crosswalk *n* přechod pro chodce
crossword *n* křížovka
crouch *v* dřepnout, skrčit se
crow *n* vrána
crow *v* jásat; krákat; kokrhat
crowbar *n* páčidlo
crowd *n* dav, zástup lidí
crowd *v* tlačit se
crowded *adj* nacpaný
crown *n* koruna
crown *v* korunovat
crowning *n* vypouklost; korunování
crucial *adj* kritický, zásadní,
rozhodující
crucifix *n* kříž, krucifix
crucifixion *n* ukřižování
crucify *v* ukřižovat
crude *adj* surový; syrový;
neopracovaný

C

C

cruel *adj* krutý

cruelty *n* krutost

cruise *v* plavit se

crumb *n* strouhanka

crumble *v* rozpadat, hroutit

crunchy *adj* křupavý

crusade *n* křížová výprava

crusader *n* křižák

crush *v* zmáčknout; rozmáčknout; rozdrtit

crushing *adj* drtivý

crust *n* kůrka

crusty *adj* nevrlý

crutch *n* opora

cry *n* křik; pláč; nářek

cry *v* brečet

cry out *v* zavolat; vykřiknout; naříkat

crying *n* pláč

crystal *n* křišťál

cub *n* mládě

cube *n* krychle, kostka

cubic *adj* kubický

cubicle *n* kóje

cucumber *n* okurka

cuddle *v* přitulit se

cuff *n* facka; manžeta

cuisine *n* kuchyně, způsob přípravy jídel

culminate *v* kulminovat, vrcholit

culpability *n* provinění, vina

culprit *n* viník

cult *n* kult

cultivate *v* obdělávat, kultivovat, šlechtit, pěstovat

cultivation *n* obdělávání, kultivace, pěstování, šlechtění

cultural *adj* kulturní

culture *n* kultura

cumbersome *adj* nešikovný

cunning *adj* chytrý

cup *n* pohár, šálek, hrnek

cupboard *n* kredenc, skříň

curable *adj* vyléčitelný

curator *n* kurátor, správce

curb *v* držet na uzdě

curb *n* uzda; obrubník

curdle *v* srážet se

cure *v* léčit, uzdravit

cure *n* lék

curfew *n* večerka; zákaz vycházení z domu

curiosity *n* zajímavost

curious *adj* zvědavý

curl *v* schoulit se, vinout se

curl *n* kadeř

curly *adj* kadeřavý

currency *n* měna

current *n* proud

current *adj* nynější; současný

currently *adv* současně, nyní, aktuálně, v současné době

curse *v* prokletí

curtail *v* zastřihnout; oklestit

curtain *n* záclona; závěs; opona; clona
curve *n* křivka
curve *v* zakřivit
cushion *n* polštář, poduška
cushion *v* zmírnit, ztlumit
cuss *v* klít
custard *n* puding
custodian *n* poručník
custody *n* péče; poručnictví; vyšetřovací vazba
custom *n* klientela; zvyk
customary *adj* zvykový
customer *n* zákazník
custom-made *adj* zhotovený na zakázku
customs *n* clo, celnice, celnictví
cut *n* řez, průřez, říznutí
cut *iv* střihat, řezat, sekat
cut back *v* snížit
cut down *v* skosit; omezit; podřezat; kácet
cut off *v* uříznout
cut out *v* vystřihnout
cute *adj* roztomilý
cutlery *n* příbory
cutter *n* řezač
cyanide *n* kyanid
cycle *n* cyklus, koloběh; oběh
cycle *v* cyklovat; tvořit cyklus; jet na kole
cyclist *n* cyklista

cyclone *n* cyklón
cylinder *n* cylindr; válec
cynic *adj* cynický
cynicism *n* cynizmus
cypress *n* cypřiš
cyst *n* cysta
czar *n* car

dad *n* táta, tatínek
dagger *n* dýka
daily *adv* denně
dairy farm *n* mléčná farma
daisy *n* skvost; sedmikráska
dam *n* přehrada
damage *n* škoda
damage *v* poškodit
damaging *adj* poškozující
damn *v* zatratit
damnation *n* zatracení
damp *adj* navlhlý
dampen *v* navlhčit
dance *n* tanec
dance *v* tančit
dancing *n* tančení
dandruff *n* lupy
danger *n* nebezpečí

dangerous *adj* nebezpečný
dangle *v* houpat
dare *v* odvážit se
dare *n* výzva
daring *adj* odvážný
dark *adj* temný
darken *v* zatemnit
darkness *n* temnota, tma
darling *adj* milovaný
darn *v* zalátat
dart *n* šipka
dart *v* vrhat se
dash *v* hnát se; mrštit
dashing *adj* prudký
data *n* údaje, data
database *n* databáze
date *n* datum; schůzka
date *v* randit
daughter *n* dcera
daughter-in-law *n* snacha; nevlastní dcera
daunt *v* zastrašit
daunting *adj* zastrašování
dawn *n* svítání
day *n* den
daydream *v* fantazírovat
daze *v* oslnit; omámit
dazed *adj* oslněný
dazzle *v* třpytit; zářit; oslnit
dazzling *adj* oslnivý
deacon *n* diákon
dead *adj* mrtvý

dead end *n* slepá ulice
deaden *v* umrtvit, otupit
deadline *n* termín; lhůta; uzávěrka
deadlock *adj* zablokovaný
deadly *adj* smrtící, smrtelný
deaf *adj* hluchý, neslyšící
deafen *v* ohlušit
deafening *adj* ohlušující
deafness *n* hluchota
deal *iv* obchodovat; jednat
deal *n* obchod; dohoda
dealer *n* obchodník
dealings *n* záležitosti; jednání
dean *n* děkan
dear *adj* milý, drahý
dearly *adv* nesmírně, velice
death *n* smrt
death toll *n* počet obětí
death trap *n* smrtelná past; smrtelné nebezpečí
deathbed *n* smrtelná postel
debase *v* znehodnotit
debatable *adj* diskutabilní
debate *v* debata
debate *n* debatovat
debit *n* dluh, pasívum
debrief *v* vyslechnout hlášení
debris *n* sutiny
debt *n* dluh
debtor *n* dlužník
debunk *v* odhalit

debut *n* debut
decade *n* desítiletí
decadence *n* úpadek
decaf *adj* bezkofeinový
decapitate *v* utnout hlavu
decay *v* rozkládat se
decay *n* kaz
deceased *adj* zesnulý
deceit *n* podvod
deceitful *adj* podvodný
deceive *v* podvádět
December *n* prosinec
decency *n* slušnost
decent *adj* slušný
deception *n* podvod, oklamání
deceptive *adj* klamný; podvodný
decide *v* rozhodnout
deciding *adj* rozhodující
decimal *adj* desetinný
decimate *v* ničit
decipher *v* rozluštit
decision *n* rozhodnutí
decisive *adj* rozhodný
deck *n* paluba; poschodí
deck *v* pokládat podlahu
declaration *n* prohlášení
declare *v* vyhlásit, prohlásit, deklarovat
declension *n* ústup; skloňování
decline *v* odmítnout
decline *n* spád
decompose *v* rozkládat

décor *n* výzdoba
decorate *v* zdobit; dekorovat
decorative *adj* ozdobný
decorum *n* slušnost
decrease *v* snížit
decrease *n* úbytek
decree *n* dekret; nařízení
decree *v* vyhlásit
decrepit *adj* vetchý
dedicate *v* věnovat
dedication *n* věnování
deduce *v* vyvozovat
deduct *v* odečíst
deductible *adj* odečitatelný, odpočitatelný
deduction *n* odečtení; sleva; dedukce
deed *n* skutek; listina; smlouva
deem *v* považovat
deep *adj* hluboký
deepen *v* prohlubovat
deer *n* jelen, vysoká zvěř
deface *v* znetvořit
defame *v* hanobit
defeat *v* porazit
defeat *n* porážka
defect *n* vada
defect *v* dezertovat
defection *n* sběhnutí
defective *adj* vadný
defend *v* bránit, hájit
defendant *n* obžalovaný

D

defender *n* obránce
defense *n* obrana
defenseless *adj* bezbranný
defer *v* odložit
defiance *n* vzdor
defiant *adj* vzdorovitý
deficiency *n* deficit, schodek, manko, nedostatek
deficient *adj* nedostatečný
deficit *n* deficit; schodek
defile *v* znečistit
define *v* vymezit, definovat
definite *adj* rozhodný
definition *n* definice
definitive *adj* rozhodný; konečný
deflate *v* vypustit; splasknout; snížit stav oběživa
deform *v* deformovat
deformity *n* deformace
defraud *v* zpronevěřit
defray *v* uhradit
defrost *v* rozmrazit
deft *adj* obratný
defuse *v* ztlumit; zneškodnit
defy *v* vzdorovat
degenerate *v* degenerovat
degenerate *adj* degenerovaný
degeneration *n* degenerace
degradation *n* ponížení
degrade *v* znehodnotit; ponížit
degrading *adj* ponižující
degree *n* stupeň; titul

dehydrate *v* dehydrovat, dehydratovat
deign *v* ráčit
deity *n* božstvo
dejected *adj* deprimovaný
delay *v* zpozdit
delay *n* zpoždění
delegate *v* pověřit
delegate *n* delegát, zástupce
delegation *n* delegace
delete *v* smazat
deliberate *v* promyslit
deliberate *adj* úmyslný
delicacy *n* choulostivost; lahůdka
delicate *adj* choulostivý; lahodný
delicious *adj* lahodný
delight *n* rozkoš, slast, potěšení
delight *v* působit radost
delightful *adj* rozkošný
delinquency *n* kriminalita
delinquent *n* provinilec
deliver *v* doručit, odevzdat
delivery *n* dodání
delude *v* oklamat
deluge *n* zaplavit
delusion *n* blud, klam
deluxe *adj* luxusní
demand *v* poptávat se; žádat
demand *n* poptávka; požadavek
demanding *adj* náročný
demean *v* ponížit
demeaning *adj* ponižující

demeanor *n* chování
demented *adj* pomatený;
  dementovaný
demise *n* skon; demise
democracy *n* demokracie
democratic *adj* demokratický
demolish *v* zničit
demolition *n* ničení, bourání
demon *n* démon
demonstrate *v* předvádět
demonstrative *adj* průkazný,
  dokazující
demoralize *v* demoralizovat
demote *v* degradovat
den *n* doupě, brloh
denial *n* zapření, zapírání
denigrate *v* očernit
Denmark *n* Dánsko
denominator *n* jmenovatel
denote *v* označovat
denounce *v* nařknout; odsuzovat
dense *adj* hustý
density *n* hustota, hutnost
dent *v* promáčknout
dent *n* vrub
dental *adj* zubní, dentální
dentist *n* zubař
dentures *n* umělý chrup
deny *v* popřít, zapřít
deodorant *n* deodorant
depart *v* odjíždět, odjet, odcházet
department *n* oddělení, odbor

departure *n* odlet; odjezd;
  odchod
depend *v* záviset
dependable *adj* spolehlivý
dependence *n* závislost
dependent *adj* závislý
depict *v* vykreslit
deplete *v* vyčerpat, spotřebovat
deplorable *adj* žalostný
deplore *v* odsuzovat
deploy *v* rozmístit
deployment *n* rozmístění
deport *v* deportovat
deportation *n* deportace
depose *v* sesadit
deposit *n* záloha; nános
depot *n* skladiště; depo; nádraží
deprave *adj* mravně zkazit
depravity *n* nemravnost
depreciate *v* podceňovat;
  znehodnotit
depreciation *n* amortizace,
  odpis, znehodnocení, snížení
depress *v* stlačit; deprimovat
depressing *adj* stlačení;
  deprimující;
depression *n* pokles; krize;
  deprese
deprivation *n* zbavení
deprive *v* zbavit
deprived *adj* zbaven
depth *n* hloubka

D

D

derail *v* vykolejit
derailment *n* vykolejení
deranged *adj* rozrušený; nepříčetný
derelict *adj* opuštěný
deride *v* vysmívat
derivative *adj* odvozený; derivační
derive *v* odvozovat; odvodit; derivovat
derogatory *adj* opovržlivý
descend *v* sestoupit
descendant *n* potomek
descent *n* sestup; sklon; původ
describe *v* popsat
description *n* popis
descriptive *adj* popisný
desecrate *v* zhanobit; znesvětit
desegregate *v* rušit segregaci
desert *n* poušť
desert *v* opustit; zběhnout
deserted *adj* opuštěný
deserter *n* zběh
deserve *v* zasloužit
deserving *adj* zasluhující
design *n* vzor; návrh; plán; vzhled
designate *v* ustanovit
desirable *adj* žádoucí
desire *n* touha
desire *v* toužit
desist *v* ustat
desk *n* stůl

desolate *adj* dezolátní; opuštěný
desolation *n* pustota
despair *n* zoufalství
desperate *adj* zoufalý
despicable *adj* opovrženíhodný
despise *v* opovrhovat
despite *c* navzdory
despondent *adj* sklíčený
despot *n* tyran
despotic *adj* despotický
dessert *n* dezert, moučník
destination *n* cíl cesty, místo určení
destiny *n* osud
destitute *adj* strádající
destroy *v* zničit
destroyer *n* ničitel
destruction *n* ničení, zkáza, destrukce
destructive *adj* ničivý
detach *v* odpojit
detachable *adj* odpojitelný
detail *n* detail, podrobnost
detail *v* podrobně vylíčit
detain *v* zadržet
detect *v* zjistit, detekovat
detective *n* detektiv
detector *n* detektor
detention *n* vazba; trest po škole
deter *v* odstrašit
detergent *n* saponát
deteriorate *v* zkazit; zhoršit

deterioration *n* zkažený; zhoršený
determination *n* odhodlání
determine *v* odhodlat
deterrence *n* odstrašování
detest *v* nenávidět
detestable *adj* odporný
detonate *v* explodovat, detonovat
detonation *n* výbuch
detonator *n* roznětka
detour *n* objížďka
detriment *n* škoda
detrimental *adj* škodlivý
devaluation *n* znehodnocení, devalvace
devalue *v* znehodnotit, devalvovat
devastate *v* pustošit
devastating *adj* drtivý
devastation *n* devastace
develop *v* vyvinout
development *n* vývin; vývoj; zdokonalování; pokrok
deviation *n* odchylka; deviace; úchylka
device *n* přístroj, zařízení
devil *n* čert, ďábel
devious *adj* vyhýbavý; vychytralý
devise *v* vymyslet
devoid *adj* postrádající
devote *v* věnovat, obětovat

devotion *n* oddanost
devour *v* hltat, pohltit
devout *adj* vroucný
dew *n* rosa
diabetes *n* cukrovka
diabetic *adj* diabetický
diabolical *adj* ďábelský
diagnose *v* diagnostikovat
diagnosis *n* diagnóza
diagonal *adj* úhlopříčný
diagram *n* diagram
dial *n* ciferník, číselník
dial *v* vytočit
dial tone *n* oznamovací tón
dialect *n* nářečí
dialogue *n* dialog
diameter *n* průměr
diamond *n* diamant, démant
diaper *n* plena
diarrhea *n* průjem
diary *n* deník, diář, zápisník
dice *v* nakrájet na kostičky
dice *n* kostky
dictate *v* diktovat, přikazovat
dictator *n* diktátor
dictatorial *adj* diktátorský
dictatorship *n* diktatura
dictionary *n* slovník
die *v* umřít, umírat
die out *v* vymřít
diet *n* strava; dieta
diet *v* držet dietu

D

differ v lišit se, rozlišovat
difference n rozdíl
different adj odlišný, jiný
difficult adj náročný, těžký
difficulty n obtížnost; úskalí; nesnadnost
diffuse v prolínat
dig iv kopat
digest v zažívat, strávit
digestion n zažívání, trávení
digestive adj zažívací
digit n číslice; prst
dignify v pozvednout; poctít
dignitary n hodnostář
dignity n důstojnost
digress v odchýlit; odbočit
dike n hráz
dilapidated adj zchátralý, rozpadlý
dilemma n dilema
diligence n pracovitost
diligent adj pilný
dilute v rozředit
dim adj ponurý
dim v zaclonit, ztlumit, zatemnit
dime n desetník, deseticent
dimension n rozměr
diminish v zmenšit, snížit, ubývat
dine v večeřet
diner n host, stolovník
dining room n jídelna
dinner n večeře; oběd
dinosaur n dinosaurus

diocese n diecéze
diploma n diplom
diplomacy n diplomacie
diplomat n diplomat
diplomatic adj diplomatický
dire adj hrozný
direct adj přímý, přímočarý
direct v směrovat; řídit
direction n směr; směrnice
director n ředitel; režisér
directory n soupis; adresář; ředitelství
dirt n špína
dirty adj špinavý; obscénní
disability n invalidita; nezpůsobilost
disabled adj postižený
disadvantage n nevýhoda
disagree v nesouhlasit
disagreeable adj nepříjemný, protivný
disagreement n nesouhlas; neshoda
disappear v zmizet
disappearance n zmizení
disappoint v zklamat
disappointing adj neuspokojivý
disappointment n zklamání
disapproval n nesouhlas; neschválení
disapprove v nesouhlasit; zamítnout
disarm v odzbrojit

disarmament *n* odzbrojení
disaster *n* katastrofa
disastrous *adj* katastrofální
disband *v* rozpustit
disbelief *n* nedůvěra; nevíra; skepse
disburse *v* vyplatit
discard *v* odhodit; odložit
discern *v* rozeznat
discharge *v* vybít; vypustit
discharge *n* výboj; výstřel; výron; výtok
disciple *n* žák
discipline *n* disciplína; kázeň; potrestání
disclaim *v* zříci se; popřít; odmítnout; distancovat
disclose *v* odhalit; přiznat
discomfort *n* nepohodlí
disconnect *v* odpojit
discontent *adj* nespokojený
discontinue *v* přerušit; zastavit; skončit
discord *n* spor, nesouhlas
discordant *adj* nesouhlasící
discount *n* sleva; srážka;
discount *v* odečíst; nabízet se slevou
discourage *v* odradit
discouragement *n* odrazování
discouraging *adj* odrazující
discourtesy *n* nezdvořilost

discover *v* objevit
discovery *n* objev
discredit *v* poškodit, zdiskreditovat
discreet *adj* diskrétní
discrepancy *n* nesrovnalost
discretion *n* opatrnost; uvážení
discriminate *v* diskriminovat
discrimination *n* diskriminace
discuss *v* diskutovat; jednat
discussion *n* rozhovor, diskuze
disdain *n* pohrdání
disease *n* nemoc
disembark *v* vylodit; vystoupit
disenchanted *adj* rozčarovaný
disentangle *v* rozplést
disfigure *v* znetvořit
disgrace *n* zneuctění; hanba; potupa
disgrace *v* zneuctít
disgraceful *adj* ostudný
disgruntled *adj* rozladěný
disguise *v* přestrojit, převléct
disguise *n* přestrojení
disgust *n* hnus, odpor
disgusting *adj* hnusný, odporný, nechutný
dish *n* mísa; nádobí; jídlo; chod
dishearten *v* sklíčit
dishonest *adj* nečestný
dishonesty *n* nečestnost
dishonor *n* zneuctít
dishonorable *adj* nečestný

dishwasher *n* myčka na nádobí

disillusion *n* deziluze

disinfect *v* dezinfikovat

disinfectant *n* dezinfekční prostředek

disinherit *v* vydědit

disintegrate *v* rozkládat, rozpadat, rozdrobit

disintegration *n* rozpad, dezintegrace

disinterested *adj* nezaujatý

disk *n* kotouč, disk

dislike *v* nemít rád

dislike *n* nelibost

dislocate *v* vykloubit

dislodge *v* vytlačený

disloyal *adj* neloajální

disloyalty *n* neloajálnost

dismal *adj* chmurný

dismantle *v* demontovat

dismay *n* zděšení

dismay *v* vyděsit

dismiss *v* odbýt; rozpustit; propustit; dát rozchod

dismissal *n* odmítnutí; propuštění

dismount *v* sestoupit; odmontovat

disobedience *n* neposlušnost

disobedient *adj* neposlušný

disobey *v* neuposlechnout, neposlouchat

disorder *n* nepořádek; zdravotní porucha

disorganized *adj* rozvrácený

disoriented *adj* dezorientovaný

disown *v* zříci se

disparity *n* rozdílnost

dispatch *v* odbavit; poslat; expedovat

dispel *v* rozptýlit

dispensation *n* povolení; zřízení; rozložení moci

dispense *v* vydávat; vyjmout

dispersal *n* rozptyl; rozehnání

disperse *v* rozptýlit

displace *v* přemístit

display *n* displej; expozice

display *v* zobrazovat; projevit; stavit na odiv

displease *v* podráždit; neuspokojit; znelíbit se

displeasing *adj* popuzující

displeasure *n* nelibost; nepříjemnost

disposable *adj* jednorázový, jednoúčelový

disposal *n* odstranění

dispose *v* zničit; zneškodnit; disponovat; vyhodit

disprove *v* vyvrátit

dispute *n* pochybnost; spor

dispute *v* pochybovat, oponovat

disqualify *v* diskvalifikovat

disregard *v* přehlížet; nedbat; ignorovat

divine

disrepair *n* havarijní stav
disrespect *n* neúcta
disrespectful *adj* neuctivý
disrupt *v* rozvrátit
disruption *n* rozvrat
dissatisfied *adj* nespokojený
disseminate *v* rozsévat; rozšiřovat; rozhlašovat
dissent *v* rozpor; nesouhlas; disent
dissident *adj* nesouhlasící
dissimilar *adj* odlišný
dissipate *v* mrhat
dissolute *adj* nevázaný
dissolution *n* nevázanost
dissolve *v* rozpustit
dissonant *adj* neladící
dissuade *v* odradit
distance *n* vzdálenost
distant *adj* vzdálený; rezervovaný; zdrženlivý
distaste *n* nechuť
distasteful *adj* nechutný
distill *v* destilovat
distinct *adj* přesný; jasný; odlišný; charakteristický
distinction *n* odlišení; přednost; rozlišování
distinctive *adj* příznačný
distinguish *v* rozpoznat
distort *v* pokřivit
distortion *n* pokřivení

distract *v* rozptýlit, vyrušit
distraction *n* rozptýlení
distraught *adj* silně rozrušený
distress *n* nesnáz, tíseň, utrpení
distress *v* obtěžovat, trýznit
distressing *adj* působící starosti
distribute *v* distribuovat; rozložit; rozmístit
distribution *n* distribuce; rozložení
district *n* okres, župa
distrust *n* nedůvěra
distrust *v* nevěřit
distrustful *adj* nedůvěřivý
disturb *v* obtěžovat; narušit; porušit; vyrušit
disturbance *n* zmatek; výtržnost; nepokoj
disturbing *adj* rušivý; obtěžující
disunity *n* nejednotnost
disuse *n* nepoužívání
ditch *n* jáma
dive *v* ponořit, potápět
diver *n* potápěč
diverse *adj* různorodý, rozličný
diversify *v* rozdělit, diverzifikovat
diversion *n* odklon
diversity *n* rozmanitost
divert *v* odklonit, odvést
divide *v* dělit
dividend *n* dividenda; dělenec
divine *adj* božský, nadpřirozený

D

diving *n* potápění
divinity *n* božství
divisible *adj* dělitelný
division *n* odbor; divize; oddíl; rozkol
divorce *n* rozvod
divorce *v* rozvádět se
divorcee *n* rozvedená osoba
divulge *v* vyzradit
dizziness *n* závrať
dizzy *adj* trpící závratí
do *iv* dělat, udělat
docile *adj* poddajný
docility *n* poddajnost
dock *n* dok
dock *v* oklestit; srazit
doctor *n* lékař, doktor
doctrine *n* doktrína
document *n* dokument
documentary *n* dokumentární film
documentation *n* dokumentace
dodge *v* vyhnout
dog *n* pes
dogmatic *adj* dogmatický
dole out *v* přidělovat
doll *n* panenka
dollar *n* dolar
dolphin *n* delfín
dome *n* kopule; dóm
domestic *adj* domácí; tuzemský
domesticate *v* domestikovat

dominate *v* panovat
domination *n* nadvláda
domineering *adj* dominantní, despotický
dominion *n* nadvláda
donate *v* darovat
donation *n* darování, dar, příspěvek
donkey *n* osel
donor *n* dárce, sponzor
doom *n* zkáza
doomed *adj* odsouzen ke zkáze
door *n* dveře
doorbell *n* zvonek u dveří
doorstep *n* práh
doorway *n* prostor dveří
dope *n* droga
dope *v* dopovat; brát narkotikum
dormitory *n* ubytovna, internát
dosage *n* dávka, dávkování
dossier *n* akta, dokumenty, fascikl
dot *n* tečka
double *adj* dvojitý
double *v* zdvojnásobit
double-check *v* ještě jednou zkontrolovat
double-cross *v* zradit, podvést, podrazit
doubt *n* pochybnost
doubt *v* pochybovat
doubtful *adj* pochybný; pochybovačný
dough *n* těsto; peníze
dove *n* holubice

down *adj* dolní, spodní
down *adv* dolů; až; do čeho
down payment *n* platba v hotovosti; okamžitá platba na místě
downcast *adj* klesající
downfall *n* pád
downhill *adv* z kopce
downpour *n* liják
downsize *v* snížit, zmenšit
downstairs *adv* po schodech dolů; o poschodí níže
down-to-earth *adj* praktický; realistický
downtown *n* v centru města
downtrodden *adj* ušlapovaný
downturn *adj* směřující dolů
dowry *n* věno
doze *n* dřímota
doze *v* dřímat
dozen *n* tucet
draft *n* náčrt; koncept
draft *v* navrhnout; načrtnout; vybrat
draftsman *n* kreslič, projektant, návrhář
drag *v* táhnout
dragon *n* drak
drain *v* vycucat; vysoušet
drainage *n* drenáž, prosakování, odčerpávání
dramatic *adj* dramatický, teatrální

dramatize *v* dramatizovat; chovat se teatrálně
drape *n* závěs
drastic *adj* drastický
draw *n* remíza
draw *iv* kreslit; tahat
drawback *n* nevýhoda; skonto
drawer *n* šuplík
drawing *n* kresba
dread *v* obávat se
dreaded *adj* obávaný
dreadful *adj* strašný, strašlivý
dream *iv* snít
dream *n* sen
dress *n* šaty, oblečení
dress *v* oblékat
dresser *n* kredenc; prádelník; šatník; aranžér
dressing *n* omáčka, zálivka na salát
dried *adj* sušený
drift *v* hnát, unášet
drift apart *v* odcizit se; rozejít se; rozehnat
drifter *n* tulák
drill *v* vrtat; trénovat
drill *n* výcvik, drezura
drink *iv* pít
drink *n* nápoj, pití
drinkable *adj* pitný
drinker *n* piják
drip *v* kapat

drip *n* kapka
drive *n* nápor; úsilí; náhon
drive *iv* jet; pohánět; řídit; vézt
drive at *v* usilovat o
drive away *v* odjet
driver *n* řidič; hnací stroj; ovladač
driveway *n* příjezdová cesta
drizzle *v* mrholit
drizzle *n* rosa; mrholení; pramének
drop *n* kapka
drop *v* kapat; upustit; padnout
drop in *v* vpadnout; zastavit se u
drop off *v* klesat; odložit
drop out *v* vypadnout; odpadnout; vyloučit
drought *n* sucho, vyprahlost
drown *v* utopit
drowsy *adj* ospalý
drug *n* lék, léčivo, droga
drug *v* omámit
drugstore *n* lékárna; drogerie
drum *n* buben
drunk *adj* opilý
drunkenness *n* opilství
dry *v* sušit
dry *adj* suchý, vyprahlý
dry-clean *v* čistit chemicky
dryer *n* sušič
dual *adj* dvojitý, duální
dubious *adj* pochybný
duchess *n* vévodkyně

duck *n* kachna
duck *v* ponořit; sklopit; vyhnout se
duct *n* trubice; roura; céva
due *adj* povinný; splatný; dlužný
duel *n* souboj
dues *n* poplatky
duke *n* vévoda, kníže
dull *adj* tupý; těžkopádný; nechápavý
dull *v* zamlžit; zatáhnout
duly *adv* řádně, správně
dumb *adj* pitomý; němý
dummy *n* panák
dummy *adj* pitomý
dump *v* vyklopit
dump *n* skládka
dung *n* mrva; trus; hnůj
dungeon *n* hladomorna, žalář, mučírna
dupe *v* oklamat; podvést; napálit
duplicate *v* zdvojit; kopírovat
duplication *n* duplikace, kopie
durable *adj* odolný
duration *n* trvání
during *pre* při; během; za; po
dusk *n* soumrak, setmění
dust *n* prach
dusty *adj* zaprášený
Dutch *adj* holandský
duty *n* povinnost, služba, clo, daň, poplatek
dwarf *n* trpaslík, zakrslík

dwell *iv* pobývat; trvat na
dwelling *n* klesající; ubývající; trvající na něčem
dwindle *v* ztrácet se, ubývat, upadat
dye *v* barvit
dye *n* barva
dying *adj* barvicí
dynamic *adj* dynamický
dynamite *n* dynamit
dynasty *n* dynastie

E

each *adj* každý
each other *adj* sobě navzájem
eager *adj* horlivý, netrpělivý
eagerness *n* horlivost
eagle *n* orel
ear *n* ucho
earache *n* bolest ucha
eardrum *n* ušní bubínek
early *adv* brzy
earmark *v* rezervovat; účelově použít; dát stranou
earn *v* vydělat; zasloužit si
earnestly *adv* svědomitě
earnings *n* výdělek, příjem, mzda

earphones *n* sluchátka
earring *n* náušnice
earth *n* země
earthquake *n* zemětřesení
earwax *n* ušní maz
ease *v* zmírnit, povolit
ease *n* snadnost
easily *adv* snadno
east *n* východ
eastbound *adj* směřující na východ
Easter *n* Velikonoce
eastern *adj* východní
easterner *n* východ'áci
eastward *adv* východně
easy *adj* snadný; lehký
eat *iv* jíst, sníst
eat away *v* užírat, rozežrat
eavesdrop *v* tajně poslouchat
ebb *v* odtékat; ubývat
eccentric *adj* výstřední
echo *n* ozvěna; echo
eclipse *n* zatmění
ecology *n* ekologie
economical *adj* úsporný, ekonomický
economize *v* šetřit
economy *n* ekonomika, hospodářství
ecstasy *n* extáze
ecstatic *adj* bouřlivý
edge *v* hranit

D
E

edge *n* hrana
edgy *adj* ostrý; nervózní
edible *adj* jedlý, poživatelný
edifice *n* budova
edit *v* upravit; editovat
edition *n* vydání; edice
educate *v* vzdělávat
educational *adj* vzdělávací, výchovný
eerie *adj* záhadný
effect *n* účinek
effective *adj* účinný; efektivní
effectiveness *n* efektivnost
efficiency *n* výkonnost; efektivita; účinnost
efficient *adj* výkonný; efektivní; účinný
effigy *n* socha osoby
effort *n* úsilí
effusive *adj* přehnaný; vášnivý; efuzivní
egg *n* vejce
egg white *n* vaječný bílek
egoism *n* sobectví
egoist *n* sobec
eight *adj* osm
eighteen *adj* osmnáct
eighth *adj* osmý; osmina
eighty *adj* osmdesát
either *adj* kterýkoli
either *adv* buď; také; oba; každý; ten nebo onen; jeden i druhý

eject *v* vypudit, vysunout
elapse *v* uplynout
elastic *adj* pružný, elastický
elated *adj* povznesený
elbow *n* loket
elder *n* starší
elderly *adj* postarší
elect *v* zvolit
election *n* volby
electric *adj* elektrický
electrician *n* elektrikář
electricity *n* elektřina
electrify *v* zelektrizovat; elektrifikovat
electrocute *v* popravit elektřinou
electronic *adj* elektronika
elegance *n* elegance
elegant *adj* vkusný, elegantní
element *n* částice; živel; prvek; element
elementary *adj* základní
elephant *n* slon
elevate *v* vyvýšit; zvednout
elevation *n* vyvýšenina
elevator *n* výtah
eleven *adj* jedenáct
eleventh *adj* jedenáctý
eligible *adj* způsobilý, oprávněný
eliminate *v* vyloučit; zlikvidovat
elm *n* jilm
eloquence *n* výmluvnost
else *adv* jiný; jinak

elsewhere *adv* jinde, jinam
elude *v* vyhnout se
elusive *adj* vyhýbavý
emaciated *adj* vyzáblý
emanate *v* vyzařovat
emancipate *v* emancipovat
embalm *v* balzamovat
embark *v* nalodit
embarrass *v* uvést do rozpaků; zahanbit
embassy *n* velvyslanectví
embellish *v* přikrášlit, vyšperkovat
embers *n* oharky; žhavý uhel
embezzle *v* zpronevěřit
embitter *v* ztrpčit
emblem *n* znak, emblém
embody *v* ztělesnit
emboss *v* vytepat
embrace *v* obejmout; chopit se
embrace *n* objetí
embroider *v* vyšívat
embroidery *n* výšivka
embroil *v* zaplést se
embryo *n* embryo, zárodek
emerald *n* smaragd
emerge *v* objevit se; vzejít
emergency *n* pohotovost; výjimečný stav; naléhavost
emigrant *n* emigrant
emigrate *v* emigrovat
emission *n* vydání; vyslání; emise

emit *v* dávat do oběhu; vypouštět
emotion *n* cit
emotional *adj* citový, emoční
emperor *n* císař
emphasis *n* přízvuk, důraz
emphasize *v* zdůrazňovat
empire *n* říše, císařství, impérium
employ *v* zaměstnat; využít
employee *n* zaměstnanec
employer *n* zaměstnavatel
employment *n* zaměstnání; zaměstnanost
empress *n* císařovna
emptiness *n* prázdnota
empty *adj* prázdný
empty *v* vyprázdnit
enable *v* umožnit, zmocnit, učinit schopným
enchant *v* okouzlit
enchanting *adj* okouzlující
encircle *v* obkreslit, obtáhnout, obepínat
enclave *n* uzavřený prostor, enkláva
enclose *v* přiložit; uzavřít
enclosure *n* příloha; závěr; ohrada
encompass *v* obemknout
encounter *v* střetnout, potkat
encounter *n* setkání
encourage *v* povzbudit
encroach *v* zneužívat; zasahovat

E

encyclopedia *n* encyklopedie
end *n* konec
end *v* skončit, ukončit
end up *v* skončit
endanger *v* ohrozit
endeavor *v* snažit se
endeavor *n* snaha
ending *n* konec; závěr; ukončení
endless *adj* nekonečný
endorse *v* podporovat; schválit
endorsement *n* souhlas; schválení
endure *v* vytrvat
enemy *n* nepřítel
energetic *adj* energetický; aktivní
energy *n* energie
enforce *v* vynutit; prosadit; vymoct
engage *v* zapojit; zabrat; zasnoubit
engaged *adj* zaneprázdněný; obsazený; zasnoubený
engagement *n* závazek, zasnoubení
engine *n* motor
engineer *n* mechanik; technik; inženýr
England *n* Anglie
English *adj* anglický
engrave *v* vyrýt
engraving *n* gravírovaní; rytectví
engrossed *adj* upoutaný

engulf *v* pohltit
enhance *v* zlepšit, vylepšit
enjoy *v* užívat, vychutnat
enjoyable *adj* radostný, příjemný
enjoyment *n* radost, potěšení
enlarge *v* zvětšit
enlargement *n* zvětšení
enlighten *v* objasnit
enlist *v* narukovat
enormous *adj* obrovský, nesmírný
enough *adv* dost
enrage *v* rozzuřit
enrich *v* obohatit
enroll *v* zapsat se; přihlásit se
enrollment *n* registrace, zápis
ensure *v* zajistit, ujistit
entail *v* způsobit, znamenat
entangle *v* zaplést
enter *v* vejít, vstoupit
enterprise *n* podnik
entertain *v* pobavit
entertaining *adj* zábavný
entertainment *n* zábava
enthrall *v* okouzlit
enthralling *adj* okouzlující
enthuse *v* nadchnout
enthusiasm *n* nadšení
entice *v* lákat
enticement *n* lákadlo
enticing *adj* lákavý, svůdný
entire *adj* celý
entirely *adv* úplně, zcela

entrance *n* vchod
entreat *v* zapřísahat
entree *n* právo vstoupit
entrenched *adj* zakořeněný;
zakopaný
entrepreneur *n* podnikatel
entrust *v* svěřovat
entry *n* vstup
enumerate *v* vyčíslit
envelop *v* zahalit
envelope *n* obálka
envious *adj* závistivý
environment *n* životní prostředí;
okolí
envisage *v* předvídat
envoy *n* vyslanec
envy *n* závist
envy *v* závidět
epidemic *n* nakažlivý, epidemický
epilepsy *n* epilepsie, padoucnice
episode *n* příhoda; epizoda; díl
epistle *n* epištola; dlouhý dopis
epitaph *n* epitaf, náhrobní nápis
epitomize *v* ztělesňovat
epoch *n* období, epocha
equal *adj* rovnající se
equality *n* rovnost
equate *v* srovnávat
equation *n* rovnice
equator *n* rovník
equilibrium *n* rovnováha
equip *v* vybavit, opatřit

equipment *n* vybavení
equivalent *adj* odpovídající,
ekvivalentní
era *n* věk, éra
eradicate *v* vykořenit
erase *v* smazat, vymazat
eraser *n* guma
erect *v* vztyčit, ztopořit, postavit
erect *adj* vztyčený
err *v* mýlit se, chybovat
errand *n* pochůzka; záležitost
erroneous *adj* chybný
error *n* chyba, omyl
erupt *v* vypuknout
eruption *n* výbuch, erupce
escalate *v* vystupňovat
escalator *n* pohyblivé schodiště
escapade *n* nerozvážný čin;
eskapáda
escape *v* unikat
escort *n* doprovod
esophagus *n* jícen
especially *adv* obzvláště, obzvlášť,
zejména, především
espionage *n* špionáž
essay *n* literární esej; slohová
práce; písemná práce
essence *n* podstata, základ
essential *adj* zásadní, základní
establish *v* založit; zavést;
ustanovit
estate *n* majetek; statek;
nemovitost

esteem v ctít, vážit si

estimate v odhad

estimation n odhad

estranged adj odcizený; odloučený

estuary n ústí

eternity n věčnost

ethical adj etický

ethics n etika

etiquette n etiketa

euphoria n euforie

Europe n Evropa

European adj evropský

evacuate v evakuovat

evade v vyhnout

evaluate v hodnotit

evaporate v vypařovat

evasion n únik

evasive adj vyhýbavý

eve n předvečer

even adj stejný; rovnoměrný

even if c i když, i kdyby; dokonce když

even more c ještě víc; dokonce víc

evening n večer

event n událost; případ

eventuality n konečný výsledek

eventually adv nakonec

ever adv nikdy; vůbec někdy; vůbec kdy; odjakživa

everlasting adj neustálý; věčný

every adj každý, veškerý, všechen

everybody pro každý, všichni

everyday adj každodenní; všední

everyone pro každý, všichni

everything pro všechno

evict v vystěhovat, vypudit

evidence n důkaz, fakta

evil n zlo

evil adj zlý

evoke v přivodit, vyvolat

evolution n vývoj, evoluce

evolve v vyvinout se

exact adj přesný

exaggerate v přehánět

exalt v oslavovat; velebit; vyzvedávat; zdůraznit

examination n zkouška; prohlídka

examine v prověřovat; zkoumat; vyšetřovat

example n vzor, příklad

exasperate v podráždit

excavate v hloubit, vykopat

exceed v převýšit, přesáhnout

exceedingly adv nesmírně

excel v vynikat

excellence n výtečnost

excellent adj vynikající

except pre kromě; mimo; krom; s výjimkou

exception n výjimka

exceptional adj výjimečný

excerpt *n* výňatek
excess *n* překročení; nadbytek; exces
excessive *adj* nadměrný; nadbytečný; nepřiměřený
exchange *v* zaměnit; směnit
excite *v* vzrušit; podnítit; vyvolat; dráždit
excitement *n* vzrušení; podráždění
exciting *adj* vzrušující
exclaim *v* zvolat, vykřiknout
exclude *v* vyloučit
excruciating *adj* nesnesitelný, mučivý
excursion *n* výlet; zájezd; zacházka
excuse *v* prominout; omluvit
excuse *n* výmluva; záminka
execute *v* vykonat; provést
executive *n* exekutiva, výkonná moc
exemplary *adj* ukázkový, exemplární
exemplify *v* doložit příkladem, ilustrovat
exempt *adj* vyjmutý; zproštěný
exemption *n* výjimka, osvobození, vynětí
exercise *n* cvičení
exercise *v* užívat; uplatnit; cvičit
exert *v* vynaložit úsilí; uplatňovat
exertion *n* námaha

exhaust *v* vyčerpávat
exhausting *adj* vyčerpávající
exhaustion *n* vyčerpání
exhibit *v* vystavit; dát najevo; projevit
exhibition *n* výstava
exhilarating *adj* radostný
exhort *v* vyzvat; varovat
exile *v* vyhnat; emigrovat
exile *n* exil
exist *v* být, existovat
existence *n* bytí, existence
exit *n* východ
exodus *n* hromadný odchod, exodus
exonerate *v* zprostit obvinění, osvobodit
exorbitant *adj* nehorázný
exorcist *n* vymítač ďábla
exotic *adj* exotický
expand *v* zvětšit se; rozrůstat; rozpínat
expansion *n* zvětšení; rozmach; rozepjetí
expect *v* čekat, očekávat
expectancy *n* očekávání
expectation *n* očekávání
expediency *n* prospěšnost, výhodnost
expedient *adj* prospěšný
expedition *n* cesta; vyřízení; výprava; expedice

E

expel v vyhostit, vypudit

expenditure n náklady; výdaje

expense n výdaj, výloha, útrata

expensive adj drahý, nákladný

experience n zkušenost; zážitek; praxe

experiment n pokus

expert adj odborný

expiate v odpykat si

expiation n odpykání; odčinění

expiration n vypršení, exspirace

expire v vypršet

explain v vysvětlit

explicit adj výslovný, jasný, explicitní

explode v vybouchnout, explodovat

exploit v vykořisťovat; zneužívat

exploit n hrdinský čin

exploration n průzkum

explore v probádat

explorer n průzkumník, badatel, cestovatel

explosion n exploze; výbuch; výbušnina

explosive adj výbušný

export v vyvážet; exportovat;

expose v vystavit

exposed adj vystavený

express v vyjádřit

express adj rychlý

expression n výraz; vyjádření

expressly adv výslovně

expropriate v vyvlastnit, znárodni

expulsion n vyloučení

exquisite adj vynikající; překrásný

extend v rozšířit; prodloužit; natáhnout

extension n rozšíření; prodloužení; přípona

extent n rozsah; rozměr

extenuating adj polehčující

exterior adj vnější; venkovní; exteriér

exterminate v hubit; vyhubit; vyhladit

external adj vnější, zevní, externí

extinct adj vyhynulý

extinguish v uhasit

extort v vydírat

extortion n vyděračství

extra adv zvlášť; extra; mimo; navíc

extract v vytěžit; vyjmout; odvodit; odmocnit

extradite n vydat stíhanou osobu

extradition n vydání stíhané osoby

extraneous adj nepatřící; zevní; zevnější

extravagance n výstřednost; extravagance; přemrštěnost

extravagant adj extravagantní; výstřední; předražený

extreme *adj* extrémní
extremist *adj* extremistický, radikální
extremities *n* krajnosti; konce; končetiny; meze
extricate *v* uvolnit; vyprostit
extroverted *adj* extrovertní
exude *v* vypocovat; vylučovat
exult *v* jásat
eye *n* oko
eyebrow *n* obočí
eye-catching *adj* nápadný, poutavý
eyeglasses *n* brýle
eyelash *n* oční řasa
eyelid *n* oční víčko
eyesight *n* zrak
eyewitness *n* očitý svědek

fable *n* bajka
fabric *n* tkanina
fabricate *v* vyrobit; padělat
fabulous *adj* senzační
face *v* čelit
face *n* obličej; přední strana; vzhled

face up to *v* postavit se čelem k
facet *n* ploška; aspekt; fazeta
facilitate *v* usnadňovat; umožnit
facing *pre* naproti
fact *n* skutečnost
factor *n* okolnost; činitel; faktor
factory *n* továrna
factual *adj* věcný
faculty *n* schopnost; fakulta
fad *n* výstřelek
fade *v* mizet
faded *adj* vybledlý
fail *v* selhat
failure *n* selhání
faint *v* omdlévat
faint *adj* chabý, mdlý, slabý
fair *n* veletrh
fair *adj* férový, čestný
fairness *n* férovost, čestnost
fairy *n* víla
faith *n* víra
faithful *adj* věrný
fake *v* padělat
fake *adj* padělaný
fall *n* pád; podzim
fall *iv* padat
fall back *v* ustoupit
fall behind *v* zaostat
fall down *v* sesypat; zhroutit; upadnout
fall through *v* neuspět
fallacy *n* blud**

fallout *n* odpad; dopad; spad; důsledek

falsehood *n* falešnost

falsify *v* padělat

falter *v* koktat

fame *n* sláva

familiar *adj* dobře známý

family *n* rodina

famine *n* hladomor

famous *adj* proslulý

fan *n* vrtule; ventilátor; vějíř; větrák; fanoušek

fanatic *adj* fanatický

fancy *adj* přepychový

fang *n* tesák

fantastic *adj* neskutečný, báječný

fantasy *n* představa; fantazie

far *adv* daleký

faraway *adj* vzdálený

farce *n* fraška

fare *n* jízda; jízdné

farewell *n* sbohem

farm *v* obdělávat, hospodařit

farm *n* statek; farma

farmer *n* farmář

farming *n* zemědělství

farmyard *n* dvůr

farther *adv* dále

fascinate *v* okouzlit

fashion *n* móda; způsob

fashionable *adj* módní

fast *v* půst

fast *adj* rychlý

fasten *v* zapnout, upevnit

fat *n* tuk

fat *adj* tlustý

fatal *adj* smrtelný

fate *n* osud

fateful *adj* osudný

father *n* otec

fatherhood *n* otcovství

father-in-law *n* tchán; nevlastní otec

fatherly *adj* otcovský

fathom *v* dostat se na kloub

fatigue *n* únava

fatten *v* vykrmit

fatty *adj* mastný

faucet *n* kohoutek; pípa

fault *n* chyba; vina

faulty *adj* chybný

favor *n* přízeň; laskavost

favorable *adj* příznivý

favorite *adj* oblíbený

fear *n* strach, obava

fearful *adj* ustrašený

feasible *adj* proveditelný

feast *n* hody

feat *n* čin

feather *n* pírko, peří

feature *n* rys

February *n* únor

fed up *adj* znechucený

federal *adj* federální

fee *n* poplatek
feeble *adj* vetchý
feed *iv* krmit
feedback *n* zpětná vazba
feel *iv* cítit
feeling *n* pocit
feelings *n* city, pocity
feet *n* chodidla; stopy
feign *v* předstírat
fellow *n* chlápek; kolega; přítel
fellowship *n* kamarádství;
  společenství
felon *n* těžký zločinec
felony *n* těžký zločin
felt *n* plsť, filc
felt *v* zpracovat v plsť
female *n* žena; samice
feminine *adj* ženský
fence *n* oplocení
fence *v* chránit
fencing *n* šerm
fend *v* odrazit
fend off *v* odrazit
fender *n* nárazník; ochranná mříž
ferment *v* fermentovat; podrobit
  kvašení
ferment *n* ferment; kvasnice
ferocious *adj* divoký
ferocity *n* divokost
ferry *n* převoz; trajekt
fertile *adj* plodný; úrodný
fertility *n* plodnost; úrodnost

fertilize *v* hnojit
fervent *adj* vřelý
fester *v* hnisat; hnít
festive *adj* slavnostní
festivity *n* slavnost
fetid *adj* páchnoucí
fetus *n* plod; zárodek
feud *n* spor
fever *n* horečka
feverish *adj* horečnatý
few *adj* málo
fewer *adj* méně
fiancé *n* snoubenec; snoubenka
fiber *n* vlákno
fickle *adj* vrtošivý
fiction *n* fikce; beletrie
fictitious *adj* domnělý, vymyšlený
fiddle *n* housle
fidelity *n* přesnost; věrnost
field *n* pole; obor
field *v* hrát v poli
fierce *adj* intenzivní; divoký;
  prudký
fiery *adj* ohnivý
fifteen *adj* patnáct
fifth *adj* pátý
fifty *adj* padesát
fifty-fifty *adv* padesát na padesát
fig *n* úbor; fík
fight *iv* bojovat
fight *n* boj
fighter *n* bojovník; stíhačka

F

figure 84

figure *n* postava; vzor; číslo
figure out *v* vyřešit; poradit si
file *v* podat; založit; zařadit
file *n* soubor; spis; kartotéka
fill *v* plnit
filling *n* náplň; výplň
film *n* tenký povlak; film
film *v* natáčet
filter *n* filtr
filter *v* filtrovat
filth *n* špína
filthy *adj* špinavý; oplzlý
fin *n* kýl; ploutev
final *adj* konečný
finalize *v* dokončit
finance *v* financovat
financial *adj* finanční
find *iv* najít
find out *v* zjistit; dovědět se
fine *n* pokuta
fine *v* pokutování
fine *adv* skvěle
fine *adj* skvělý
fine print *n* drobný tisk;
  nejasnost
finger *n* prst
fingernail *n* nehet na ruce
fingerprint *n* otisk prstů
fingertip *n* koneček prstu, bříško
  prstu
finish *v* dokončit
Finland *n* Finsko

Finnish *adj* finský
fire *v* roznítit; vystřelit
fire *n* oheň
firearm *n* střelná zbraň
firecracker *n* prskavka
firefighter *n* hasič
fireman *n* hasič
fireplace *n* krb; ohniště
firewood *n* palivové dříví
fireworks *n* ohňostroj
firm *adj* pevný
firm *n* podnik, firma
firmness *n* pevnost, tuhost
first *adj* první
fish *v* rybařit
fish *n* ryba, ryby
fisherman *n* rybář
fishy *adj* podezřelý; rybí
fist *n* pěst
fit *n* v kondici
fit *adj* způsobilý; hodící se
fit *v* pasovat; sedět; vyhovovat
fitness *n* fitness
fitting *adj* pasující; příhodný;
  přiléhavý
five *adj* pět
fix *v* opravit
fjord *n* fjord
flag *n* vlajka
flagpole *n* vlajkové ráhno
flamboyant *adj* extravagantní;
  plamenný

flame *n* plamen
flammable *adj* hořlavý
flank *n* bok; svah
flare *n* světlice
flare-up *v* vzplanout; zablesknout
flash *n* záblesk; náhlé objevení se
flashlight *n* svítící baterka
flashy *adj* blýskavý, třpytivý
flat *n* byt; rovina
flat *adj* plochý
flatten *v* srovnat; urovnat; zploštit
flatter *v* lichotit; pochlebovat
flattery *n* pochlebování
flaunt *v* chlubit se
flavor *n* příchuť; aroma
flaw *n* vada
flawless *adj* bezvadný
flea *n* blecha
flee *iv* prchnout
fleece *n* vlna
fleet *n* flotila; rameno řeky
fleet *v* rychle prchnout
fleeting *adj* prchavý; pomíjející
flesh *n* maso
flex *v* ohýbat
flexible *adj* ohebný, pružný
flicker *v* třepotat se; kmitat; blikat
flier *n* leták; letec
flight *n* let
flimsy *adj* povrchní; chabý; nekvalitní

flip *v* obrátit
flirt *v* flirtovat
float *v* plout; splývat
flock *n* roj
flog *v* mrskat
flood *v* zaplavit
flood *n* povodeň
floodgate *n* povodňová výpust
flooding *n* záplava
floodlight *n* světlomet
floor *n* podlaží; patro
flop *n* plesknutí; žbluňknutí; fiasko
floss *n* hedvábí; nitka
flour *n* mouka
flourish *v* vzkvétat; naparovat se
flow *v* téct
flow *n* tok
flower *n* květ
flowerpot *n* květináč
flu *n* chřipka
fluctuate *v* kolísat; proudit; měnit se
fluently *adv* plynně
fluid *n* tekutina
flunk *v* propadnout
flush *v* vypláchnout; spláchnout
flute *n* flétna
flutter *v* třepotat, kmitat
fly *iv* letět
fly *n* moucha
foam *n* pěna

F

focus *n* ohnisko
focus on *v* soustředit se na;
zaostřit na
foe *n* nepřítel
fog *n* mlh
foggy *adj* mlhavý
foil *v* balit do fólie
fold *v* zahnout; složit
folder *n* šanon; složka; adresář
folks *n* lidičky, lidé
folksy *adj* přátelský
follow *v* následovat; vyplývat;
chápat
follower *n* stoupenec;
následovník
folly *n* pošetilost
fond *adj* laskavý, milující
fondle *v* mazlit, hladit
fondness *n* záliba
food *n* potrava, potravina, jídlo
foodstuff *n* potraviny
fool *v* bláznit
fool *n* blázen
foolproof *adj* robustně navržený;
bezvadně fungující
foot *n* chodidlo; délková míra
football *n* kopaná; fotbal;
americký fotbal
footnote *n* pata; anotace;
poznámka pod čarou
footprint *n* stopa, šlépěj
footstep *n* šlépěj

footwear *n* obuv
for *pre* za; k; ke; pro; na
forbid *iv* zakázat
force *n* síla; nátlak
force *v* nutit; donutit; silit
forceful *adj* mocný
forcibly *adv* nuceně
forecast *iv* předpovídat
forefront *n* popředí
foreground *n* popředí
forehead *n* čelo
foreign *adj* zahraniční; cizí
foreigner *n* cizinec
foreman *n* předák
foremost *adj* na prvním místě
foresee *iv* předvídat
foreshadow *v* věstit
foresight *n* prozíravost
forest *n* les
foretaste *n* zalesňování
foretell *v* věstit
forever *adv* navěky
forewarn *v* varovat předem
foreword *n* předmluva
forfeit *v* ztratit, propadnout,
pozbýt
forge *v* vykovat; padělat
forgery *n* padělek
forget *v* zapomenout
forgivable *adj* odpustitelný
forgive *v* odpustit
forgiveness *n* odpuštění

fork *n* vidlička; vidle
form *n* forma; tvar; podoba; formulář
formal *adj* formální
formality *n* formalita
formalize *v* formalizovat
formally *adv* formálně
format *n* formát
formation *n* sestava, formace
former *adj* bývalý
formerly *adv* předtím; kdysi; dříve
formidable *adj* obrovský; impozantní; hrozivý
formula *n* vzorec; formule; recept
forsake *iv* zříci se
fort *n* pevnost, opevnění
forthcoming *adj* nadcházející; blížící se
forthright *adj* přímý
fortify *v* opevnit
fortitude *n* síla ducha; pevná mysl; statečnost
fortress *n* pevnost
fortunate *adj* mající štěstí
fortune *n* štěstí; jmění
forty *adj* čtyřicet
forward *adv* kupředu, vpřed, dopředu
fossil *n* zkamenělina, fosilie
foster *v* vychovávat, starat se o
foul *adj* nečistý, zkažený
foundation *n* základ; zřízení; opodstatnění; nadace

founder *n* zakladatel
foundry *n* slévárna
fountain *n* studánka; fontána
four *adj* čtyři
fourteen *adj* čtrnáct
fourth *adj* čtvrtý
fox *n* liška
foxy *adj* lišácký; vychytralý
fraction *n* úlomek; zlomek; frakce
fracture *n* zlom, zlomenina
fragile *adj* křehký
fragment *n* úlomek; zlomek; fragment
fragrance *n* vůně
fragrant *adj* vonný
frail *adj* křehký
frailty *n* křehkost
frame *n* kostra; rám; rámec
frame *v* zarámovat; zkonstruovat; přišít zločin
framework *n* konstrukce
France *n* Francie
franchise *n* koncese; franšíza
frank *adj* upřímný
frankly *adv* upřímně
frankness *n* upřímnost
frantic *adj* horečný
fraternal *adj* bratrský
fraternity *n* bratrství
fraud *n* podvod
fraudulent *adj* podvodný
freckle *n* piha**

F

freckled *adj* pihovatý
free *v* osvobodit, vysvobodit
free *adj* svobodný; volný;
bezplatný
freedom *n* svoboda
freeway *n* dálnice
freeze *iv* zmrazit; mrazit; zastavit
pohyb
freezer *n* mrazák
freezing *adj* mrazivý
freight *n* náklad
French *adj* francouzský
frenetic *adj* horečný
frenzied *adj* vzrušený
frenzy *n* horečná činnost;
šílenství; posedlost
frequency *n* častost; frekvence;
kmitočet
frequent *adj* častý
frequent *v* navštěvovat
fresh *adj* svěží, čerstvý
freshen *v* osvěžit
freshness *n* svěžest
friar *n* mnich
friction *n* tření
Friday *n* pátek
fried *adj* smažený
friend *n* přítel, kamarád
friendship *n* přátelství
fries *n* hranolky
frigate *n* fregata
fright *n* zděšení

frighten *v* zděsit
frightening *adj* děsivý
frigid *adj* studený; frigidní
fringe *n* okraj; lem; ofina
frivolous *adj* lehkomyslný
frog *n* žába
from *pre* s; z; ze; ode
front *n* předek, přední strana
front *adj* přední
frontage *n* průčelí; fasáda
frontier *n* hranice
frost *n* mráz
frostbite *n* omrzlina
frostbitten *adj* omrzlý
frosty *adj* mrazivý
frown *v* mračit
frozen *adj* zmrazený, zmrzlý
frugal *adj* šetrný
frugality *n* šetrnost
fruit *n* ovoce; plod
fruitful *adj* plodný
fruity *adj* ovocný
frustrate *v* frustrovat
frustration *n* frustrace
fry *v* smažit
frying pan *n* pánev
fuel *n* palivo
fuel *v* pohánět
fugitive *n* uprchlík
fulfill *v* naplnit
fulfillment *n* splnění
full *adj* plný, úplný

fully *adv* plně
fumes *n* výpary
fumigate *v* podkuřovat; vydezinfikovat kouřem
fun *n* zábava, legrace
function *n* funkce
fund *n* fond
fund *v* financovat
fundamental *adj* základní; zásadní; bytostný
funds *n* finanční prostředky, finance
funeral *n* pohřeb
fungus *n* plíseň; houba
funny *adj* zábavný, směšný, legrační, vtipný
fur *n* srst
furious *adj* zuřivý
furiously *adv* zuřivě
furnace *n* výheň
furnish *v* opatřit; vybavit zařízením
furnishings *n* domácí zařízení
furniture *n* nábytek
furor *n* rozruch
furrow *n* vráska; brázda; rýha
furry *adj* srstnatý
further *adv* další; dále; dál
furthermore *adv* nadto, mimoto, kromě toho, dále
fury *n* zuřivost
fuse *n* elektrická pojistka

fusion *n* fúze; splynutí; tavení
fuss *n* hádka; znepokojení; nervozita
fussy *adj* malicherný; úzkostlivý
futile *adj* povrchní; marnivý; zbytečný
futility *n* marnost; zbytečnost; nicotnost
future *n* budoucnost
fuzzy *adj* chlupatý

F
G

G

gadget *n* zařízení; elektronika
gag *n* roubík; komický výstup
gag *v* dusit se; podvést; zacpat ústa
gage *v* zástava; záruka
gain *v* získat
gain *n* zisk; příjem
gal *n* dívka
galaxy *n* galaxie
gale *n* bouře
gall bladder *n* žlučník
gallant *adj* statečný, galantní
gallery *n* obrazárna; galerie
gallon *n* galon
gallop *v* klus

gallows *n* popraviště
galvanize *v* galvanizovat
gamble *v* riskovat; spekulovat; sázet
game *n* hra
gang *n* gang; tlupa
gangrene *n* sněť
gangster *n* zločinec
gap *n* otvor, spára, mezera
garage *n* garáž; čerpací stanice
garbage *n* smetí
garden *n* zahrada
gardener *n* zahradník
gargle *v* kloktat
garland *n* věnec
garlic *n* česnek
garment *n* kus oděvu, šat
garnish *v* ozdobit
garnish *n* ozdoba
garrison *n* posádka; pevnost
garrulous *adj* upovídaný
garter *n* podvazek; stužka
gas *n* plyn; benzín
gash *n* řezná rána
gasoline *n* benzín; palivo
gasp *v* lapat po dechu
gastric *adj* žaludeční
gate *n* brána
gather *v* hromadit
gathering *n* shromáždění
gauge *v* měřit; vyměřit; ráže zbraně

gauze *n* gáza, pletivo
gaze *v* upřeně se dívat
gear *n* převod; výbava
geese *n* husy
gem *n* drahokam
gender *n* rod; pohlaví
gene *n* gen
general *n* generál
generalize *v* zobecňovat
generate *v* vytvořit; generovat
generation *n* generace
generator *n* generátor
generic *adj* obecný; generický
generosity *n* štědrost
genetic *adj* genetický
genial *adj* srdečný
genius *n* génius
genocide *n* genocida, vyhlazení
genteel *adj* vznešený
gentle *adj* jemný
gentleman *n* džentlmen
gentleness *n* jemnost, něžnost
genuflect *v* padnout na kolena
genuine *adj* pravý, nefalšovaný
geography *n* geografie, zeměpis
geology *n* geologie
geometry *n* geometrie
germ *n* bakterie
German *adj* německý
Germany *n* Německo
germinate *v* klíčit
gerund *n* gerundium**

gestation *n* těhotenství
gesticulate *v* gestikulovat
gesture *n* gesto
get *iv* dostat
get along *v* vycházet
get away *v* dostat se pryč; uniknout beztrestně
get back *v* vrátit se; oplatit
get by *v* protlouct se; projít; obejít se
get down *v* sestoupit; upadnout na duchu
get down to *v* pustit se do něčeho
get in *v* dostat se dovnitř; přijít
get off *v* vystoupit
get out *v* odejít
get over *v* překonat; zotavit se
get together *v* shromáždit se
get up *v* vstát
geyser *n* gejzír
ghastly *adj* děsný
ghost *n* duch, strašidlo
giant *n* obr
gift *n* dar; dárek; talent
gifted *adj* nadaný
gigantic *adj* gigantický
giggle *v* chichotat
gimmick *n* lest
ginger *n* zázvor
gingerly *adv* opatrně
giraffe *n* žirafa

girl *n* děvče
girlfriend *n* přítelkyně
give *iv* dát
give away *v* dát pryč; rozdat
give back *v* vrátit
give in *v* odevzdat; vzdát se
give out *v* rozdat
give up *v* vzdát se
glacier *n* ledovec
glad *adj* radostný, potěšený
gladiator *n* gladiátor
glamorous *adj* fascinující
glance *v* třpytil
glance *n* letmý pohled
gland *n* žláza
glare *n* záře
glass *n* sklo; sklenice
glasses *n* brýle
glassware *n* skleněné výrobky
gleam *n* svit; lesk; třpyt
gleam *v* lesknout se, blyštit se
glide *v* klouzat
glimmer *n* blikání; jiskření; třpyt
glimpse *n* letmý pohled
glimpse *v* letmo zahlédnout
glitter *v* třpytit
globe *n* zeměkoule
globule *n* kulička, kapička
gloom *n* temno; sklíčenost
gloomy *adj* chmurnější
glorify *v* velebit
glorious *adj* slavný

G

glory *n* sláva
gloss *n* lesk
glossary *n* slovníček
glossy *adj* lesklý
glove *n* rukavice
glow *v* zářit
glucose *n* glukóza
glue *n* lep
glue *v* lepit
glut *n* nadbytek
glutton *n* žrout
gnaw *v* hryzat
go *iv* jít; jet
go ahead *v* jet napřed; jen do toho
go away *v* odejít
go back *v* vrátit se; ustoupit
go down *v* jít dolů
go in *v* vjet; vcházet; vejít; jít dovnitř
go on *v* jet dál, pokračovat
go out *v* jít ven; vyjít
go over *v* přeběhnout; přejít; projít přes
go through *v* projít; procházet
go under *v* podjíždět
go up *v* jít nahoru
goad *v* pohánět, pobízet
goal *n* branka, gól
goalkeeper *n* brankář
goat *n* kozel
gobble *v* hltat
God *n* Bůh

goddess *n* bohyně
godless *adj* bezbožný
goggles *n* brýle
gold *n* zlato
golden *adj* zlatý
good *adj* hodný
good-looking *adj* pohledný
goodness *n* laskavost, dobrota
goods *n* zboží
goodwill *n* dobrá vůle
goof *v* blbnout; flákat se
goof *n* kupa sena; trdlo; hloupá chyba
goose *n* husa
gorge *n* rokle
gorgeous *adj* nádherný
gorilla *n* gorila
gory *adj* krvavý
gospel *n* slovo boží; gospel
gossip *v* klábosit
gossip *n* klepy, drby
gout *n* kapka; pakostnice; dna
govern *v* vládnout, spravovat
government *n* vláda, správa
governor *n* guvernér, místodržitel
gown *n* talár
grab *v* popadnout
grace *n* milost; odpuštění
graceful *adj* půvabný
gracious *adj* laskavý, milostivý
grade *n* stupeň; jakost; hodnost; ročník; známka

grade v odstupňovat; klasifikovat
gradual adj postupný
graduate v absolvovat
graduation n maturita; promoce; absolvování
graft v roubovat; transplantovat
graft n roub; transplantovaná tkáň
grain n obilí
gram n gram
grammar n gramatika, mluvnice
grand adj velký; skvělý; velkolepý
grandchild n vnouče
granddad n děda
grandfather n dědeček
grandmother n babička
grandparents n prarodiče
grandson n vnuk
grandstand n hlavní tribuna
granite n žula; granit
granny n babička
grant v dopřát; udělit
grant n grant; dotace
grape n hrozen
grapefruit n grep
grapevine n réva
graphic adj názorný; grafický
grasp n úchop
grasp v uchopení
grass n tráva
grassroots adj řadový občané
grateful adj vděčný

gratify v uspokojit; odměnit
gratifying adj uspokojující; potěšující
gratitude n vděčnost
gratuity n dar, odstupné, spropitné
grave adj závažný
grave n hrob
gravel n štěrk
gravely adv štěrkový
gravestone n náhrobek
graveyard n hřbitov
gravitate v přitahovat se; být přitahován; tíhnout
gravity n gravitace
gravy n šťáva z masa, omáčka
gray adj šedý; fádní; banální
grayish adj našedlý
graze v pást se; škrábnout se
graze n odřenina; škrábnutí
grease v namazat, promazat
grease n maz; vazelína; sádlo
greasy adj mazlavý; vlezlý; bezcharakterní
great adj velký; skvělý
greatness n velikost; skvělost
Greece n Řecko
greed n chamtivost; nenasytnost
greedy adj chamtivý, nenasytný
Greek adj řecký
green adj zelený
green bean n fazol obecný

G

greenhouse n skleník
Greenland n Grónsko
greet v pozdravit; přivítat
greetings n pozdravy
gregarious adj družný
grenade n granát
greyhound n chrt
grief n smutek, žal
grievance n křivda; stížnost
grieve v truchlit
grill v grilovat
grill n gril, rošt
grim adj neradostný
grimace n úšklebek
grime n špína
grin n úšklebek
grin v šklebit se
grind iv mlít
grip v uchopení
grip n úchop
gripe n stížnost
grisly adj příšerný
groan v sténat
groan n sténání
groceries n potraviny
groin n tříslo
groom n ženich
groove n žlábek
gross adj hrubý; odporný
grossly adv hrubě
grotesque adj absurdní
grotto n jeskyně

grouch v brblat
grouchy adj nabručený
ground n zem, země, zemina
ground floor n přízemí
groundless adj nepodložený
groundwork n podklady
group n skupina
grow iv růst
grow up v vyrůst
growl v zavrčení
grown-up n dospělý
growth n růst
grudge n zášť
grudgingly adv zdráhavě
grueling adj vyčerpávající
gruesome adj příšerný
grumble v reptat
grumpy adj nevrlý
guarantee v zaručit
guarantee n záruka
guarantor n ručitel
guard n hlídač; strážce
guard v chránit, střežit
guardian n ochránce, strážce
guerrilla n partyzán, gerila
guess v hádat
guess n odhad
guest n host
guidance n dozor; směrnice; poradenství
guide v vést
guide n průvodce

G

guidebook *n* tištěný průvodce
guidelines *n* směrnice, pokyny
guild *n* cech
guile *n* záludnost, podlost
guillotine *n* gilotina
guilt *n* vina
guilty *adj* vinný, vinen
guise *n* maska; záminka
guitar *n* kytara
gulf *n* záliv
gull *n* racek
gullible *adj* důvěřivý
gulp *v* polknout
gulp *n* doušek
gulp down *v* spolknout
gum *n* guma; pryž; dáseň
gun *n* zbraň
gun down *v* zastřelit; sestřelit
gunfire *n* palba
gunman *n* střelec
gunpowder *n* střelný prach
gunshot *n* výstřel
gust *n* poryv
gusto *n* elán, verva
gusty *adj* bouřlivý
gut *n* střevo
guts *n* střeva; odvaha
gutter *n* okap
guy *n* chlap, chlápek
guzzle *v* žrát
gymnasium *n* tělocvična;
  gymnázium

gynecology *n* gynekologie
gypsy *n* kočovník; Rom; Cikán

habit *n* zvyk
habitable *adj* obyvatelný
habitual *adj* navyklý
hack *v* sekat
haggle *v* smlouvat, handrkovat se
hail *n* pozdrav; zavolání
hail *v* pozdravit; zavolat
hair *n* vlasy; chlupy
hairbrush *n* kartáč na vlasy
haircut *n* účes
hairdo *n* účes
hairdresser *n* kadeřník
hairpiece *n* příčesek
hairy *adj* vlasatý; chlupatý
half *n* polovice
half *adj* poloviční
hall *n* síň
hallucinate *v* blouznit
hallway *n* hala, chodba
halt *v* zastavit
halve *v* půlit
ham *n* šunka
hamburger *n* hamburger

G
H

H

hamlet *n* víska
hammer *n* kladivo
hammer *v* bušit
hammock *n* visuté lůžko
hand *n* ruka
hand down *v* odkázat
hand in *v* odevzdávat
hand out *v* rozdávat
hand over *v* podat
handbag *n* kabelka
handbook *n* příručka
handcuff *v* spoutat
handcuffs *n* želízka
handful *n* hrst
handgun *n* pistole
handicap *n* nevýhody; postižení
handkerchief *n* kapesník
handle *v* zacházet s
handle *n* klika
handmade *adj* rukodělný
handout *n* almužna
handrail *n* zábradlí
handshake *n* potřesení rukou
handsome *adj* hezký
handwriting *n* rukopis
handy *adj* šikovný; praktický
hang *iv* viset; věšet
hang around *v* zdržovat se
hang on *v* vytrvat
hang up *v* pověsit
hanger *n* vývěska, ramínko
hang-up *n* zavěšení; potíž

happen *v* stát se
happening *n* událost
happiness *n* štěstí
happy *adj* šťastný
harass *v* obtěžovat
harassment *n* obtěžování
harbor *n* přístav
hard *adj* tvrdý
harden *v* tužit; utvrdit
hardly *adv* stěží, sotva
hardness *n* tvrdost
hardship *n* nesnáze
hardware *n* železářské zboží; technické vybavení
hardwood *n* tvrdé dřevo
hardy *adj* vytrvalý
hare *n* zajíc
harm *v* ublížit
harm *n* újma
harmful *adj* škodlivý
harmless *adj* neškodný
harmonize *v* sladit
harmony *n* soulad
harp *n* harfa
harpoon *n* harpuna
harrowing *adj* trýznivý
harsh *adj* nepříjemný; krutý
harshly *adv* krutě
harshness *n* drsnost
harvest *n* úroda
harvest *v* sklízet
hashish *n* hašiš

hassle *v* potíž
hassle *n* těžkost
haste *n* spěch
hasten *v* spěchat
hastily *adv* spěšně
hasty *adj* chvatný
hat *n* klobouk
hatchet *n* sekyrka
hate *v* nenávist
hateful *adj* nenávistný
hatred *n* zášť
haughty *adj* povýšený
haul *v* vléct
haunt *v* pronásledovat
have *iv* mít
have to *v* muset
haven *n* útočiště; přístav
havoc *n* zkáza
hawk *n* jestřáb
hay *n* seno
haystack *n* kupka sena
hazard *n* hazard
hazardous *adj* hazardní
haze *n* mlha
hazelnut *n* lískový oříšek
hazy *adj* nejasný
he *pro* on
head *n* hlava
head for *v* zamířit
headache *n* bolest hlavy
heading *n* záhlaví; nadpis; titulek
head-on *adv* přímo

headphones *n* sluchátka
headquarters *n* ústředí; ředitelství; velitelství; hlavní stan
headway *n* pokrok
heal *v* hojit; léčit se
healer *n* léčitel
health *n* zdraví
healthy *adj* zdravý
heap *n* halda
heap *v* nakupit
hear *iv* slyšet
hearing *n* sluch; slyšení; projednání
hearsay *n* klepy
hearse *n* pohřební vůz
heart *n* srdce
heartbeat *n* srdeční puls
heartburn *n* pálení žáhy
hearten *v* povzbudit
heartfelt *adj* srdečný
hearth *n* krb
heartless *adj* bezcitný
hearty *adj* srdečný
heat *v* ohřát
heat *n* teplo
heat wave *n* vlna veder
heater *n* ohřívač; topné těleso
heathen *n* pohanstvo
heating *n* topení
heatstroke *n* úžeh
heaven *n* obloha, nebe
heavenly *adj* nebeský

heaviness *n* tíha
heavy *adj* těžký
heckle *v* pokřikovat
hectic *adj* horečný
heed *v* dbát
heel *n* podpatek
height *n* výška
heighten *v* zvýšit
heinous *adj* ohavný
heir *n* dědic
heiress *n* dědička
heist *n* loupež
helicopter *n* helikoptéry
hell *n* peklo
hello *e* nazdar, ahoj
helm *n* kormidlo
helmet *n* přilba
help *v* pomoci
help *n* pomoc
helper *n* pomocník
helpful *adj* nápomocný
helpless *adj* bezradný
hem *n* lem
hemisphere *n* polokoule
hemorrhage *n* krvácení
hen *n* slepice
hence *adv* proto; odtud; tudíž
henchman *n* stoupenec
her *pro* její; ji
herald *v* zvěstovat
herald *n* zvěst
herb *n* bylina

here *adv* sem; tady; zde; tu
hereafter *adv* později
hereby *adv* takto; tímto
hereditary *adj* dědičný
heresy *n* blud
heretic *adj* kacíř
heritage *n* dědictví
hermetic *adj* vzduchotěsný
hermit *n* poustevník
hernia *n* kýla
hero *n* hrdina
heroic *adj* hrdinský
heroin *n* heroin
heroism *n* hrdinství
hers *pro* její
herself *pro* ona sama; sama sebou; sama sobě
hesitant *adj* váhavý
hesitate *v* zdráhat se
hesitation *n* otálení
heyday *n* rozkvět
hiccup *n* škytavka
hidden *adj* skrytý; zakrytý
hide *iv* skrýt
hideaway *n* úkryt
hideous *adj* šeredný
hierarchy *n* hierarchie
high *adj* vysoký
highlight *n* zdůraznit
highly *adv* vysoce
Highness *n* výsost
highway *n* dálnice**

hijack *v* unést
hijack *n* únos
hijacker *n* únosce
hike *v* potulování
hike *n* pěší turistika, výlet
hilarious *adj* veselý
hill *n* vrch, hora
hillside *n* svah
hilltop *n* vrchol kopce
hilly *adj* pahorkatý
hilt *n* rukojeť
hinder *v* překážet
hindrance *n* překážka
hindsight *n* ohlédnutí zpět
hinge *v* záležet
hinge *n* pant; závěs; spojení
hint *n* nápověda
hint *v* naznačit
hip *n* kyčel
hire *v* najmout; zaměstnat
his *adj* jeho
his *pro* svého; svém; svému
Hispanic *adj* hispánský
hiss *v* syčení
historian *n* historik
history *n* historie, minulost
hit *n* úder; trefa; hit
hit *iv* udeřit; zasáhnout
hit back *v* vrátit ránu; oplatit útok
hitch *n* zádrhel
hitch up *v* zapřáhnout
hitchhike *n* autostop

hitherto *adv* dosud
hive *n* úl
hoard *v* hromadit
hoarse *adj* chraplavý
hoax *n* falešná zpráva; švindl
hobby *n* záliba, koníček
hog *n* vepř
hoist *v* zvednout
hoist *n* kladkostroj
hold *iv* držet
hold back *v* držet se stranou
hold on to *v* držet se
hold out *v* vydržet
hold up *v* obstát
hold-up *n* zpoždění; dopravní zácpa; přepadení
hole *n* díra; jáma
holiday *n* prázdniny; dovolená; rekreace
holiness *n* svatost
Holland *n* Holandsko
hollow *adj* prázdný
holocaust *n* holokaust
holy *adj* svatý
homage *n* pocta
home *n* domov
homeland *n* vlast
homeless *adj* bez domova
homely *adj* útulný
homemade *adj* podomácku vyrobený
homesick *adj* tesknící po domově

hometown *n* rodné město
homework *n* domácí úkol
homicide *n* vražda
homily *n* kázání
honest *adj* upřímný; čestný
honesty *n* čestnost
honey *n* med
honeymoon *n* líbánky, svatební cesta
honk *v* zatroubit
honor *n* čest
hood *n* kapota; kapuce; kryt
hoodlum *n* chuligán, násilník
hoof *n* kopyto
hook *n* hák
hooligan *n* chuligán
hop *v* poskakovat
hope *n* naděje
hope *v* doufat
hopeful *adj* plný naděje
hopefully *adv* snad
hopeless *adj* beznadějný
horizon *n* obzor
horizontal *adj* vodorovný
hormone *n* hormon
horn *n* roh; trouba
horrendous *adj* úděsný
horrible *adj* strašný
horrify *v* děsit
horror *n* hrůza; horor
horse *n* kůň
hose *n* punčochy

hospital *n* nemocnice
hospitality *n* pohostinnost
hospitalize *v* hospitalizovat
host *n* hostitel
hostage *n* rukojmí
hostess *n* hostitelka; hosteska
hostile *adj* nepřátelský
hostility *n* nepřátelství
hot *adj* horký; pálivý
hotel *n* hotel
hound *n* chrt, lovecký pes
hour *n* hodina
hourly *adv* každou hodinu
house *n* dům
household *n* domácnost
housekeeper *n* hospodář; hospodyně
housewife *n* žena v domácnosti; domácí paní
housework *n* domácí práce
hover *v* vznášet se
how *adv* jak
however *c* leč; nicméně
howl *v* zavýt
howl *n* zavytí
hub *n* střed; centrum; rozbočovač
huddle *v* shromažďovat se; tisknout se
hug *v* obejmout
hug *n* objetí
huge *adj* obrovský
hull *n* trup; slupka

hum *v* mumlat, broukat
human *adj* lidský
human being *n* lidská bytost
humanities *n* humánnosti; humanitní vědy
humankind *n* lidstvo
humble *adj* pokorný; skromný
humbly *adv* skromně
humid *adj* vlhký
humidity *n* vlhkost
humiliate *v* ponížit
humility *n* skromnost, pokora
humor *n* humor
humorous *adj* směšný
hump *n* hrb, hrbol, vyvýšenina
hunch *n* předtucha
hunchback *n* hrbáč
hunched *adj* shrbený
hundred *adj* stovka
hundredth *adj* stý
hunger *n* hlad
hungry *adj* hladový
hunt *v* lovit
hunter *n* lovec, myslivec
hunting *n* lov
hurdle *n* překážka
hurl *v* vrh
hurricane *n* hurikán
hurriedly *adv* uspěchaně
hurry *v* spěchat
hurry up *v* pospíchat
hurt *iv* ranit

hurt *adj* raněný
hurtful *adj* bolestný
husband *n* manžel
hush up *v* umlčet
husky *adj* chraplavý
hustle *n* strkat; spěchat; kšeftovat
hut *n* chatrč
hydraulic *adj* hydraulický
hydrogen *n* vodík
hyena *n* hyena
hygiene *n* hygiena
hymn *n* chvalozpěv
hyphen *n* pomlčka
hypnosis *n* hypnóza
hypnotize *v* hypnotizovat
hypocrisy *n* pokrytectví
hypocrite *adj* pokrytec
hypothesis *n* hypotéza
hysteria *n* hysterie
hysterical *adj* hysterický

I

I *pro* já
ice *n* led
ice cream *n* zmrzlina
ice cube *n* kostka ledu
ice skate *v* bruslení; krasobruslení
iceberg *n* ledovec
icebox *n* lednička
ice-cold *adj* ledově studený
icon *n* ikona
icy *adj* ledový
idea *n* myšlenka; nápad
ideal *adj* ideální
identical *adj* stejný, totožný
identify *v* rozpoznat, identifikovat
identity *n* totožnost
ideology *n* ideologie
idiom *n* idiomatické spojení
idiot *n* idiot
idiotic *adj* idiotský
idle *adj* nečinný
idol *n* idol; modla
idolatry *n* modlářství
if *c* když; pokud; jestliže
ignite *v* zažehnout
ignorance *n* nevědomost;
  neznalost; lhostejnost
ignorant *adj* nevzdělaný;
  neinformovaný; lhostejný
ignore *v* nevšímat si, ignorovat

ill *adj* nemocný; škodlivý; špatný
illegal *adj* nepovolený; nezákonný;
  nelegální
illegible *adj* nečitelný
illegitimate *adj* nelegitimní;
  nemanželský
illicit *adj* nedovolený
illiterate *adj* negramotný;
  nevzdělaný
illness *n* nemoc
illogical *adj* nelogický
illuminate *v* osvítit; objasnit
illusion *n* iluze, klam
illustrate *v* ilustrovat
illustration *n* ilustrace
illustrious *adj* proslulý
image *n* obraz
imagination *n* představa,
  fantazie
imagine *v* představovat si
imbalance *n* nerovnováha
imitate *v* napodobovat
imitation *n* imitace, náhražka
immaculate *adj* neposkvrněný
immature *adj* nevyzrálý
immaturity *n* nevyzrálost
immediately *adv* ihned, okamžitě
immense *adj* ohromný
immensity *n* ohromnost
immerse *v* ponořit
immersion *n* ponoření, vnoření
immigrant *n* přistěhovalec

immigrate *v* přistěhovat se
immigration *n* přistěhovalectví
imminent *adj* bezprostřední
immobile *adj* nepohyblivý
immobilize *v* znehybnit
immoral *adj* nemravný
immorality *n* nemravnost
immortal *adj* nesmrtelný
immortality *n* nesmrtelnost
immune *adj* imunní, odolný
immunity *n* imunita
immunize *v* imunizovat
immutable *adj* neměnný;
  nezměnitelný
impact *n* náraz; úder; následek;
  dosah
impact *v* narazit; mít vliv; mít
  účinek
impair *v* znehodnotit; poškodit
impartial *adj* nestranný
impatience *n* netrpělivost
impatient *adj* netrpělivý
impeccable *adj* dokonalý,
  bezvadný
impediment *n* překážka, závada
impending *adj* překážející
imperfection *n* nedokonalost,
  vada
imperial *adj* imperiální; císařský
imperialism *n* imperialismus
impersonal *adj* neosobní
impertinence *n* nemístnost

impertinent *adj* nemístný
impetuous *adj* impulzívní,
  neuvážený
implacable *adj* nesmiřitelný
implant *v* zasadit; implantovat
implement *v* zavést
implicate *v* naznačit; způsobovat
implication *n* implikace;
  důsledek
implicit *adj* vyplývající; implicitní
implore *v* vzývat
imply *v* vyplývat
impolite *adj* nezdvořilý
import *v* dovážet, importovat
importance *n* důležitost
importation *n* dovoz, import
impose *v* vnutit, nařídit
imposing *adj* vnucování
imposition *n* vnucení; břímě
impossibility *n* nemožnost
impossible *adj* nemožný
impotent *adj* nemohoucí,
  neschopný, impotentní
impound *v* zabavit
impoverished *adj* ochuzený
impractical *adj* nepraktický
imprecise *adj* nepřesný
impress *v* zapůsobit
impressive *adj* působivý
imprison *v* uvěznit
improbable *adj*
  nepravděpodobný

I

impromptu *adv* improvizovaný
improper *adj* nevhodný
improve *v* zlepšit
improvement *n* zlepšení
improvise *v* improvizovat
impulse *n* podnět
impulsive *adj* impulzívní
impunity *n* beztrestnost
impure *adj* nečistý
in *pre* v; ve; uvnitř
in depth *adv* v hloubce
inability *n* neschopnost
inaccessible *adj* nepřístupný
inaccurate *adj* nepřesný
inadequate *adj* nepostačující,
  neadekvátní
inadmissible *adj* nepřístupný
inappropriate *adj* nevhodný
inasmuch as *c* ježto; poněvadž;
  vzhledem k tomu
inaugurate *v* zasvětit; zahájit
inauguration *n* zahájení,
  inaugurace
incalculable *n* nevyčíslitelný
incapable *adj* neschopný
incapacitate *v* učinit
  neschopným
incarcerate *v* zavřít do vězení
incense *n* kadidlo
incentive *n* pobídka; podnět
inception *n* vznik, zahájení
incessant *adj* neustálý

inch *n* palec
incident *n* nehoda; příhoda;
  incident
incidentally *adv* náhodně
incision *n* řez
incite *v* podnítit
incitement *n* podněcování
inclination *n* náklonnost
incline *v* naklonit
include *v* zahrnovat; obsahovat
inclusive *adv* zahrnutý; zahrnující
incoherent *adj* nesouvislý;
  nesrozumitelný
income *n* příjem
incoming *adj* příchozí
incompatible *adj* neslučitelný;
  nekompatibilní; nevyhovující
incompetence *n*
  nekompetentnost
incompetent *adj* neschopný;
  nekompetentní
incomplete *adj* neúplný
inconsistent *adj* rozporuplný;
  nekonzistentní
incontinence *n* inkontinence
inconvenient *adj* nevyhovující;
  nevhodný
incorporate *v* přidružit; včlenit
incorrect *adj* chybný; nepatřičný
incorrigible *adj* nenapravitelný
increase *v* zvýšit; vzrůstat
increase *n* zvýšení; navýšení

increasing *adj* vzrůstající
incredible *adj* neuvěřitelný
increment *n* přírůstek
incriminate *v* kompromitovat;
inkriminovat
incur *v* způsobit si, utrpět
incurable *adj* nevyléčitelný
indecency *n* neslušnost;
obscénnost
indecision *n* nerozhodnost
indecisive *adj* váhavý
indeed *adv* opravdu, vskutku
indefinite *adj* neurčitý
indemnify *v* odškodnit
indemnity *n* odškodnění
independence *n* nezávislost
independent *adj* nezávislý
index *n* ukazatel; index; ukazovák
indicate *v* naznačit; indikovat
indication *n* indikace, náznak
indict *v* obvinit
indifference *n* lhostejnost
indifferent *adj* lhostejný
indigent *adj* chudý
indigestion *n* špatné trávení
indirect *adj* nepřímý
indiscreet *adj* netaktní,
nediskrétní
indiscretion *n* netaktnost,
nediskrétnost
indispensable *adj*
nepostradatelný

indisposed *adj* indisponovaný
indisputable *adj* nesporný
indivisible *adj* nedělitelný
indoctrinate *v* naočkovat
indoor *adj* vnitřní; halový
induce *v* přivodit
indulge *v* vyhovět
indulgent *adj* shovívavý
industrious *adj* pilný
industry *n* odvětví, průmysl
ineffective *adj* neúčinný;
neefektivní
inefficient *adj* neefektivní
inept *adj* nešikovný
inequality *n* nerovnost
inevitable *adj* nevyhnutelný,
neodvratný
inexcusable *adj* neomluvitelný
inexpensive *adj* levný
inexperienced *adj* nezkušený
inexplicable *adj* neodčinitelný
infallible *adj* spolehlivý
infamous *adj* neslavný
infancy *n* rané dětství; počátek
infant *n* kojenec
infantry *n* pěchota
infect *v* nakazit
infection *n* nákaza, infekce
infectious *adj* nakažlivý
infer *v* vyvozovat; odvozovat;
dedukovat
inferior *adj* podřadný

I

infertile *adj* neplodný; neúrodný

infested *adj* postižený, nakažený

infidelity *n* nevěra

infiltrate *v* proniknout

infiltration *n* pronikání, vsak

infinite *adj* nekonečný

infirmary *n* ošetřovna

inflammation *n* zánět

inflate *v* nafukovat

inflation *n* nafouknutí; inflace

inflexible *adj* nepoddajný; nepružný; neohebný

inflict *v* způsobit

influence *n* vliv

influential *adj* vlivný

influenza *n* chřipka

influx *n* influkce; ústí; vtok

inform *v* oznámit

informal *adj* neformální

informality *n* neformálnost

informant *n* udavač, informátor

information *n* informace

informer *n* udavač

infraction *n* porušení

infrequent *adj* vzácný; řídký

infuriate *v* rozzuřit

infusion *n* nálev; infuze

ingenuity *n* důvtip

ingest *v* spolknout potravu

ingot *n* prut; slitek; ingot

ingrained *adj* zakořeněný

ingratiate *v* získat přízeň

ingratitude *n* nevděk

ingredient *n* přísada

inhabit *v* obývat

inhabitable *adj* neobyvatelný

inhabitant *n* obyvatel

inhale *v* vdechovat

inherit *v* zdědit

inheritance *n* dědictví, pozůstalost

inhibit *v* zamezovat; zabránit; blokovat; inhibovat

inhuman *adj* nelidský

initial *adj* počáteční, výchozí

initial *n* iniciála

initial *v* parafovat

initially *adv* zpočátku

initials *n* iniciály

initiate *v* iniciovat

initiative *n* iniciativa

inject *v* vstříknout, vstřikovat

injection *n* injekce, vstřikování

injure *v* zranit

injurious *adj* škodlivý

injury *n* zranění

injustice *n* nespravedlnost

ink *n* inkoust

inkling *n* tušení

inlaid *adj* vykládaný

inland *adv* vnitrozemí

inland *adj* vnitrozemský

in-laws *n* příbuzní ze strany manžela nebo manželky

inmate *n* chovanec; vězeň

inn *n* hostinec

innate *adj* přirozený, vrozený

inner *adj* vnitřní

innocence *n* nevinnost

innocent *adj* nevinný

innovation *n* inovace

innuendo *n* narážka; posměšek; dvojsmyslná narážka

innumerable *adj* nespočetný

input *n* vstup

inquest *n* pátrání; posouzení; soudní vyšetřování

inquire *v* dotázat se, tázat se

inquiry *n* poptávka; vyšetřování; bádání

inquisition *n* inkvizice; vyšetřování; výslech

insane *adj* šílený

insanity *n* šílenství, nepříčetnost, duševní choroba

insatiable *adj* nenasytitelný, nenasytný

inscription *n* nápis; věnování

insect *n* hmyz

insecurity *n* nejistota; komplex

insensitive *adj* necitlivý

inseparable *adj* neoddělitelný

insert *v* vsunout

insertion *n* vložka; vsuvka; vložení; vložená příloha

inside *adj* vnitřní

inside *pre* dovnitř

inside out *adv* naruby

insignificant *adj* nevýznamný

insincere *adj* neupřímný

insincerity *n* neupřímnost

insinuate *v* namlouvat; vlichotit se

insinuation *n* pomluva; narážka

insipid *adj* mdlý

insist *v* naléhat, trvat na

insistence *n* naléhání; důraz

insolent *adj* drzý

insoluble *adj* nerozpustný

insomnia *n* nespavost

inspect *v* prozkoumat, ohledat

inspection *n* dohled, prohlídka, inspekce

inspector *n* inspektor

inspiration *n* inspirace

inspire *v* inspirovat, povzbudit, nadchnout

instability *n* nestabilita, nestálost

install *v* namontovat; instalovat; dosadit; nastolit

installation *n* zavedení; instalace

installment *n* instalace; dosazení

instance *n* příklad; případ; instance

instant *n* moment, okamžik

instantly *adv* okamžitě

instead *adv* namísto

instigate *v* podněcovat

instill v vštěpovat; nakapat
instinct n pud, instinkt
institute v založit; zřídit; ustanovit
institution n ústav, instituce
instruct v instruovat; učit; dát pokyn
instructor n instruktor
insufficient adj nedostačující
insulate v izolovat; ochránit; odříznout; odloučit
insulation n izolování; izolace
insult v urazit
insult n urážka
insurance n pojištění
insure v pojistit
insurgency n povstání
insurrection n povstání
intact adj netknutý, neporušený
intake n vtok; přívod
integrate v včlenit, integrovat
integration n včlenění, integrace
integrity n celistvost; integrita; bezúhonnost
intelligent adj inteligentní
intend v mít v úmyslu
intense adj intenzivní, silný
intensify v zesílit
intensity n zesílení
intensive adj intenzívní
intention n záměr
intercede v prostředkovat; přimluvit se; intervenovat

intercept v zachytit; zadržet; přerušit
intercession n zakročení, intervence
interchange v střídat; vzájemně vyměnit
interchange n střídání; vzájemná výměna
interest n zájem; zisk; úrok
interested adj zaujatý
interesting adj zajímavý
interfere v vměšovat se; zasahovat
interference n zásah; pletení se
interior adj vnitřní
interlude n mezihra; interval; epizoda; přestávka
intermediary n zprostředkovatel
intern v internovat
interpret v interpretovat; tlumočit; vykládat
interpretation n výklad; interpretace; tlumočení
interpreter n tlumočník; vykladač; interpret
interrogate v vyslýchat
interrupt v přerušit, vyrušit
interruption n přerušení
intersect v protínat
intertwine v proplést
interval n interval; mezera; přestávka; odstup

intervene *v* zakročit, intervenovat

intervention *n* zásah, zakročení, intervence

interview *n* rozhovor, pohovor, interview

intestine *n* střevo

intimacy *n* důvěrnost; intimnost; soukromí

intimate *adj* důvěrný; blízký; intimní; milenecký

intimidate *v* zastrašovat

intolerable *adj* nesnesitelný

intolerance *n* nesnášenlivost

intoxicated *adj* opilý; opojený; pod vlivem

intravenous *adj* nitrožilní

intrepid *adj* neohrožený

intricate *adj* složitý

intrigue *n* úklad; intrika

intriguing *adj* zajímavý, záhadný

intrinsic *adj* skutečný; přirozený; vnitřní

introduce *v* uvést; představit

introduction *n* uvádění; představení; předmluva

introvert *adj* introvertní

intrude *v* vnutit se

intruder *n* vetřelec

intrusion *n* vniknutí

intuition *n* intuice

inundate *v* zaplavit

invade *v* vpadnout

invader *n* vetřelec, okupant

invalid *n* neplatný, neschopný

invalidate *v* zrušit, anulovat

invaluable *adj* neocenitelný

invasion *n* invaze

invent *v* vynalézt

invention *n* vynález

inventory *n* inventář

invest *v* investovat

investigate *v* vyšetřovat

investigation *n* vyšetřování

investment *n* investice

investor *n* investor

invincible *adj* nepřemožitelný

invisible *adj* neviditelný

invitation *n* pozvání

invite *v* zvát

invoice *n* účet, faktura

invoke *v* vyvolat

involve *v* týkat se; zainteresovat

involved *adj* zúčastněný

involvement *n* angažovanost

inward *adj* vnitřní

inwards *adv* dovnitř

iodine *n* jód

irate *adj* zlostný

Ireland *n* Irsko

Irish *adj* irský

iron *n* železo

iron *v* žehlit

ironic *adj* ironický

I

irony *n* ironie
irrational *adj* iracionální
irrefutable *adj* nevyvratitelný
irregular *adj* nepravidelný
irrelevant *adj* nepodstatný
irreparable *adj* nenapravitelný
irresistible *adj* neodolatelný
irrespective *adj* bezohledný
irreversible *adj* nevratný
irrevocable *adj* neodvolatelný
irrigate *v* zavlažit
irrigation *n* závlaha
irritate *v* dráždit
irritating *adj* dráždivý; rozčilující
Islamic *adj* islámský
island *n* ostrov
isle *n* ostrov
isolate *v* izolovat, odloučit
isolation *n* izolace, odloučení, osamocení
issue *n* záležitost; problém; téma; vydání
issue *v* vydat
Italian *adj* italský
italics *adj* kurzíva
Italy *n* Itálie
itch *v* svědět
itchiness *n* svědivost
item *n* položka
itemize *v* vytvořit seznam
itinerary *n* cestující; itinerář
ivory *n* slonovina

J

jackal *n* šakal
jacket *n* sako; bunda
jackpot *n* zvyšovaná sázka
jaguar *n* jaguár
jail *n* vězení
jail *v* uvěznit
jailer *n* žalářník
jam *n* džem; zácpa
jam *v* zablokovat; ucpat
janitor *n* vrátný; domovník
January *n* leden
Japan *n* Japonsko
Japanese *adj* japonský
jar *n* džbán; sklenice
jar *v* hádat se
jasmine *n* jasmín
jaw *n* čelist
jealous *adj* žárlivý; závistivý
jealousy *n* žárlivost
jeans *n* džíny
jeopardize *v* ohrozit
jerk *v* škubat
jerk *n* potrhlý člověk
jersey *n* dres; tílko; svetr
Jew *n* Žid
jewel *n* šperk; skvost
jeweler *n* klenotník
jewelry store *n* klenotnictví
Jewish *adj* Židovský

jigsaw *n* pila
job *n* úkol; práce; zaměstnání
jobless *adj* nezaměstnaný
join *v* spojovat; spojit; přidat se
joint *n* kloub
jointly *adv* společně
joke *n* žert; vtip
joke *v* žertovat
joker *n* vtipálek; žolík
jokingly *adv* žertovně
jolly *adj* rozjařený; radostný
jolt *v* drkotat; strčit; vrazit
jolt *n* škubnutí; náraz; trhnutí
journal *n* deník; žurnál
journalist *n* novinář
journey *n* cesta
jovial *adj* žoviální
joy *n* radost
joyful *adj* radostný
joyfully *adv* radostně
jubilant *adj* jásavý
Judaism *n* židovství; judaismus
judge *n* soudce
judge *v* soudit
judgment *n* úsudek
judicious *adj* soudný
jug *n* džbán
juggler *n* žonglér
juice *n* šťáva; džus
juicy *adj* šťavnatý
July *n* červenec
jump *v* skočit, skákat

jump *n* skok
jumpy *adj* nesvůj; nervózní
junction *n* spojení; přípojka; křižovatka; spojka
June *n* červen
jungle *n* džungle
junior *adj* juniorský
junk *n* haraburdí; kýč; veteš
junk *v* vyřadit
jury *n* porota
just *adj* spravedlivý
justice *n* spravedlnost
justify *v* oprávnit; ospravedlnit; zarovnat písmo
justly *adv* spravedlivě
juvenile *n* mladík
juvenile *adj* mladistvý

J
K

kangaroo *n* klokan
karate *n* karate
keep *iv* udržovat
keep on *v* pokračovat
keep up *v* držet se; udržovat na úrovni
keg *n* sud
kennel *n* příkop; brloh

kettle *n* hrnec
key *n* klíč
key ring *n* kroužek na klíče
keyboard *n* klávesnice; klávesový nástroj
kick *v* kopnout, kopat
kickback *n* provize; úplatek
kickoff *n* výkop
kid *n* dítě
kid *v* utahovat si, žertovat
kidnap *v* unést
kidnapper *n* únosce
kidnapping *n* únos
kidney *n* ledvina
kidney bean *n* vlašská fazole
kill *v* zabít
killer *n* zabiják, vrah
killing *n* zabití
kilogram *n* kilogram
kilometer *n* kilometr
kilowatt *n* kilowatt
kind *adj* milý; laskavý; vlídný
kindle *v* zapálit; vzplanout; zanítit
kindly *adv* laskavě
kindness *n* dobrota; vlídnost; laskavost
king *n* král
kingdom *n* království
kinship *n* hodnost krále
kiosk *n* stánek
kiss *v* políbit
kiss *n* polibek

kitchen *n* kuchyně
kite *n* luňák
kitten *n* kotě
knee *n* koleno
kneecap *n* kolenní jablko
kneel *iv* klečet
knife *n* nůž
knight *n* rytíř; jezdec
knit *v* plést
knob *n* suk; knoflík; hrudka
knock *n* rána, úder
knock *v* klepat; bušit
knot *n* uzel
know *iv* vědět, poznat
know-how *n* dovednost; technologie
knowingly *adv* vědomě
knowledge *n* vědomost, znalost

L

lab *n* laboratoř
label *n* etiketa
labor *n* práce
laborer *n* pracovník
labyrinth *n* bludiště
lace *n* tkanička; lemovka; krajka
lack *v* postrádat

lack *n* nedostatek
lad *n* hoch, chlapec, mládenec
ladder *n* žebřík
laden *adj* zatížený
lady *n* paní; dáma
ladylike *adj* dobře vychovaný
lagoon *n* laguna
lake *n* jezero
lamb *n* jehně
lame *adj* chromý
lament *v* bědovat
lament *n* nářek
lamp *n* lampa
lamppost *n* stojan pouličního světla
lampshade *n* stínidlo
land *n* země, půda, pozemek
land *v* přistát
landfill *n* skládka
landing *n* přistání
landlady *n* domácí, bytná
landlocked *adj* uzavřený pevninou
landlord *n* bytný
landscape *n* krajina; krajinomalba
lane *n* jízdní pruh; ulička; alej
language *n* jazyk
languish *v* melancholicky hledět; chřadnout
lantern *n* svítilna
lap *n* etapa; klín; přesah

lapse *n* úpadek, poklesek, chyba
lapse *v* padnout, propást
larceny *n* rozkrádání
lard *n* špek; sádlo
large *adj* veliký
larynx *n* hrtan
laser *n* laser
lash *n* šlehat
lash *v* bič; šlehnutí
lash out *v* utrácet; mlátit kolem sebe
lasso *n* chytat lasem
lasso *v* laso
last *adv* naposled
last *adj* poslední; předchozí; konečný
last name *n* příjmení
last night *adv* předešlou noc
lasting *adj* trvající
lastly *adv* nakonec
latch *n* závora; petlice; západka
late *adv* pozdě
lately *adv* poslední dobou
later *adv* později
later *adj* pozdější
lateral *adj* postranní; horizontální; příčný
latest *adj* poslední
lather *n* pěna
latitude *n* zeměpisná šířka; šíře; rozsah
latter *adj* pozdější; nedávný

laugh v smát se
laugh n smích
laughable adj směšný
laughing stock n terč posměchu
laughter n smích
launch n odpálení
launch v odpálit; odstartovat;
vypustit; spustit
laundry n prádelna; prádlo
lavatory n toaleta, umývárna
lavish adj štědrý
lavish v plýtvat
law n zákon, právo
law-abiding adj zákonů dbalý
lawful adj legální
lawmaker n zákonodárce
lawn n trávník
lawsuit n soudní proces
lawyer n právník, advokát
lax adj nedbalý
laxative adj projímavý
lay iv klást; umístit
lay off v propustit dělníky;
odpočinout si
layer n vrstva
layman n neodborník
lay-out n rozmístění; plán objektu
laziness n lenost
lazy adj líný
lead iv vést, vodit
lead n olovo; vodítko
leaded adj olověný

leader n čelní představitel;
vedoucí; vůdce; velitel
leadership n vedení
leading adj vůdčí
leaf n list
leaflet n leták
league n liga; spolek
leak v prosakovat; vytékat;
vynášet informace
leak n štěrbina; únik; netěsnost
leakage n vytékání; únik; průsak
lean adj hubený
lean iv opírat
lean back v naklánět
lean on v opírat se o
leaning n sklon
leap iv přeskočit
leap n skok
leap year n přestupný rok
learn iv učit
learned adj učený
learner n student
learning n učení
lease v pronajímat
lease n nájemní smlouva
leash n vodítko na psa
least adj nejmenší
leather n kůže
leave iv nechat; odejít; opustit
leave out v vynechat
leaves n listí
lectern n pult

lecture *n* přednáška
ledger *n* účetní kniha
leech *n* pijavice
left *adv* vlevo
left *n* levice; levá strana
left *adj* levý
leftovers *n* zbytky
leg *n* noha; odvěsna
legacy *n* dědictví
legal *adj* zákonný, zákonitý
legality *n* legálnost
legalize *v* legalizovat
legend *n* legenda
legible *adj* čitelný
legion *n* legie
legislate *v* vydávat zákony
legislation *n* legislativa
legislature *n* legislatura
legitimate *adj* legitimní
leisure *n* volný čas; oddech
lemon *n* citron
lemonade *n* limonáda
lend *iv* zapůjčit
length *n* délka, trvání
lengthen *v* prodloužit
lengthy *adj* zdlouhavý
leniency *n* mírnost
lenient *adj* mírný
lens *n* čočka; objektiv
Lent *n* půst
lentil *n* čočka
leopard *n* leopard

leper *n* malomocenství, lepra
leprosy *n* malomocenství, lepra
less *adj* méně
lessee *n* nájemce
lessen *v* snížit
lesser *adj* menší
lesson *n* lekce
lessor *n* pronajímatel
let *iv* nechat; dovolit
let down *v* zklamat
let go *v* pustit
let in *v* vpustit
let out *v* vypustit
lethal *adj* smrtící
letter *n* dopis; písmeno
lettuce *n* hlávkový salát
leukemia *n* leukemie
level *v* vyrovnat; srovnat
level *n* úroveň; hladina
lever *n* páka
leverage *n* pákový převod;
  investování
levy *v* odvádět, danit
lewd *adj* oplzlý
liability *n* právní odpovědnost
liable *adj* zodpovědný, povinný
liaison *n* prostředník
liar *adj* lhář
libel *n* hanopis
liberate *v* osvobodit
liberation *n* osvobození
liberty *n* svoboda

L

librarian *n* knihovník
library *n* knihovna
lice *n* vši
license *n* povolení; oprávnění; licence
license *v* povolit, oprávnit, licencovat
lick *v* lízat
lid *n* víko, víčko
lie *iv* ležet
lie *v* lhát
lie *n* lež
lieu *n* místo čeho
lieutenant *n* poručík
life *n* život
lifeguard *n* plavčík
lifeless *adj* neživý
lifestyle *n* životní styl
lifetime *adj* doživotní
lift *v* zvedat
lift off *v* zvednout; odstartovat
lift-off *n* start; odpálení
ligament *n* vaz
light *iv* zapálit
light *adj* světlý; světelný; lehký
light *n* světlo
lighter *n* zapalovač
lighthouse *n* maják
lighting *n* nasvícení
lightly *adv* lehce
lightning *n* blesk
lightweight *n* lehký

likable *adj* sympatický
like *pre* jako
like *v* mít rád
like *adj* podobný; stejný; shodný
likelihood *n* pravděpodobnost
likely *adv* pravděpodobně
likeness *n* podobnost
likewise *adv* nápodobně
liking *n* záliba
limb *n* končetina
lime *n* limeta
limestone *n* vápenec
limit *n* omezení; limit; hranice
limit *v* omezit
limitation *n* omezení
limp *v* kulhat
limp *n* kulhavost; povadlost
linchpin *n* základní pilíř
line *n* čára; dráha; trasa; řada; řádek; fronta
line up *v* seřadit
linen *n* lněná tkanina
linger *v* prodlévat; otálet
lingerie *n* dámské prádlo
lingering *adj* vleklý
lining *n* obložení
link *v* propojit
link *n* propojení
lion *n* lev
lioness *n* lvice
lip *n* ret; pysk
liqueur *n* likér**

liquid *n* kapalina
liquidate *v* likvidovat
liquidation *n* zrušení; likvidace
liquor *n* destilát
list *v* sepsat; uvést
list *n* seznam, soupis
listen *v* poslouchat
listener *n* posluchač
litany *n* litanie
liter *n* litr
literal *adj* doslovný
literally *adv* doslovně
literate *adj* gramotný; vzdělaný; sečtělý
literature *n* literatura
litigate *v* vést spor
litigation *n* spor
litter *n* smetí; špína
little *adj* malý
little bit *n* trochu
little by little *adv* krůček po krůčku
liturgy *n* liturgie
live *adj* živý
live *v* žít
live off *v* vyžít; žít z
live up *v* žít v souladu s
livelihood *n* živobytí
lively *adj* živý
liver *n* játra
livestock *n* dobytek
livid *adj* popelavý; rozzuřený

living room *n* obývací pokoj
lizard *n* ještěr
load *v* naložit; nahrát; načíst
load *n* náklad
loaded *adj* naložený
loaf *n* pecen, bochník; hromádka
loaf *v* promarnit
loan *v* půjčit
loan *n* půjčka
loathe *v* nenávidět, hnusit si
loathing *n* averze; nenávist
lobby *n* vestibul; lobby
lobby *v* lobovat
lobster *n* humr
local *adj* místní
localize *v* lokalizovat; zaměřit
locate *v* umístit
located *adj* umístěný
location *n* místo, umístění
lock *v* zamykat
lock *n* zámek
lock up *v* zavřít, uvěznit
locker room *n* šatna, převlékárna
locksmith *n* zámečník
locust *n* kobylka
lodge *v* usazovat; ubytovat
lodging *n* ubytování
lofty *adj* pyšný; povýšený; nadutý
log *n* deník; žurnál; soupis; poleno
log *v* zaznamenávat
log in *v* přihlásit se
log off *v* odhlásit se

logic *n* logika
logical *adj* logický
loin *n* slabina; bedra; maso z ledviny
loiter *v* loudat se
loneliness *n* osamělost
lonely *adv* osamělý
loner *adj* samotář
lonesome *adj* osamělý
long *adj* dlouhý
long for *v* toužit po
longing *n* touha
longitude *n* zeměpisná délka
long-standing *adj* dlouhotrvající
long-term *adj* dlouhodobý
look *n* pohled; vzhled
look *v* dívat, hledět
look after *v* pečovat o
look at *v* dívat se na
look down *v* hledět spatra; dívat se skrz prsty
look for *v* hledat
look forward *v* těšit se na
look into *v* podívat se na
look out *v* vyhlížet
look over *v* přehlížet
look through *v* prohlédnout; nevšimnout si
looking glass *n* zrcadlo
looks *n* vzhled
loom *n* tkalcovský stav
loom *v* tkát na stavu

loophole *n* zadní vrátka
loose *v* rozvázat, uvolnit
loose *adj* volný
loosen *v* povolit, uvolnit
loot *v* loupit, rabovat
loot *n* lup, kořist
lord *n* pán
lordship *n* lordstvo
lose *iv* prohrát
loser *n* poražený; ztroskotanec
loss *n* prohra; ztráta
lot *adv* hodně
lotion *n* vodička; roztok; pleťová voda
lots *adj* mnoho
lottery *n* loterie
loud *adj* hlasitý
loudly *adv* hlasitě
loudspeaker *n* reproduktor
lounge *n* obývací pokoj; hala
lounge *v* lenošit
louse *n* veš
lousy *adj* bídný; mizerný
lovable *adj* roztomilý
love *v* mít rád; milovat
love *n* láska
lovely *adj* půvabný, roztomilý
lover *n* milovník; milenka; milenec
loving *adj* milující
low *adj* nízký
lower *adj* nižší**

low-key *adj* tichý, mírný
lowly *adj* pokorný; řadový
loyal *adj* oddaný, věrný, loajální
loyalty *n* oddanost
lubricate *v* promazat
lubrication *n* mazání
lucid *adj* jasný
luck *n* štěstí
lucky *adj* šťastný
lucrative *adj* výnosný
ludicrous *adj* směšný, absurdní
luggage *n* zavazadla
lukewarm *adj* netečný
lull *n* přestávka na odpočinek
lumber *n* řezivo
luminous *adj* svítivý; zářící
lump *n* žmolek; hrouda; hromada
lump sum *n* úhrnná jednorázová
  částka
lump together *v* řadit spolu
lunacy *n* šílenství
lunatic *adj* šílený
lunch *n* oběd
lung *n* plíce
lure *v* lákat
lurid *adj* křiklavý
lurk *v* číhat
lush *adj* svěží
lust *v* toužit; bažit
lust *n* touha; chtíč; smyslná žádost
lustful *adj* žádostivý
luxurious *adj* přepychový, luxusní

luxury *n* přepych
lynch *v* lynčovat
lynx *n* rys
lyrics *n* lyrika; slova písně

machine *n* stroj
machine gun *n* kulomet
mad *adj* šílený; bláznivý; potrhlý
madam *n* madam, dáma
madden *v* rozzuřit
madly *adv* šíleně
madman *n* šílenec
madness *n* šílenství
magazine *n* časopis; zásobník
magic *n* kouzlo
magical *adj* kouzelný
magician *n* kouzelník
magistrate *n* soudce
magnet *n* magnet
magnetic *adj* magnetický;
  přitažlivý
magnetism *n* magnetismus;
  přitažlivost
magnificent *adj* nádherný;
  grandiózní
magnify *v* zvětšit

magnitude *n* magnituda; důležitost
mahogany *n* mahagon
maid *n* dívka; panna; služka
maiden *n* netknutý; panenský
mail *v* poslat poštou
mail *n* pošta
mailbox *n* poštovní schránka
mailman *n* pošťák
maim *v* zmrzačit
main *adj* hlavní
mainland *n* pevnina
mainly *adv* hlavně
maintain *v* udržovat
maintenance *n* údržba
majestic *adj* velkolepý
majesty *n* vznešenost; veličenstvo; excelence
major *n* většina; major
major *adj* hlavní; přední; důležitý; majoritní
major in *v* hlavní zkouška z
majority *n* většina
make *n* provedení; výsledek práce
make *iv* udělat; učinit; vyrobit
make up *v* vymýšlet si
make up for *v* nahradit
maker *n* zhotovitel
makeup *n* líčidla; líčení
malaria *n* malárie
male *n* muž; samec
malevolent *adj* zlomyslný

M

malfunction *v* pokazit
malfunction *n* porucha, závada
malice *n* zlomyslnost; špatný úmysl
malign *v* zákeřný; zhoubný
malignancy *n* zhoubnost
malignant *adj* zhoubný
mall *n* nákupní centrum
malnutrition *n* podvýživa
malpractice *v* zanedbání
mammal *n* savec
mammoth *n* mamut
man *n* člověk; muž; pán
manage *v* řídit; vést; spravovat; zvládnout; postarat se
manageable *adj* ovladatelný
management *n* vedení, správa
manager *n* manažer; vedoucí
mandate *n* mandát; zmocnění; nařízení
mandatory *adj* povinný; nařízený
maneuver *n* manévr
manger *n* žlab
mangle *v* drtit
manhandle *v* týrat; špatně zacházet
manhunt *n* stíhání
maniac *adj* šílenec, maniak
manifest *v* dát najevo; projevit
manipulate *v* zacházet
mankind *n* lidstvo
manliness *n* mužnost
manly *adj* mužný

manner *n* chování; zvyk
mannerism *n* manýra
manners *n* mravy
manpower *n* pracovní síla
mansion *n* panské sídlo
manslaughter *n* zabití
manual *n* návod, manuál, příručka
manual *adj* manuální, ruční
manufacture *v* zhotovit, vyrobit
manure *n* hnůj
manuscript *n* rukopis
many *adj* mnozí
map *n* mapa
map *v* mapovat
marble *n* mramor
march *v* pochodovat; demonstrovat
march *n* pochod
March *n* březen
mare *n* klisna
margin *n* marže; rozpětí; kraj; okraj
marginal *adj* mezní; hraniční; okrajový
marinate *v* marinovat
marine *adj* námořní
marital *adj* manželský
mark *n* značení
mark *v* značit
mark down *v* sleva
marker *n* indikátor; značkovač
market *n* trh
market *v* prodávat; umístit na trh

marksman *n* střelec
marmalade *n* marmeláda
marriage *n* manželství
married *adj* ženatý; vdaná
marrow *n* dýně; morek
marry *v* oddat se
Mars *n* Mars
marshal *n* maršál; policejní ředitel
martyr *n* mučedník
martyrdom *n* mučednictví
marvel *n* zázrak
marvelous *adj* zázračný
Marxist *adj* marxista
masculine *adj* mužný; mužský
mash *v* rozmačkat
mask *n* maska
mask *v* maskovat
masochism *n* masochismus
mason *n* zedník; svobodný zednář
masquerade *v* přestrojit se
mass *n* hmota; spousta; masa
massacre *n* masakr
massage *n* masáž
massage *v* masírovat
masseuse *n* masérka
massive *adj* masivní
mast *n* stěžeň
master *n* mistr, pán
master *v* převládát; excelovat; promovat
mastermind *n* organizátor

M

mastermind *v* osnování
masterpiece *n* mistrovské dílo
mastery *n* zběhlost
mat *n* podložka; rohož; žíněnka
match *n* zápas; utkání; souhra;
ladení; sirka
match *v* odpovídat si; pasovat;
srovnat; hodit se; vyhovět
mate *n* partner; kamarád; druh;
družka
material *n* látka; materiál; hmota
materialism *n* materialismus
maternal *adj* mateřský
maternity *n* mateřství
math *n* matematika
matriculate *v* zápsat;
imatrikulovat
matrimony *n* manželství
matter *n* záležitost; hmota; hnis
matter *v* vadit; záležet; být
důležité
mattress *n* matrace
mature *adj* vyzrálý
maturity *n* vyspělost; zralost;
maturita
maul *v* zmlátit; potrhat;
zkritizovat
maxim *n* rčení
maximum *adj* maximum
May *n* květen
may *iv* moct, smět
may-be *adv* možná, snad
mayhem *n* zmatek, chaos

mayor *n* starosta
maze *n* bludiště
meadow *n* louka
meager *adj* hubený
meal *n* jídlo
mean *n* střed; průměr
mean *iv* znamenat
mean *adj* zlý, zákeřný, protivný
meaning *n* význam
meaningful *adj* smysluplný
meaningless *adj* bezvýznamný
meanness *n* zlovolnost
means *n* možnosti; způsoby;
prostředky
meantime *adv* mezitím
meanwhile *adv* mezitím, zatím co
measles *n* spalničky
measure *v* měřit
measurement *n* míra; měření
meat *n* maso
meatball *n* masová koule
mechanic *n* mechanik
mechanism *n* mechanismus
mechanize *v* mechanizovat
medal *n* medaile
medallion *n* medailon
meddle *v* vměšovat se
mediate *v* zprostředkovávat;
vyjednávat; usilovat o vyřešení sporu
mediator *n* zprostředkovatel;
vyjednavač
medication *n* léčba; lék

M

medicinal *adj* léčivý
medicine *n* léčivo; medicína
medieval *adj* středověký
mediocre *adj* průměrný
mediocrity *n* průměrnost
meditate *v* rozjímat
meditation *n* rozjímání
medium *adj* střední
meek *adj* trpělivý
meekness *n* trpělivost
meet *iv* setkat
meeting *n* setkání; shromáždění
melancholy *n* smutek; melancholie
mellow *adj* měkký; jemný
mellow *v* zjemnit
melodic *adj* melodický
melody *n* melodie
melon *n* meloun
melt *v* tavit
member *n* člen; končetina; úd
membership *n* členstvo
membrane *n* membrána
memento *n* memento
memo *n* poznámka; zpráva
memoirs *n* paměti
memorable *adj* památný
memorize *v* naučit se zpaměti
memory *n* paměť; památka
men *n* muži
menace *n* hrozba
mend *v* opravit

meningitis *n* meningitida
menopause *n* menopauza
menstruation *n* menstruace
mental *adj* duševní
mentality *n* mentalita
mentally *adv* psychicky
mention *v* zmínit
mention *n* zmínka
menu *n* menu, nabídka
merchandise *n* zboží
merchant *n* kupec
merciful *adj* milosrdný
merciless *adj* nemilosrdný
mercury *n* rtuť
mercy *n* smilování
merely *adv* pouze; jenom
merge *v* spojit
merger *n* spojení
merit *n* cena; zásluha
merit *v* zasloužit
mermaid *n* mořská panna
merry *adj* veselý
mesh *n* síť
mesmerize *v* okouzlit
mess *n* binec; potíž
mess around *v* zahrávat se; flákat se
mess up *v* zašpinit; pokazit
message *n* zpráva; vzkaz; poselství
messenger *n* poslíček
Messiah *n* spasitel

M

messy *adj* špinavý; zaneřáděný
metal *n* kov
metallic *adj* kovový
metaphor *n* metafora
meteor *n* meteor
meter *n* metr
method *n* způsob; postup
methodical *adj* metodický
meticulous *adj* puntičkářský
metric *adj* metrický
metropolis *n* metropole
Mexican *adj* mexický
mice *n* myši
microbe *n* mikrob
microphone *n* mikrofon
microscope *n* mikroskop
microwave *n* mikrovlna
midair *n* nadzemní
midday *n* poledne
middle *n* střed
middleman *n* prostředník
midget *n* skrček
midnight *n* půlnoc
midsummer *n* období letního slunovratu
midwife *n* porodní bába
might *n* síla
mighty *adj* mocný; silně
migraine *n* migréna
migrant *n* přistěhovalec
migrate *v* stěhovat se; migrovat
mild *adj* mírný; slabý

mildew *n* plíseň; padlí
mile *n* míle
mileage *n* vzdálenost
milestone *n* milník
militant *adj* militantní
milk *n* mléko
milky *adj* mléčný
mill *n* továrna; mlýn
millennium *n* tisíciletí
milligram *n* miligram
millimeter *n* milimetr
million *n* milión
millionaire *adj* milionář
mime *n* mim
mince *v* nakrájet
mincemeat *n* sekané maso
mind *v* pečovat; vadit
mind *n* mysl; mínění
mind-boggling *adj* úžasný
mindful *adj* dbalý
mindless *adj* dbalost
mine *n* mina
mine *v* těžit
mine *pro* můj
minefield *n* minové pole
miner *n* horník
mineral *n* minerál
mingle *v* míchat
miniature *n* miniatura
minimize *v* minimalizovat
minimum *n* minimum, nejmenší množství

miniskirt *n* minisukně
minister *n* ministr; pastor; vyslanec
minister *v* sloužit
ministry *n* ministerstvo
minor *adj* nezletilý; minoritní; menší
minor *n* nezletilá osoba
minority *n* menšina
mint *n* mincovna
mint *v* razit
minus *adj* minusový
minute *n* minuta
miracle *n* zázrak
miraculous *adj* zázračný
mirage *n* přízrak
mirror *n* zrcadlo
misbehave *v* špatně se chovat
miscalculate *v* přepočítat se
miscarriage *n* potrat
miscarry *v* potratit
mischief *n* darebáctví; nezbednost
mischievous *adj* škodlivý; zlomyslný;
misconduct *n* prohřešek
misconstrue *v* nepochopit
misdemeanor *n* přečin
miser *n* lakomec
miserable *adj* bídný; ubohý; nešťastný
misery *n* mizérie; trápení; neštěstí
misfit *adj* nehodící
misfortune *n* smůla, neštěstí

misgiving *n* obava
misguided *adj* zavádějící
misinterpret *v* nesprávně vykládat
misjudge *v* nesprávně posuzovat
mislead *v* zavádět
misleading *adj* zavádějící
mismanage *v* špatně spravovat
misplace *v* špatně umístit
misprint *n* chybný výtisk
miss *v* netrefit; minout se; promeškat
missile *n* raketa, střela
missing *adj* chybějící
mission *n* mise; úkol; poslání
missionary *n* misionář
mist *n* mlha
mistake *iv* chybit
mistake *n* chyba, omyl
mistaken *adj* chybný
mister *n* pan
mistreat *v* špatně zacházet
mistreatment *n* špatné zacházení
mistress *n* paní; milenka; vládkyně
mistrust *n* nedůvěra
mistrust *v* nedůvěřovat
misty *adj* nejasný
misunderstand *v* neporozumět
misuse *n* nesprávné užití
mitigate *v* zmírnit

M

mix *v* míchat, zamíchat
mixed-up *adj* smíšený; popletený
mixer *n* mixér
mixture *n* směs
mix-up *n* zmatek; smíšenina
moan *v* vzdychat; sténat
moan *n* sténání
mob *v* obklopit
mob *n* dav; gang; mafie
mobile *adj* pohyblivý, mobilní
mobilize *v* mobilizovat
mobster *n* gangster
mock *v* vysmívat se; ironizovat
mockery *n* posměch
mode *n* mód
model *n* vzor; model
model *iv* modelovat; pózovat
moderate *adj* umírněný
moderation *n* mírnost
modern *adj* moderní
modernize *v* modernizovat
modest *adj* skromný
modesty *n* skromnost;
nenáročnost; cudnost
modify *v* změnit; upravit
module *n* modul
moisten *v* navlhčit
moisture *n* vlhkost
molar *n* molální
mold *v* formovat; plesnivět
mold *n* forma; plíseň
moldy *adj* plesnivý

mole *n* molo; krtek; štěnice;
mateřské znaménko
molecule *n* molekula
molest *v* sexuálně obtěžovat
mom *n* maminka
moment *n* okamžik
momentarily *adv* momentálně;
chvilkově
momentous *adj* důležitý
monarch *n* panovník
monarchy *n* monarchie
monastery *n* klášter
monastic *adj* klášterní
Monday *n* pondělí
money *n* peníze
money order *n* platební příkaz
monitor *v* sledovat
monk *n* mnich
monkey *n* opice
monogamy *n* monogamie
monologue *n* monolog
monopolize *v* monopolizovat
monopoly *n* monopol
monotonous *adj* jednotvárný
monotony *n* jednotvárnost
monster *n* netvor; zrůda; příšera
monstrous *adj* obludný
month *n* měsíc
monthly *adv* měsíčně
monument *n* památník; pomník
monumental *adj* ohromný
mood *n* nálada

M

muffle

moody *adj* náladový
moon *n* měsíc
moor *v* zakotvit
mop *v* uklízet mopem
moral *adj* mravní, etický
moral *n* mravnost, etika
morality *n* mravnost, etika
more *adj* víc
moreover *adv* kromě toho; navíc
morning *n* jitro
moron *n* trouba, pitomec
morphine *n* morfin
morsel *n* sousto
mortal *adj* smrtelný
mortality *n* úmrtnost
mortar *n* malta; minomet
mortgage *n* hypotéka, zástava
mortification *n* ponížení
mortify *v* umrtvit
mortuary *n* márnice
mosaic *n* mozaika
mosque *n* mešita
mosquito *n* komár
moss *n* mech
most *adj* nejvíce; maximálně;
  většina; nanejvýš
mostly *adv* většinou; nejvíce
motel *n* motel
moth *n* mol; můra
mother *n* matka
motherhood *n* mateřství
mother-in-law *n* tchýně

motion *n* pohyb; chod
motion *v* pohybovat; hnout
motionless *adj* nehybný
motivate *v* motivovat
motive *n* námět; pohnutka
motor *n* motor
motorcycle *n* motocykl
motto *n* moto; devíza
mount *n* držák
mount *v* vztyčit; montovat
mountain *n* hora
mountainous *adj* hornatý
mourn *v* truchlit
mourning *n* smutek
mouse *n* myš; počítačová myš
mouth *n* ústa
move *n* hnutí; pohyb; tah
move *v* pohybovat; hýbat;
  stěhovat
move back *v* ustoupit dozadu
move forward *v* pohyb vpřed
move out *v* vystěhovat se; vyrazit
move up *v* postoupit; jít nahoru
movement *n* pohyb; hnutí
movie *n* film
mow *v* kosit
much *adv* moc; velmi; mnoho
mucus *n* hlen
mud *n* bláto
muddle *n* nepořádek, zmatek
muddy *adj* bahnitý
muffle *v* tlumit

M

muffler *n* tlumič
mug *n* hrnek; džbán
mug *v* přepadnout; oloupit
mugging *n* loupežné přepadení
mule *n* mul; mezek; mula
multiple *adj* násobný,
  mnohonásobný
multiplication *n* násobení
multiply *v* násobit
multitude *n* velké množství
mumble *v* mumlat
mummy *n* mumie
mumps *n* příušnice
munch *v* žvýkat
munitions *n* munice
murder *n* vražda
murderer *n* vrah
murky *adj* ponurý
murmur *v* mumlat
murmur *n* šepot, šum
muscle *n* sval
museum *n* muzeum
mushroom *n* houba
music *n* hudba
musician *n* hudebník
Muslim *adj* muslimský
must *iv* muset
mustache *n* knír
mustard *n* hořčice
muster *v* shromáždit
mutate *v* mutovat
mute *adj* němý; neozvučený

mutilate *v* zmrzačit
mutiny *n* vzpoura
mutually *adv* vzájemný
muzzle *v* čenichat
muzzle *n* čenich; náhubek
my *adj* mí; má; moji; můj; mou;
  moje; mé
myopic *adj* krátkozraký
myself *pro* mně; mě; já sám
mysterious *adj* záhadný
mystery *n* záhada
mystic *adj* mystický
mystify *v* zmást
myth *n* báj; mýtus; nepravda

N

nag *v* vyčítat; otravovat;
  obtěžovat
nagging *adj* obtěžující; otravní
nail *n* nehet; hřebík
nail *v* přibít; zatlouct
naive *adj* naivní; prostoduchý
naked *adj* nahý; nechráněný;
  nekrytý
name *n* jméno
name *v* nazvat
namely *adv* jmenovitý

nanny *n* chůva
nap *n* zdřímnutí
nap *v* zdřímnout
napkin *n* servítek
narcotic *n* omamný
narrate *v* vyprávět; namluvit
narrow *adj* úzký
narrowly *adv* úzce
nasty *adj* nechutný; obscénní
nation *n* národ
national *adj* národní; celostátní
nationality *n* státní příslušnost; národnost
nationalize *v* znárodnit
native *adj* domorodý; přirozený
natural *adj* přirozený; přírodní
naturally *adv* přirozeně
nature *n* příroda; povaha; charakter
naughty *adj* darebný; nevychovaný; hanbatý
nausea *n* nevolnost
nave *n* hlavní loď
navel *n* pupík
navigate *v* navigovat
navigation *n* navádění
navy *n* námořnictvo; válečné loďstvo
navy blue *adj* tmavomodrý
near *pre* blízko, nedaleko
nearby *adj* blízký
nearly *adv* téměř

nearsighted *adj* krátkozraký
neat *adj* hezký; elegantní
neatly *adv* hezky
necessary *adj* potřebný
necessitate *v* vynutit si
necessity *n* nezbytnost
neck *n* krk
necklace *n* náhrdelník
necktie *n* kravata
need *v* potřebovat
need *n* potřeba
needle *n* jehla
needless *adj* jehlový
needy *adj* potřebný
negative *adj* záporný, negativní
negative *n* zápor
neglect *v* zanedbávat
neglect *n* zanedbání
negligence *n* nedbalost
negligent *adj* nedbalý
negotiate *v* vyjednávat
negotiation *n* jednání
neighbor *n* soused
neighborhood *n* sousedství
neither *adj* žádný
neither *adv* ani, ani ten ani onen
nephew *n* synovec
nerve *n* nerv; drzost
nervous *adj* nervózní; nervní
nest *n* hnízdo
net *n* síť
Netherlands *n* Nizozemsko

N

network *n* síť
neurotic *adj* neurotický
neutral *adj* neutrální
neutralize *v* neutralizovat; zneškodnit
never *adv* nikdy
nevertheless *adv* přesto; avšak; nicméně; přece jenom
new *adj* nový
newborn *n* novorozenec
newcomer *n* nováček
newly *adv* nově
newlywed *adj* novomanželský
news *n* zprávy; novinky
newscast *n* zpravodajství
newsletter *n* zpravodaj
newspaper *n* noviny
newsstand *n* novinový stánek
next *adj* následující; další; příští
next door *adj* vedlejší
nibble *v* okusovat
nice *adj* hodný; milý; pěkný
nicely *adv* pěkně
nickel *n* niklák, šesták
nickname *n* přezdívka
nicotine *n* nikotin
niece *n* neteř
night *n* noc
nightfall *n* soumrak
nightgown *n* noční oblek
nightingale *n* slavík
nightmare *n* noční můra; děs

nine *adj* devět
nineteen *adj* devatenáct
ninety *adj* devadesát
ninth *adj* devátý
nip *n* štípanec; čudlík
nip *v* uštípnout
nipple *n* prsní bradavka; dudlík
nitpicking *adj* hnidopišství
nitrogen *n* dusík
no one *pro* nikdo
nobility *n* urozenost; vznešenost; šlechta; aristokracie
noble *adj* ušlechtilý; urozený; vznešený
nobleman *n* vznešený muž; šlechtic
nobody *pro* nikdo
nocturnal *adj* noční
nod *v* přikývnout
noise *n* hluk, lomoz
noisily *adv* hlasitě
noisy *adj* hlučný
nominate *v* nominovat; ustanovit
none *pre* nikdo; žádný
nonetheless *c* nicméně
nonsense *n* nesmysl
nonsmoker *n* nekuřák
nonstop *adv* nepřetržitý
noon *n* poledne
noose *n* smyčka; oprátka
nor *c* ani
norm *n* norma
normal *adj* normální

N

normalize _v_ normalizovat
normally _adv_ normálně, běžně
north _n_ sever
northeast _n_ severovýchodní
northern _adj_ severní
northerner _n_ Seveřan
Norway _n_ Norsko
Norwegian _adj_ norský
nose _n_ nos
nosedive _adv_ letět střemhlav
nostalgia _n_ nostalgie; stesk
nostril _n_ nozdra
nosy _adj_ zvědavý; nosatý
not _adv_ ne, nikoli
notable _adj_ pozoruhodný
notably _adv_ pozoruhodně
notary _n_ notář
notation _n_ záznam; zápis; poznámky
note _v_ poznamenat
note _n_ poznámka; směnka; nota; bankovka
notebook _n_ zápisník; přenosný počítač
noteworthy _adj_ pozoruhodný
nothing _n_ nic
notice _v_ povšimnout si; vypovědět; oznámit
notice _n_ oznámení; výpovědná lhůta; upomínka
noticeable _adj_ patrný
notification _n_ oznámení, upozornění

notify _v_ oznámit
notion _n_ dojem; potucha
notorious _adj_ proslulý
noun _n_ podstatné jméno
nourish _v_ živit, dodávat živiny
nourishment _n_ výživa, potrava
novel _n_ román
novelist _n_ romanopisec
novelty _n_ novinka, vylepšení
November _n_ listopad
novice _n_ nováček
now _adv_ teď, hned, nyní
nowadays _adv_ teď, nyní
nowhere _adv_ nikde, nikam
noxious _adj_ škodlivý
nozzle _n_ hubička; tryska
nuance _n_ odlišnost
nuclear _adj_ atomový; nukleární; jaderný
nude _adj_ nahý, obnažený
nudism _n_ nudismus
nudist _n_ nudista
nudity _n_ nahota
nuisance _n_ nepřístojnost; obtíž
null _adj_ neplatný; nulový
nullify _v_ anulovat
numb _adj_ strnulý; necitlivý; ztuhlý; otupělý
number _n_ číslo; počet
numbness _n_ otupění; necitlivost; umrtvení
numerous _adj_ četný; nesčetný

N

nun *n* jeptiška; řeholnice
nurse *n* ošetřovatelka; zdravotní sestra; chůva
nurse *v* ošetřovat, opatrovat
nursery *n* jesle
nurture *v* živit; vychovat; starat se
nut *n* ořech; matice
nutrition *n* výživa
nutritious *adj* výživný
nut-shell *adv* vysvětleno jednoduše
nutty *adj* oříškový; praštěný

oak *n* dub
oar *n* veslo
oasis *n* oáza
oath *n* přísaha; nadávka; kletba; klení
oatmeal *n* ovesné vločky
obedience *n* poslušnost
obedient *adj* poslušný
obese *adj* obézní
obey *v* poslouchat; podrobit se
object *v* namítat; nesouhlasit
object *n* věc; předmět; objekt

objection *n* námitka
objective *n* úkol
obligate *v* uložit za povinnost
obligation *n* závazek
obligatory *adj* závazně
oblige *v* zavázat se
obliged *adj* zavázaný
oblique *adj* nakloněný; postranní; záludný
obliterate *v* znečitelnit
oblivion *n* zapomnění
oblivious *adj* zapomínající
oblong *adj* obdélníkový
obnoxious *adj* odporný
obscene *adj* oplzlý
obscenity *n* oplzlost
obscure *adj* nezřetelný
obscurity *n* nejasnost
observation *n* postřeh, vypozorování
observatory *n* hvězdárna
observe *v* pozorovat; všímat si
obsess *v* posednout
obsession *n* posedlost
obsolete *adj* nemoderní; překonaný
obstacle *n* překážka
obstinacy *n* umíněnost
obstinate *adj* umíněný
obstruct *v* zatarasit; blokovat
obstruction *n* překážka
obtain *v* obdržet, získat

obvious *adj* zřejmý
obviously *adv* zjevně
occasion *n* příležitost
occasionally *adv* příležitostně
occult *adj* okultní
occupant *n* nájemník; okupant
occupation *n* zaměstnaní; okupace
occupy *v* obsazovat; zaujímat; okupovat
occur *v* nastat; naskytnout se
occurrence *n* výskyt
ocean *n* oceán
October *n* říjen
octopus *n* chobotnice
odd *adj* lichý; neobvyklý; podivný
oddity *n* podivnost
odds *n* šance
odious *adj* protivný
odometer *n* počítadlo kilometrů
odor *n* zápach
odyssey *n* Odysea
of *pre* od; na; ze; z
off *adv* ze; z; se; s; od; pryč
offend *v* urážet, urazit
offense *n* přestupek; trestný čin; útok
offensive *adj* útočný; urážlivý
offer *v* poskytovat; nabízet
offer *n* nabídka
offering *n* nabídka; oltářní oběť
office *n* úřad; kancelář; ordinace

officer *n* policista; důstojník; referent
official *adj* oficiální, úřední
officiate *v* celebrovat
offset *v* kompenzovat; nahradit; vyrovnat
offspring *n* potomstvo
off-the-record *adj* neoficiálně; stranou
often *adv* často
oil *n* ropa; olej; nafta
ointment *n* mast
okay *adv* v pořádku
old *adj* starý
old age *n* stáří
old-fashioned *adj* staromódní
olive *n* olivy
Olympics *n* olympiáda
omelet *n* omeleta
omen *n* osudové znamení
ominous *adj* zlověstný
omission *n* opominutí
omit *v* vynechat, opominout
on *pre* ve: v; u; při; na
once *adv* jedenkrát; kdysi
once *c* jakmile
one *adj* jeden
oneself *pre* sobě; sebou; si; sám; sama
ongoing *adj* probíhající, pokračující
onion *n* cibule

onlooker _n_ divák

only _adv_ jen; pouze; jenomže; teprve

onset _n_ nástup; začátek

onslaught _n_ nápor; útok

onwards _adv_ směrem; kupředu; vpřed; dál

opaque _adj_ neprůhledný

open _v_ otevřít; zahájit

open _adj_ otevřený

open up _v_ otevřít

opening _n_ otvor

open-minded _adj_ nepředpojatý

openness _n_ otevřenost

opera _n_ opera

operate _v_ provozovat; pracovat; operovat; obsluhovat; běžet

operation _n_ operace; provozování; řízení; obsluha; operace; činnost; funkce;

opinion _n_ názor

opinionated _adj_ tvrdohlavý

opium _n_ opium

opponent _n_ soupeř; protivník; oponent

opportune _adj_ příhodně

opportunity _n_ příležitost

oppose _v_ čelit; být proti

opposite _adj_ opačný

opposite _adv_ naproti

opposite _n_ opak

opposition _n_ opozice

oppress _v_ utiskovat

oppression _n_ utiskování

opt for _v_ volit pro, vybrat si

optical _adj_ optický

optician _n_ optik

optimism _n_ optimismus

optimistic _adj_ optimisticky

option _n_ možnost

optional _adj_ volitelný

opulence _n_ nadbytek; hojnost

or _c_ nebo; či; neboli

oracle _n_ věštírna; věštec

orally _adv_ ústně

orange _n_ pomeranč

orangutan _n_ orangutan

orbit _n_ oběžná dráha

orchard _n_ sad

orchestra _n_ orchestr

ordain _v_ určit; ustanovit; vysvětit

ordeal _n_ těžká zkouška; soužení; muka

order _n_ rozkaz; pořadí; objednávka

order _v_ rozkázat; objednat; nařídit; uspořádat

ordinarily _adv_ zpravidla, obvykle

ordinary _adj_ obyčejný, běžný

ordination _n_ vysvěcení

ore _n_ ruda

organ _n_ orgán; varhany

organism _n_ organismus

organist _n_ varhaník**

organization *n* organizace
organize *v* organizovat
orient *n* Orient
oriental *adj* orientální
orientation *n* orientace
oriented *adj* směřující;
  orientovaný
origin *n* původ
original *adj* původní
originally *adv* původně
originate *v* vzniknout; vytvořit
ornament *n* ornament
ornamental *adj* ornamentální
orphan *n* sirotek
orphanage *n* sirotčinec
orthodox *adj* ortodoxní
ostentatious *adj* okázalý
ostrich *n* pštros
other *adj* jiní; další
otherwise *adv* jinak
otter *n* vydra
ought to *iv* měl bych; bys měl; by
  měl
ounce *n* unce
our *adj* naše; naši; náš
ours *pro* náš
ourselves *pro* my sami; sebe
oust *v* vyhnat; zbavit se; vypudit
out *adv* ven; vně; mimo; venku;
  pryč
outbreak *n* propuknutí,
  vypuknutí

outburst *n* výbuch; vypuknutí;
  vzplanutí
outcast *adj* vyděděný; vyštvaný;
  vyloučený
outcome *n* výsledek, závěr
outcry *n* výkřik; protest;
  pobouření
outdated *adj* zastaralý
outdo *v* překonávat
outdoor *adv* venkovní
outdoors *adv* venku
outer *adj* vnější; externí
outfit *n* oděv; vybavení
outgoing *adj* vycházející
outgrow *v* vyrůst; prorůst
outing *n* vycházka
outlast *v* přečkat
outlaw *v* štvanec; psanec;
  zločinec
outlet *n* výpust; prodejna; výtok;
  otvor
outline *n* obrys; nástin; kontura;
  hranice
outline *v* naznačit; nastínit;
  vysvětlit; načrtnout
outlive *v* přežívat
outlook *n* výhled, vyhlídka
outmoded *adj* zastaralý
outnumber *v* přečíslit
outpatient *n* ambulantní pacient
outperform *v* překonat
outpouring *n* citové výlevy**

O

output *n* výkon; výstup; výroba; výsledek

outrage *n* pobouření

outrageous *adj* urážlivý; přehnaný; nemravný

outright *adj* přímý

outrun *v* předběhnout; předstihnout

outset *n* začátek

outshine *v* zastínit; přezářit; oslňovat

outside *adv* vnější; venkovní; externí

outsider *n* outsider; nečlen; nezasvěcenec

outskirts *n* předměstí; okolí

outspoken *adj* upřímný; otevřený

outstanding *adj* vynikající

outstretched *adj* natažený

outward *adj* viditelný; zřejmý; povrchní; vnější

outweigh *v* vyvážit; převážit

oval *adj* oválný

ovary *n* vaječník

ovation *n* ovace

oven *n* pec, trouba

over *pre* přes; příliš; po; nad

overall *adv* celkově; nadevšechno

overbearing *adj* panovačný; arogantní

overboard *adv* přes palubu

overcast *adj* zataženo

overcharge *v* předražit; příliš nabít

overcoat *n* zimník

overcome *v* zdolat

overcrowded *adj* přeplněný

overdo *v* přehnat

overdone *adj* přehnaný

overdose *n* předávkování

overdue *adj* opožděný; nezaplacený

overestimate *v* nadhodnotit

overflow *v* přetékat

overhaul *v* přepracovat

overlap *v* překrývat

overlook *v* přehlédnout

overnight *adv* přes noc

overpower *v* přemoci

overrate *v* přecenit

override *v* potlačit; překrýt

overrule *v* zamítnout

overrun *v* zabrat; obsadit; zaplavit

overseas *adv* zaoceánský

oversee *v* dohlížet

overshadow *v* zastínit

oversight *n* přehlédnutí

overstate *v* přehánět

overstep *v* překročit

overtake *v* překvapit; zastihnout; předjet

overthrow *v* svrhnout

overthrow *n* svržení

overtime *adv* přesčas
overturn *v* převrátit; zvrátit
overview *n* přehled
overweight *adj* otylý, obézní
overwhelm *v* zdrtit, přemoci
owe *v* dlužit; být povinován
owing to *adv* dlužný
owl *n* sova
own *v* vlastnit
own *adj* vlastní
owner *n* vlastníci, majitelé
ownership *n* vlastnictví
ox *n* vůl; tur
oxen *n* voli
oxygen *n* kyslík
oyster *n* ústřice

P

pace *v* krokovat
pace *n* krok; chůze; tempo
pacify *v* utišit
pack *v* zabalit
pack *n* balení; smečka
package *n* balík
pact *n* dohoda
pad *v* podložit; vycpat
padding *n* podložka; čalounění

paddle *n* pádlo
paddle *v* pádlovat; plácat
padlock *n* visací zámek
pagan *adj* pohanský
page *n* strana
pail *n* vědro
pain *n* bolest
painful *adj* bolestivý
painkiller *n* lék tišící bolest
painless *adj* bezbolestný
paint *v* malovat
paint *n* barva; nátěr
paintbrush *n* štětec
painter *n* malíř
painting *n* malování
pair *n* pár
pajamas *n* pyžamo
pal *n* kamarád
palace *n* palác
palate *n* patro
pale *adj* světlý; bledý
paleness *n* bledost
palm *n* dlaň
palm *v* dotknout se dlaní
palpable *adj* hmatatelný
paltry *adj* mizerný
pamper *v* hýčkat
pamphlet *n* brožura
pan *n* pánev
pancreas *n* slinivka
pander *v* hovět
pang *n* bodavá bolest

O
P

panic *n* panika; zděšení
panorama *n* panoráma
panther *n* panter
pantry *n* komora
pants *n* kalhoty
pantyhose *n* punčocháče
papacy *n* papežství
paper *n* papír
paperclip *n* kancelářská sponka
paperwork *n* administrativa
parable *n* podobenství
parachute *n* padák
parade *n* přehlídka; průvod
paradise *n* ráj
paradox *n* paradox
paragraph *n* odstavec
parakeet *n* druh papouška
parallel *n* rovnoběžka; podobná věc
paralysis *n* strnutí; ochrnutí
paralyze *v* ochromit
parameters *n* parametry
paramount *adj* vrchní
paranoid *adj* paranoidní
parasite *n* cizopasník
paratrooper *n* parašutista
parcel *n* balík
parcel post *n* přepravní služba
parch *v* pražit; sušit
parchment *n* pergamen
pardon *v* prominout
pardon *n* prominutí; milost

parenthesis *n* parenteze; závorka
parents *n* rodiče
parish *n* farnost
parishioner *n* farník
parity *n* rovnost
park *v* parkovat
park *n* park
parking *n* parkování; parkoviště
parliament *n* parlament
parochial *adj* lokální
parrot *n* papoušek
parsley *n* petržel
parsnip *n* pastinák
part *v* rozdělit
part *n* část
partial *adj* částečný
partially *adv* částečně
participate *v* podílet se
participation *n* podílení se
participle *n* příčestí
particle *n* částečka
particular *adj* konkrétní; důkladný
particularly *adv* obzvlášť
parting *n* separace
partisan *n* partyzán; stoupenec
partition *n* část; segment
partly *adv* částečný
partner *n* partner
partnership *n* partnerství, spolupráce
partridge *n* koroptev
party *n* strana; večírek; mejdan

P

party v scházet se; slavit; flámovat

pass n přihrávka; zdržení se

pass v předat; podat; schválit; přejít; minout

pass around v míjet; obejít

pass away v pominout; zemřít

pass out v omdlít

passage n pasáž; průchod; přechod

passenger n pasažér

passer-by n kolemjdoucí

passion n vášeň

passionate adj nadšený; zanícený

passive adj pasívní

passport n pas

password n heslo

past adj minulý

past n po; za

paste v přilepit; vložit; mazat

paste n pasta; pojivo; lepidlo

pasteurize v pasterizovat

pastime n kratochvíle

pastor n farář; pastýř

pastoral adj pastorační

pastry n cukroví

pasture n pastva

pat n poplácání

patch v záplatovat

patch n záplata

patent n patent; průmyslový vzor

patent v patentovat

paternity n otcovství

path n cesta, trasa, stezka

pathetic adj ubohý; cituplný

patience n trpělivost

patient adj trpělivý

patio n terasa

patriarch n patriarcha; stařešina

patrimony n dědictví

patriot n vlastenec

patriotic adj vlastenecký

patrol n hlídka

patron n ochránce; sponzor

patronage n ochrana; sponzorství

patronize v jednat blahosklonně; jednat povýšeně

pattern n vzorek; vyplňovací vzor

pavement n dlažba; chodník

pavilion n velký stan

paw n packa

pawn v dát do zástavy

pawnbroker n zastavárník

pay n platba; výplata

pay iv platit

pay back v splatit; oplatit

pay off v vyplatit

pay slip n výplatní páska

payable adj splatný

paycheck n výplatní šek

payee n příjemce platby

payment n platba

payroll n výplatní listina

pea n hrášek

P

peace n mír; klid
peaceful adj klidný
peach n broskev
peacock n páv
peak n vrchol
peanut n arašíd
pear n hruška
pearl n perla
peasant n rolník
pebble n kamínek; polodrahokam
peck v klovnout; ťukat
peck n klovnutí
peculiar adj specifický, zvláštní
pedagogy n pedagogie
pedal n pedál
pedantic adj puntičkářský
pedestrian n chodec
peel v loupat

peel n slupka
peep v kouknout
peer n vrstevník
pelican n pelikán
pellet n granule
pen n pero; ohrada
penalize v pokutovat; trestat
penalty n pokuta; trest
penance n pokání
penchant n sklon
pencil n tužka
pendant n medailónek
pending adj očekávaný;
  nerozhodnutý; nevyřešený

pendulum n kyvadlo
penetrate v vniknout
penguin n tučňák
penicillin n penicilin
peninsula n poloostrov
penitent n kajícník
penniless adj chudý; bez peněz
penny n pence; cent; haléř
pension n penze
pentagon n pětiúhelník
pent-up adj zadržovaný
people n lidé
pepper n pepř
per pre za; po
perceive v vnímat; všímat si
percent n procento
percentage n podíl v procentech
perception n vnímání; bystrost
perennial adj celoroční; stálý; věčný
perfect adj dokonalý; perfektní
perfection n dokonalost
perforate v proděravit
perforation n dírkování
perform v provést; vystoupit
performance n výkon; vystoupení;
  představení
perfume n parfém
perhaps adv snad
peril n ohrožení
perilous adj ohrožující; velice
  nebezpečný
perimeter n obvod; okruh

period *n* perioda; období; menstruace
perish *v* hynout, zemřít
perishable *adj* pomíjející
perjury *n* zrada; křivá přísaha; křivé svědectví
permanent *adj* nepřetržitý; stálý
permeate *v* pronikat
permission *n* povolení, svolení
permit *v* povolit
pernicious *adj* zhoubný
perpetrate *v* spáchat
persecute *v* pronásledovat
persevere *v* vytrvat
persist *v* trvat
persistence *n* vytrvání
persistent *adj* trvalý; úporný; vytrvalý
person *n* osoba
personal *adj* osobní
personality *n* osobnost; charakter
personify *v* zosobnit
personnel *n* personál
perspective *n* hledisko; perspektiva; vyhlídka
perspiration *n* pocení; pot
perspire *v* potit se
persuade *v* přesvědčit
persuasion *n* přesvědčení
persuasive *adj* přesvědčivý, přesvědčující

pertain *v* náležet; patřit
pertinent *adj* přiléhavý; souvisící
perturb *v* rozrušit
perverse *adj* zvrácený, zvrhlý, perverzní
pervert *v* konat zvráceně
pervert *n* zvrhlík
pessimism *n* pesimismus
pessimistic *adj* pesimistický
pest *n* mor; otrava; škůdce
pester *v* obtěžovat
pesticide *n* pesticid; hubící prostředek
pet *n* domácí zvíře
pet *v* mazlit se
petal *n* okvětní lístek
petite *adj* drobný; křehký
petition *n* petice; žádost
petrified *adj* ztuhlý
petroleum *n* ropa; nafta
pettiness *n* malichernost
petty *adj* titěrný; banální
pew *n* kostelní lavice
phantom *n* fantóm; přízrak; zjevení; přelud
pharmacist *n* farmaceut
pharmacy *n* lékárna
phase *n* fáze
pheasant *n* bažant
phenomenon *n* fenomén; úkaz; zjev; div
philosopher *n* filosof

P

philosophy *n* filozofie
phobia *n* fobie
phone *n* telefon
phone *v* zatelefonovat
phony *adj* falešný; předstíraný
phosphorus *n* fosforeskující
photo *n* fotografie
photocopy *n* fotokopie
photograph *v* fotografie
photographer *n* fotograf
photography *n* fotografie;
fotografování
phrase *n* fráze; výraz; formulace
physically *adj* fyzicky
physician *n* doktor
physics *n* fyzika
pianist *n* klavírista
piano *n* piano
pick *v* sebrat
pick *n* výběr; krumpáč; paklíč
pick up *v* vyzvednout; sbírat
pickpocket *n* kapesní zloděj
pickup *n* polododávka
picture *n* obrázek
picture *v* představovat si;
vyobrazit
picturesque *adj* malebný
pie *n* koláč
piece *n* kus
piecemeal *adv* postupný
pier *n* pilíř; molo
pierce *v* propíchnout

piercing *n* piercing; děrování
piety *n* pieta, úcta
pig *n* prase
pigeon *n* holub
piggy bank *n* prasátko na peníze
pile *v* složit; hromadit; kupit
pile *n* kupa
pile up *v* nakupit
pilfer *v* krást
pilgrim *n* poutník
pilgrimage *n* pouť
pill *n* pilulka
pillage *v* plundrovat
pillar *n* pilíř; sloup; podpěra
pillow *n* polštář
pillowcase *n* povlak na polštář
pilot *n* pilot; prototyp
pimple *n* puchýřek
pin *n* špendlík; cvok
pin *v* přišpendlit; připevnit
pincers *n* štípací kleště
pinch *v* štípnout
pinch *n* štípnutí
pine *n* borovice
pineapple *n* ananas
pink *adj* růžový
pinpoint *v* zdůraznit; vypíchnout;
označit; identifikovat
pint *n* pinta
pioneer *n* průkopník; zákopník;
pionýr
pious *adj* zbožný; svatý

P

pipe *n* trubka; trubice; roura; fajfka

pipeline *n* potrubí

piracy *n* pirátství

pirate *n* pirát

pistol *n* pistole

pit *n* jáma; jeskyně; šachta

pitch *v* házet; dláždit; dopadnout

pitch-black *adj* černý jako uhel

pitcher *n* nadhazovač; amfora

pitchfork *n* vidle

pitfall *n* nedostatek; past

pitiful *adj* ubohý; soucitný

pity *n* lítost

placard *n* plakát

placate *v* inzerovat; polepit plakáty; udobřit

place *n* místo; náměstí

place *v* položit; umístit

placid *adj* poklidný

plague *n* pohroma; mor; nákaza

plain *n* rovina

plain *adj* rovný; obyčejný

plainly *adv* zřetelně; jednoduše

plaintiff *n* navrhovatel; žalující strana

plan *v* plánovat

plan *n* plán

plane *n* letadlo; rovina; hladítko

planet *n* planeta

plant *v* zasázet; vsazovat; osázet

plant *n* rostlina; sazenice; továrna

plaster *n* omítka; sádra; náplast

plaster *v* nahodit; dát do sádry; polepit náplastí

plastic *n* plast

plate *n* talíř; destička

plateau *n* rovina; podnos; plató

platform *n* plošina; základna; nástupiště

platinum *n* platina

platoon *n* četa

plausible *adj* hodnověrný

play *v* hrát; zahrát; spustit

play *n* hra

player *n* hráč

playful *adj* hravý

playground *n* hřiště

plea *n* žalobní odpověď; obhajoba; žádost; námitka

plead *v* hájit se; přiznat; soudit se

pleasant *adj* příjemný

please *v* prosit; potěšit

pleasing *adj* potěšující

pleasure *n* potěšení; rozkoš

pleat *n* skládání; plisé; záhyb

pleated *adj* plisování; vytváření záhybů

pledge *v* slibovat; zavázat se

pledge *n* slib; závazek

plentiful *adj* hojný; početný

plenty *n* množství

pliable *adj* ohebný; poddajný

pliers *n* kleště

plot *v* plánovat; osnovat;

plot *n* plán; děj; spiknutí

plow *v* brázdit; orat

ploy *n* manévr k získání výhody

pluck *v* trhat

plug *v* zapojovat; ucpat;
zazátkovat; zastrčit do zásuvky

plug *n* zástrčka; zásuvka; zátka

plum *n* švestka

plumber *n* instalatér

plumbing *n* instalatérství; vedení

plummet *v* klesnout

plump *adj* oplývající; baculatý

plunder *v* vyloupit; pustošit

plunge *v* potopit; strčit

plunge *n* ponoření; rozpaky

plural *n* množné číslo

plus *adv* kladný

plush *adj* plyšový; přepychový

plutonium *n* plutonium

pneumonia *n* zánět plic

pocket *n* kapsa, vak

poem *n* báseň

poet *n* básník

poetry *n* poezie

poignant *adj* pronikavý

point *n* bod; cíl; pointa

point *v* ukazovat

pointed *adj* mířící

pointless *adj* zbytečný

poise *n* rovnováha; postoj těla

poison *v* otrávit

poison *n* jed

poisoning *n* otrava

poisonous *adj* jedovatý

Poland *n* Polsko

polar *adj* polární

pole *n* tyč; pól

police *n* policie

policeman *n* policista

policy *n* zásada; postup; soubor
pravidel

Polish *adj* polský; polsky

polish *n* leštidlo; lesk

polish *v* leštit; nablýskat

polite *adj* zdvořilý

politeness *n* zdvořilost

politician *n* politik

politics *n* politika

poll *n* hlasování; anketa

pollen *n* pyl

pollute *v* znečistit

pollution *n* znečištění

polygamist *adj* polygamní

polygamy *n* mnohoženství

pomegranate *n* granátové jablko

pomposity *n* pompéznost; okázalost

pond *n* jezero

ponder *v* uvažovat

pontiff *n* papež

pool *n* bazén

pool *v* spojit; složit dohromady

poor *n* chudý; ubohý

poorly *adv* chabě

pop *v* prásknutí; bouchnutí
popcorn *n* pražená kukuřice
Pope *n* papež
poppy *n* mák
popular *adj* oblíbený; populární
popularize *v* popularizovat
populate *v* zalidnit
population *n* populace
porcelain *n* porcelán
porch *n* krytý vchod; veranda
porcupine *n* dikobraz
pore *n* pór
pork *n* vepřové
porous *adj* porézní
port *n* přístav; otvor
portable *adj* přenosný
portent *n* předzvěst
porter *n* nosič; obsluha; poslíček
portion *n* část; podíl
portrait *n* portrét
portray *v* zobrazit; zpodobovat
Portugal *n* Portugalsko
Portuguese *adj* portugalský
pose *v* pózovat; umístit; tvářit se
pose *n* póza; pozice; držení těla; postoj
posh *adj* módní
position *n* pozice; situace
positive *adj* kladný
possess *v* mít, vlastnit
possession *n* vlastnictví
possibility *n* možnost

possible *adj* možný
post *n* post; kůl; tyč; stanoviště; příspěvek
post *v* poslat poštou; uveřejnit
post office *n* pošta
postage *n* poštovné
postcard *n* pohlednice
poster *n* plakát; odesílatel
posterity *n* potomstvo
postman *n* pošťák
postmark *n* poštovní razítko
postpone *v* odložit
postponement *n* odklad
pot *n* hrnec
potato *n* brambora
potent *adj* mocný; potentní
potential *adj* potenciální
pothole *n* díra; výmol; jáma
poultry *n* drůbež

pound *v* tlouct; dupat; bušit
pound *n* libra
pour *v* lít; sypat
poverty *n* bída
powder *n* prášek
power *n* síla; energie; moc
powerful *adj* silný, mocný
powerless *adj* bezmocný
practical *adj* praktický; účelný; profesionální
practice *v* praktikovat; cvičit
practice *n* praxe; cvičení
practicing *adj* praktikující; provozující

pragmatist *adj* pragmatický

prairie *n* stepní

praise *v* velebit; pochvalovat

praise *n* pochvala

praiseworthy *adj* chvalitebný

prank *n* žert

prawn *n* garnát; kreveta

pray *v* modlit se

prayer *n* modlitba

preach *v* kázat

preacher *n* kazatel

preaching *n* kázání

preamble *n* preambule

precarious *adj* nejistý

precaution *n* předběžné opatření

precede *v* předcházet

precedent *n* precedens; obdobný případ z minulosti

preceding *adj* předchozí

precept *n* zásada

precious *adj* vzácný, drahý

precipice *n* propast, svah

precipitate *v* shodit

precise *adj* přesný

precision *n* přesnost

precocious *adj* předčasně zralý

precursor *n* předzvěst; předchůdce

predecessor *n* předchůdce

predicament *n* výrok; tvrzení; dilema

predict *v* předvídat

prediction *n* předvídání

predilection *n* záliba

predisposed *adj* náchylný

predominate *v* převládat

preempt *v* přednostní

prefabricate *v* předem vyrobit

preface *n* zahájení; předmluva

prefer *v* dávat přednost

preference *n* preference; priorita

prefix *n* předpona; prefix

pregnancy *n* těhotenství

pregnant *adj* těhotná

prehistoric *adj* pravěký

prejudice *n* předsudek; zaujatost

preliminary *adj* předběžný

prelude *n* předehra; preludium

premature *adj* předčasný; nedozrálý

premeditate *v* uvážit napřed; promyslit

premeditation *n* promyšlenost; úkladnost

premier *adj* přední

premise *n* předpoklad; premise

premises *n* prostory; provozovna; předpoklady

premonition *n* předtucha, neblahé tušení

preoccupation *n* velká starost; posedlost; předpojatost

preoccupy *v* zcela upoutat pozornost; obsadit napřed

preparation *n* příprava; přípravek
prepare *v* připravit
preposition *n* předložka; tvrzení
prerequisite *n* náležitost;
  podmínka; předpoklad
prerogative *n* priorita;
  privilegium
prescribe *v* předepsat
prescription *n* předpis
presence *n* přítomnost
present *n* dar; přítomný čas;
  současnost
present *adj* přítomný; současný
present *v* prezentovat; podat;
  odevzdat; uvést
presentation *n* prezentace;
  předvedení; předání; podání
preserve *v* zachovat
preside *v* předsedat; vést
presidency *n* presidentství
president *n* president
press *n* tisk; lis
press *v* tisknout; tlačit; lisovat;
  naléhat
pressing *adj* tlačící
pressure *v* tlačit; naléhat
pressure *n* tlak; tíseň; nátlak
prestige *n* prestiž
presume *v* předpokládat
presumption *n* předpoklad
presuppose *v* předem
  předpokládat; očekávat

presupposition *n* domněnka
pretend *v* předstírat; tvářit se
pretense *n* záminka; předstírání;
  nárok
pretension *n* záměr; nárok
pretty *adj* hezký; roztomilý
prevail *v* vítězit; triumfovat
prevalent *adj* převládající
prevent *v* bránit; zabránit;
  předcházet
prevention *n* prevence; ochrana;
  zamezení
preventive *adj* preventivní
preview *n* náhled; ukázka;
  předpremiéra
previous *adj* předešlý; předchozí;
  minulý
previously *adv* předtím
prey *n* kořist
price *n* cena
pricey *adj* drahý
prick *v* bodat, píchat
pride *n* pýcha; hrdost
priest *n* kněz
priestess *n* kněžka
priesthood *n* kněžství
primacy *n* prvenství; nadřazenost
primarily *adv* zejména; v první
  řadě
prime *adj* hlavní, prvotní
primitive *adj* primitivní;
  jednoduchý

P

prince *n* princ
princess *n* princezna
principal *adj* hlavní; nejdůležitější
principle *n* zásada; princip
print *v* tisk
print *n* otisk; výtisk
printer *n* tiskárna
printing *n* tisknutí
prior *adj* předcházející, předešlý
priority *n* priorita; přednost;
 naléhavá věc
prism *n* hranol
prison *n* věznice
prisoner *n* vězeň
privacy *n* důvěrnost; soukromí
private *adj* soukromý, neveřejný
privilege *n* výhoda, výsada
prize *n* výhra; cena
probability *n* pravděpodobnost
probable *adj* pravděpodobný
probe *v* vyšetřovat; sondovat;
 prozkoumat
probing *n* testování; zkouška;
 sondování
problem *n* problém; úloha
problematic *adj* problematický
procedure *n* procedura, postup
proceed *v* přikročit; provést
proceedings *n* soudní řízení;
 jednání
proceeds *n* výtěžek; zisk
process *v* probíhat; zpracovávat

process *n* proces; chod; postup
procession *n* průvod; konvoj
proclaim *v* prohlásit
proclamation *n* prohlášení
procrastinate *v* odkládat
procreate *v* rozmnožit se
procure *v* provozovat; zaopatřit
prod *v* pobízet; pobízet;
 popíchnout
prodigious *adj* podivuhodný;
 fenomenální
prodigy *n* génius; fenomén
produce *v* vyrábět
produce *n* výrobek
product *n* výrobek; produkt;
 výsledek
production *n* výroba
productive *adj* produktivní
profane *adj* neuctivý; znesvěcený
profess *v* provozovat
profession *n* profese, povolání
professional *adj* odborný,
 profesionální
professor *n* profesor
proficiency *n* odbornost;
 dovednost
proficient *adj* odborný; dovedný
profile *n* příčný řez; profil
profit *v* mít zisk; profitovat
profit *n* zisk
profitable *adj* ziskový
profound *adj* pronikavý

program *n* program; plán
program *v* programovat;
plánovat
programmer *n* programátor
progress *v* pokročit
progress *n* pokrok
progressive *adj* pokrokový
prohibit *v* zakázat
prohibition *n* zákaz; prohibice
project *v* promítat; projektovat;
sestrojit
project *n* projekt; plán; návrh
projectile *n* projektil
prologue *n* proslov
prolong *v* prodloužit
promenade *n* procházet se
prominent *adj* prominentní;
významný; markantní
promiscuous *adj* promiskuitní
promise *n* slíbit
promote *v* propagovat; povýšit
promotion *n* povýšení; reklama;
propagace
prompt *adj* okamžitý; pohotový
prone *adj* náchylný
pronoun *n* zájmeno
pronounce *v* vyslovit
proof *n* důkaz; prověrka; odolnost
propaganda *n* propaganda;
propagace
propagate *v* propagovat;
rozmnožit

propel *v* hnát
propensity *n* tendence
proper *adj* pořádný; správný;
vyhovující
properly *adv* řádně; správně;
náležitě
property *n* vlastnost; jmění
prophecy *n* proroctví
prophet *n* prorok
proportion *n* úměra; proporce
proposal *n* návrh; nabídka;
nabídka k sňatku
propose *v* navrhnout; nabídnout;
požádat o ruku
proposition *n* návrh; tvrzení; teze
prose *n* próza; všednost
prosecute *v* trestně stíhat
prosecutor *n* žalobce, prokurátor
prospect *n* vyhlídka, šance
prosper *v* dařit se; prospívat;
prosperovat
prosperity *n* blahobyt
prosperous *adj* prosperující
prostate *n* prostata
prostrate *adj* poražený
protect *v* ochraňovat
protection *n* ochrana
protein *n* bílkovina
protest *v* protestovat
protest *n* protest
protocol *n* protokol
prototype *n* model; prototyp

P

protract *v* prodlužovat;
protáhnout; rýsovat

protracted *adj* protáhlý; táhlý;
prodlužovaný; zpomalený

protrude *v* čnít

proud *adj* hrdý

proudly *adv* hrdě

prove *v* prokázat

proven *adj* prokázaný

proverb *n* přísloví

provide *v* poskytnout

providence *n* prozíravost

providing that *c* za předpokladu,
že

province *n* provincie, kraj

provision *n* ustanovení; zásoby;
rezerva; poskytnutí

provisional *adj* prozatímní

provocation *n* provokace

provoke *v* dráždit; vyvolat;
vyprovokovat

prowl *v* lovit; slídit; číhat;
potulovat se

prowler *n* tulák; straka

proximity *n* blízkost

proxy *n* zastupování;
zplnomocnění

prudence *n* prozíravost;
opatrnost; uvážlivost

prudent *adj* prozíravý; opatrný;
uvážlivý

prune *v* omezit; klestit

prune *n* omezenec

prurient *adj* lascivní; chlípný;
necudný

pseudonym *n* pseudonym

psychiatrist *n* psychiatr

psychiatry *n* psychiatrie

psychic *adj* duševní; mentální

psychology *n* psychologie

psychopath *n* psychopat

puberty *n* puberta

public *adj* veřejný

publication *n* publikace; vydání

publicity *n* publicita

publicly *adv* veřejně

publish *v* vydat; zveřejnit

publisher *n* nakladatel

pudding *n* pudink; nákyp

puerile *adj* infantilní

puff *n* obláček dýmu; lístkové
těsto; fouknutí; závan;
vyfouknutí; odfukování

puffy *adj* nafouklý

pull *v* tahat, táhnout

pull ahead *v* postoupit dopředu

pull down *v* strhnout; pokořit;
snížit

pull out *v* vytáhnout; stáhnout

pulley *n* kladka; řemenice;
kladkostroj

pulp *n* dužina; dřeň; drť

pulpit *n* kazatelna; kázání; tribuna

pulsate *v* pulsovat; chvět se

pulse *n* tep; chod; luštěniny
pulverize *v* rozetřít; rozmělnit; drolit
pump *v* pumpovat, hustit
pump *n* čerpadlo; pumpa
pumpkin *n* tykev
punch *v* udeřit; prorazit; orazit
punch *n* rána; úder; punč
punctual *adj* přesný; detailní; bodový
puncture *n* vpich; průraz
punish *v* trestat
punishable *adj* postižitelný
punishment *n* trest
pupil *n* žák; zřítelnice
puppet *n* loutka
puppy *n* štěně
purchase *v* koupit
purchase *n* koupě
pure *adj* čistý; neposkvrněný
puree *n* pyré
purgatory *n* očistec
purge *n* očista; čistka; pročištění
purge *v* vymýtit; čistit; zbavit
purification *n* čistění; čeření; očista
purify *v* čistit, očistit
purity *n* čistota; neposkvrněnost; pravost; ryzost
purple *adj* purpurový
purpose *n* záměr, účel, cíl
purposely *adv* úmyslně, záměrně

purse *n* peněženka; kabelka
pursue *v* pronásledovat; snažit se
pursuit *n* honba; snaha
pus *n* hnis
push *v* tlačit; strkat
pushy *adj* vlezlý; nutící; neodbytný
put *iv* dát; položit
put aside *v* dát stranou
put away *v* odklidit; dát pryč
put off *v* svléknout; odbýt; odložit
put out *v* pobouřit; dát ven
put up *v* snášet; smířit
put up with *v* snést
putrid *adj* páchnoucí; zkažený; prohnilý
puzzle *n* hlavolam; rébus; hádanka
puzzling *adj* záhadný
pyramid *n* jehlan, pyramida
python *n* krajta; hroznýš

Q

quagmire *n* močál
quail *n* křepelka
quake *v* otřást se, zachvět se
qualify *v* kvalifikovat; získat způsobilost
quality *n* kvalita
qualm *n* mdlo; slabost; nevolnost; nechutenství
quandary *n* pochybnost; rozpaky
quantity *n* množství
quarrel *v* hádat se, svářit se
quarrel *n* hádka
quarrelsome *adj* hašteřivý
quarry *n* lom; lovná zvěř; kosočtverec
quarter *n* čtvrtina
quarterly *adj* čtvrtletní
quarters *n* čtvrt; čtvrtletí; sídlo; byt
quash *v* rozmačkat; potlačit; zrušit
queen *n* královna
quell *v* přemoct; zkrotit
quench *v* hasit
quest *n* pátrání; výprava
question *v* poptat se; pochybovat; vyslýchat
question *n* otázka; dotaz; pochybnost

questionable *adj* pochybný; sporný; problematický
questionnaire *n* dotazník
queue *n* fronta
quick *adj* rychlý
quicken *v* uspíšit
quickly *adv* rychle
quicksand *n* tekoucí písek
quiet *adj* tichý
quietness *n* ticho
quilt *n* deka; pokrývka; rohož
quit *iv* odejít; ukončit; přestat
quite *adv* úplně; docela; zcela
quiver *v* třást se; zachvět se
quiz *v* kviz; vyptávat se; utahovat si z
quotation *n* citace; cenová nabídka; kótování
quote *v* citovat; nabídnout cenu
quotient *n* kvocient

R

rabbi *n* rabín
rabbit *n* králík
rabies *n* vzteklina
raccoon *n* mýval
race *v* závodit
race *n* závod; rasa; plemeno

racism *n* rasismus
racist *adj* rasistický
racket *n* raketa; pálka; vyděračství
racketeering *n* organizované vyděračství
radar *n* radar
radiation *n* záření
radiator *n* radiátor; chladič; zářič
radical *adj* radikální; rázný; zásadní
radio *n* rádio; vysílačka
radish *n* ředkev
radius *n* poloměr; dosah
raffle *n* loterie
raft *n* nafukovací člun
rag *n* útržek
rage *n* vztek
ragged *adj* rozcuchaný
raid *n* útok; přepadení; razie
raid *v* přepadnout; vyplenit
raider *n* nájezdník
rail *n* kolejnice; příčka; zábradlí
railroad *n* železnice
rain *n* déšť
rain *v* pršet
rainbow *n* duha
raincoat *n* plášť do deště
rainfall *n* dešťová srážka
rainy *adj* pršivý; vlhký
raise *n* zvýšení sumy
raise *v* zdvihnout; zvyšovat; vychovat

raisin *n* hrozinka
rake *n* hrábě; vidle
rally *n* závod; shromáždění; sraz
ram *n* beran, skopec
ram *v* zarazit, beranit
ramification *n* větvení; následek
ramp *n* rampa; šikmá plocha
rampage *v* běsnit
rampant *adj* nespoutaný, bujný
ranch *n* farma, ranč
rancor *n* zášť
randomly *adv* náhodně
range *n* dosah; oblast; vzdálenost
rank *n* hodnost; kategorie; pozice
rank *v* řadit se; kvalifikovat
ransack *v* prohrabat; vykrást
ransom *n* výkupné
ransom *v* vykoupit
rape *v* znásilnit
rape *n* znásilnění
rapid *adj* rychlý, prudký
rapist *n* násilník, pachatel znásilnění
rapport *n* vztah
rare *adj* ojedinělý; vzácný
rarely *adv* zřídka
rascal *n* rošťák, uličník, lump
rash *v* náhlit
rash *n* vyrážka
raspberry *n* malina
rat *n* krysa; zrádce
rate *n* hodnocení; poměr; sazba; kurs

R

rate *v* ohodnotit
rather *adv* spíše
ratification *n* ratifikace
ratify *v* ratifikovat
ratio *n* poměr; podíl; koeficient
ration *v* rozdělit; dát na příděl
ration *n* porce, příděl, dávka
rational *adj* rozumový
rationalize *v* vysvětlit rozumově;
  odůvodnit si
rattle *v* chrastit
ravage *v* zpustošit
ravage *n* spoušť; zpustošení
rave *v* běsnit
raven *n* havran
ravine *n* rokle; koryto
raw *adj* syrový
ray *n* paprsek
raze *v* škrabat; zbourat
razor *n* břitva
reach *v* dosáhnout; zastihnout
reach *n* dosah
react *v* reagovat; působit
reaction *n* reakce
read *iv* číst
reader *n* čtenář; profesor
readiness *n* připravenost
reading *n* četba; interpretace;
  přednáška
ready *adj* připravený
real *adj* skutečný
realism *n* realismus

reality *n* skutečnost
realize *v* uvědomit si
really *adv* skutečně; doopravdy;
  vskutku
realm *n* sféra, oblast
realty *n* nemovitost
reap *v* žnout
reappear *v* znovu se objevit
rear *v* pěstovat; chovat; vztyčit
rear *n* zadní část
rear *adj* týlový
reason *v* myslet; usuzovat;
  argumentovat
reason *n* důvod; úsudek
reasonable *adj* rozumný;
  pochopitelný; logický
reasoning *n* usuzování; logické
  myšlení; argumentace
reassure *v* ujistit
rebate *n* srážka, sleva
rebel *v* bouřit se
rebel *n* povstalec; vzbouřenec
rebellion *n* revolta, vzpoura
rebirth *n* znovuzrození
rebound *v* odrazit; zpětný náraz;
  doskočit míč
rebuff *v* odmrštit; odmítnout
rebuff *n* odmrštění; odmítnutí
rebuild *v* znovu vystavět,
  přestavět, předělat
rebuke *v* pokárat
rebuke *n* pokárání**

R

rebut *v* odrazit

recall *v* odvolat

recant *v* odvolat, zříct se

recap *v* rekapitulovat

recapture *v* opětovné dosažení

recede *v* ustoupit

receipt *n* stvrzenka; přijetí; obdržení

receive *v* obdržet; přijímat

recent *adj* nedávný

reception *n* přijetí; ohlas; recepce

receptionist *n* recepční

receptive *adj* vnímavý

recess *n* odchod; odročení; přerušení

recession *n* klesání; pokles; úpadek; hospodářský pokles

recharge *v* dobít

recipe *n* recept

reciprocal *adj* vzájemný; reciproční

recital *n* přednes; recitace; koncert sólisty

recite *v* recitovat; přednést

reckless *adj* nedbalý

reckon *v* odhadovat; považovat

reckon on *v* spoléhat se na

reclaim *v* žádat zpět; získat opět; napravit

recline *v* odpočívat; položit; naklonit se

recluse *n* odloučit

recognition *n* rozpoznání

recognize *v* rozpoznat

recollect *v* vybavit si v paměti; znovu sebrat

recollection *n* vzpomínka

recommend *v* doporučit

recompense *v* nahradit; odškodnit

recompense *n* odškodné; odměna

reconcile *v* smířit

reconsider *v* znovu zvážit; rozmyslit

reconstruct *v* rekonstruovat

record *v* zaznamenat; zaznamenávat

record *n* záznam; nahrávka; rekord

recorder *n* záznamník, magnetofon

recording *n* zaznamenávání

recount *n* přepočíst; vylíčit

recoup *v* kompenzovat

recourse *n* útočiště; postih; regres; rekurs

recover *v* zotavit se; obnovit

recovery *n* zotavení; znovunalezení

recreate *v* zotavit se; rekreovat; znovu vytvořit

recreation *n* rekreace; zotavení; opětovné vytvoření

R

recruit *v* verbovat, rekrutovat
recruit *n* branec; nábor
recruitment *n* nábor; odvádění; přijímání zaměstnanců
rectangle *n* obdélník
rectangular *adj* obdélníkový
rectify *v* korigovat
rector *n* rektor; farář
rectum *n* konečník
recuperate *v* zotavit se; znovu nabýt
recur *v* objevit se opět
recurrence *n* opakování
recycle *v* recyklovat
red *adj* červený
red tape *n* červená páska; byrokracie
redden *v* rudnout
redeem *v* vyplatit; splnit
redemption *n* vykoupení; náprava
red-hot *adj* rozžhavený
redo *v* udělat znovu; předělat
redouble *v* zdvojnásobit
redress *v* napravit
reduce *v* snížit
redundant *adj* nadbytečný
reed *n* rákosí
reef *n* útes
reel *n* cívka
reelect *v* opětovné zvolit
reenactment *n* opětovné uzákonění; rekonstrukce

reentry *n* návrat
refer to *v* týkat se, narážet na něco
referee *n* rozhodčí
reference *n* odkaz; manuál; odvolání
referendum *n* referendum
refill *v* znovu naplnit
refinance *v* refinancovat
refine *v* zušlechťovat
refinery *n* rafinérie
reflect *v* odrážet se; reflektovat
reflection *n* odraz; reflex
reflexive *adj* reflexivní; odrazový; zpětný
reform *v* reformovat; přetvářet
reform *n* reforma; přetvoření
refrain *v* zdržet se; neudělat
refresh *v* občerstvit; obnovit
refreshing *adj* osvěžující
refreshment *n* osvěžení; občerstvení
refrigerate *v* chladit
refuel *v* doplnit palivo
refuge *n* útočiště
refugee *n* utečenec
refund *v* nahradit; refundovat
refund *n* náhrada; proplacení
refurbish *v* renovovat
refusal *n* odmítnutí
refuse *v* odmítat
refuse *n* odmítnutí

refute *v* popřít; vyvrátit
regain *v* znovu nabýt
regal *adj* vznosný
regard *v* mít ohled; úcta; zřetel
regarding *pre* týkat se; ohledně
regardless *adv* bez ohledu
regards *n* pozdravy
regeneration *n* regenerace;
  znovuzrození
regent *n* vladař
regime *n* režim
regiment *n* pluk
region *n* oblast; kraj
regional *adj* oblastní
register *v* přihlásit se;
  zaregistrovat se; zaznamenat
registration *n* registrace; zapsání
regret *v* litovat
regret *n* lítost; žal; smutek
regrettable *adj* politováníhodný
regularity *n* pravidelnost;
  regulárnost; zákonitost
regularly *adv* pravidelný
regulate *v* usměrňovat; omezovat
regulation *n* regulace; směrnice;
  nařízení; předpis
rehabilitate *v* rehabilitovat
rehearsal *n* nácvik
rehearse *v* nacvičovat
reign *v* vládnout
reign *n* vládnutí
reimburse *v* odškodnit

reimbursement *n* vyrovnání;
  náhrada
rein *v* držet na uzdě
rein *n* uzda
reindeer *n* sob
reinforce *v* posílit
reinforcements *n* posily
reiterate *v* opětovat; zopakovat
reject *v* odmítnout
rejection *n* odmítnutí; zamítnutí
rejoice *v* radovat se
rejoin *v* odvětit; znovu spojit
rejuvenate *v* osvěžit; omladit
relapse *n* recidiva; úpadek
related *adj* související; příbuzný
relationship *n* vztah
relative *adj* relativní; vztažný
relative *n* relativní pojem;
  vztažné zájmeno
relax *v* odpočívat; uvolnit
relaxing *adj* uvolňující
relay *v* opatřit převáděčem;
  střídání
release *v* vydat; vypustit
relegate *v* propustit; přeřadit;
  vyhostit
relent *v* zmírnit
relentless *adj* neoblomný
relevant *adj* souvisící; významný
reliable *adj* spolehlivý
reliance *n* spolehnutí; opora;
  závislost

R

relic *n* ostatek
relief *n* úleva
relieve *v* zprostit; ulevit
religion *n* náboženství
religious *adj* náboženský
relinquish *v* vzdát se
relish *v* pochutnat si
relive *v* znovu zažít
relocate *v* přemístit
relocation *n* přemístění
reluctant *adj* neochotný
reluctantly *adv* neochotně
rely on *v* záviset; opřít se o
remain *v* zůstat
remainder *n* zbytek
remaining *adj* zbývající
remains *n* pozůstatky
remake *v* předělat
remark *v* podotknout,
poznamenat
remark *n* poznámka, postřeh,
připomínka
remarkable *adj* pozoruhodný
remarry *v* oženit znovu; vdát
znovu
remedy *v* napravit; opravný
prostředek
remedy *n* lék; náprava
remember *v* pamatovat;
vzpomínat
remembrance *n* připomenutí;
památka

remind *v* připomenout
reminder *n* připomínka
remission *n* polevení; pokles;
remise; prominutí
remit *v* podrobit; prominout;
poukázat; ulevit
remittance *n* poukaz, poukázání
remnant *n* zbytek
remodel *v* přetvořit, přepracovat
remorse *n* výčitka, lítost
remorseful *adj* kajícný, litující
remote *adj* vzdálený; dálkový
removal *n* odstranění
remove *v* odstranit
remunerate *v* honorovat; odměnit
renew *v* obnovit, renovovat
renewal *n* obnovení
renounce *v* odvolat
renovate *v* renovovat
renovation *n* renovace
renowned *adj* renomovaný,
proslulý
rent *v* najímat; pronajmout
rent *n* nájemné; činže
reorganize *v* reorganizovat;
přebudovat
repair *v* opravit
reparation *n* náprava; odškodné
repatriate *v* vrátit do vlasti
repay *v* splatit; oplatit; vyrovnat;
odškodnit
repayment *n* splacení; vyrovnání

R

repeal v odvolat; prohlásit
repeal n odvolání; prohlášení
repeat v opakovat
repel v zamítnout; zahnat; odpudit
repent v kát se
repentance n pokání
repetition n opakování
replace v nahradit; přeložit
replacement n náhrada
replay n opětovné přehrání
replenish v doplnit
replete adj hutný
replica n replika
replicate v kopírovat; replikovat
reply v odpovědět
reply n odpověď
report v ohlašovat; oznamovat; podat zprávu; oznámit
report n reportáž; referát; ohlášení; oznámení
reportedly adv údajně
reporter n zpravodaj; hlasatel; oznamovatel
repose v uložit; klást
repose n oddech, klid, odpočinek
represent v zastupovat; představovat; znamenat; reprezentovat
repress v utlačovat; potlačit
repression n represe; utiskování; potlačení

reprieve n odklad; milost; odročení
reprint v dotisknout; znovu otisknout
reprint n dotisk; nové vydání
reprisal n odveta; represálie; odškodnění
reproach v vytýkat
reproach n výtka, výčitka
reproduce v rozmnožovat
reproduction n rozmnožit
reptile n plaz
republic n republika
repudiate v odvrhnout
repugnant adj odvržený
repulse v odpuzovat
repulse n odpor; silná nechuť
repulsive adj odpudivý
reputation n pověst, reputace
reputedly adv údajně; podle doslechu
request v žádat; požádat
request n prosba; požádání; poptávka
require v vyžadovat si
requirement n požadavek
rescue v zachraňovat
rescue n záchrana
research v zkoumat, bádat
research n výzkum; průzkum; zkoumání
resemblance n podobnost

R

resemble *v* připomínat; podobat se
resent *v* odmítat
resentment *n* nelibost;
rozmrzelost; odpor
reservation *n* rezervace; výhrada;
zamluvení; zamlčení
reserve *v* rezervovat; zamluvit;
vyhradit; zamlčet
reservoir *n* zásobník; nádrž;
rezervoár; ložisko
reside *v* bydlet
residence *n* sídlo
residue *n* reziduum; zbytek;
usazenina; pozůstatek
resign *v* odstoupit; vzdát se
resignation *n* odstoupení;
rezignace
resilient *adj* nezlomný
resist *v* vzdorovat
resistance *n* odpor; odpor; odboj
resolute *adj* odhodlaný
resolution *n* řešení; rozhodnutí;
odhodlanost
resolve *v* vyřešit
resort *v* uchýlit se k; vyhledávat
resounding *adj* hlasitý; zvučný
resource *n* zdroj
respect *v* ctít; respektovat
respect *n* obdiv; úcta; respekt
respectful *adj* uctivý; ohleduplný
respective *adj* vztahující se;
příslušný

respiration *n* dýchání
respite *n* odklad; odročení
respond *v* odpovídat; reagovat
response *n* odezva; odpověď
responsibility *n* odpovědnost
responsible *adj* zodpovědný,
odpovědný
responsive *adj* vnímavý; citlivý;
reagující
rest *v* odpočívat
rest *n* odpočinek
rest room *n* odpočívárna; toaleta
restaurant *n* restaurace
restful *adj* poklidný
restitution *n* restituce
restless *adj* nepokojný
restoration *n* navrácení; obnova;
zotavení
restore *v* navrátit; obnovit
restrain *v* omezit
restraint *n* omezený; potlačený
restrict *v* omezovat na; zakazovat
result *n* výsledek; závěr
resume *v* pokračovat
resumption *n* pokračování;
rekapitulace
resurface *v* znovu se objevit
resurrection *n* vzkříšení
resuscitate *v* oživit
retain *v* zajistit; udržet; ponechat
retaliate *v* pomstít, oplatit
retaliation *n* odplata**

R

retarded *adj* zpožděný; zpomalený; zaostalý

retention *n* zadržování; zácpa

retire *v* odejít do důchodu; rezignovat

retirement *n* důchod

retract *v* stáhnout

retreat *v* ustupovat

retreat *n* ústup

retrieval *n* získávání; nalezení; znovunabytí

retrieve *v* získat zpět; nabýt znovu

retroactive *adj* retroaktivní, mající zpětný účinek

return *v* vracet se; navrácení

return *n* návrat; vrácení

reunion *n* sraz; opětovné setkání

reveal *v* odhalit; odkrýt; vyzradit

revealing *adj* odhalující

revel *v* hýřit; veselit se

revelation *n* odhalení

revenge *v* pomstít; oplatit

revenge *n* pomsta; odplata

revenue *n* výnos

reverence *n* úcta

reversal *n* obrácení

reverse *n* zpětný chod; obrácení

reversible *adj* obratitelný

revert *v* přejít zpět; vrátit se do původního stavu

review *v* prohlédnout; recenzovat

review *n* přehled; recenze

revise *v* revidovat

revision *n* revize

revive *v* oživit

revoke *v* zrušit; vzít zpět; odmítnout

revolt *v* vzbouřit se; povstat

revolt *n* vzpoura

revolting *adj* odporný; odporující

revolve *v* otáčet se; točit se kolem

revolver *v* pistole

revue *n* show; kabaret

revulsion *n* odpor; hnus

reward *v* odměnit

reward *n* odměna

rewarding *adj* odměňující; prospěšný

rheumatism *n* revmatismus

rhinoceros *n* nosorožec

rhyme *n* rým

rhythm *n* rytmus; takt

rib *n* žebro

ribbon *n* stuha

rice *n* rýže

rich *adj* bohatý; sytý

rid of *iv* zbavit se

riddle *n* hádanka; síto

ride *iv* jet; řídit; jezdit; vézt se

ridge *n* horský hřeben

ridicule *v* zesměšnit; posmívat se

ridicule *n* výsměch, posměch

R

ridiculous *adj* legrační
rifle *n* puška
rift *n* prasklina
right *adv* vpravo
right *adj* pravý; pravdivý; správný
right *n* pravda; právo
rigid *adj* přísný; nekompromisní; nepoddajný; tuhý
rigor *n* zimnice; tvrdost; přísnost
rim *n* lem; okraj; ráfek
ring *iv* zazvonit; kroužit
ring *n* prstýnek; prstenec; kruh
ringleader *n* vůdce; osnovatel
rinse *v* vypláchnout
riot *v* bouřit; dělat výtržnosti
riot *n* nepokoj; vzpoura; povstání;
rip *v* trhat; roztrhávat
rip apart *v* roztrhnout
rip off *v* okrást; uškubnout; otrhat
ripe *adj* zralý
ripen *v* zrát
ripple *n* zvlnění
rise *iv* vzrůstání; vznikat; zvedat se; zvyšovat
risk *v* riskovat
risk *n* riziko; nebezpečí
risky *adj* riskantní; hazardní; povážlivý
rite *n* obřad
rival *n* soupeř
rivalry *n* soupeření; rivalství
river *n* řeka

rivet *v* nýtovat; obložit
riveting *adj* nýtovaný; obložený; ohromující
road *n* silnice
roam *v* potulovat se
roar *v* řvát
roar *n* řev
roast *v* opékat
roast *n* opečený pokrm
rob *v* oloupit
robber *n* loupežník
robbery *n* loupež
robe *n* roucho
robust *adj* statný; silný
rock *n* skalisko; hornina; rock; drahokam
rock *v* otřást; potácet se;
rocket *n* raketa
rocky *adj* skalistý
rod *n* prut; tyč; kyj
rodent *n* hlodavec
roll *v* kutálet; valit se
roll *n* váleček; kotouč; svitek
romance *n* romance; láska; intimnost
roof *n* střecha
room *n* místnost; prostor; místo
roomy *adj* prostorný
rooster *n* kohout
root *n* kořen; odmocnina
rope *n* provaz
rosary *n* záhon růží
rose *n* růže**

rosy *adj* červenající se; růžový; nadějný

rot *v* hnití

rot *n* hniloba

rotate *v* točit; střídat se

rotation *n* otáčení; oběh; střídání

rotten *adj* shnilý

rough *adj* drsný; surový; hrubý

round *adj* okrouhlý

roundup *n* sehnání; nastoupení; shromážděné informace

rouse *v* vzbudit

rousing *adj* rozohněný

route *n* trasa

routine *n* běžný postup; stereotyp; lehký úkol

row *v* veslovat

row *n* řádek

rowdy *adj* hulvátský; chuligánský

royal *adj* královský; vznešený

royalty *n* výsost; autorský honorář; podíl

rub *v* brousit; třít; masírovat

rubber *n* guma

rubbish *n* nesmysl; blbost; odpadky

rubble *n* suť, štěrk

ruby *n* rubín

rudder *n* kormidlo; zásada

rude *adj* hrubý; nezdvořilý; hulvátský

rudeness *n* hrubost, nezdvořilost

rudimentary *adj* zárodečný; počáteční

rug *n* koberec

ruin *v* zničit

ruin *n* zbořenina; ruina; pád

rule *v* vládnout; dominovat

rule *n* pravidlo

ruler *n* vladař; pravítko

rumble *v* burácet, rvát se; rachotit

rumble *n* burácení; rachot; rvačka

rumor *n* pověst; fáma

run *iv* běhat; fungovat

run away *v* utéct

run into *v* narazit na

run out *v* vyčerpat

run over *v* přejet

run up *v* přiběhnout

runner *n* běžec; uprchlík

runway *n* vzletová a přistávací dráha; pěšina

rupture *n* protržení

rupture *v* protrhnout

rural *adj* vesnický

ruse *n* finta

rush *v* spěchat

Russia *n* Rusko

Russian *adj* ruský

rust *v* rezavět

rust *n* rez

rustic *adj* venkovský; neohrabaný; rustikální

R

rust-proof *adj* nerezavějící
rusty *adj* rezavý
ruthless *adj* nelítostný
rye *n* žito

S

sabotage *v* sabotovat
sabotage *n* sabotáž
sack *v* balit
sack *n* pytel
sacrament *n* svátost
sacred *adj* posvátný
sacrifice *n* obětovat
sacrilege *n* svatokrádež
sad *adj* smutný
sadden *v* zarmoutit se
saddle *n* sedlo
sadist *n* sadista
sadness *n* smutek
safe *n* trezor
safe *adj* bezpečný
safeguard *n* zabezpečení
safety *n* bezpečí
sail *v* plachtit
sail *n* plachta, plachetnice
sailboat *n* plachetnice
sailor *n* námořník

saint *n* svatý
salad *n* salát
salary *n* plat
sale *n* prodej
sale slip *n* pokladní lístek
salesman *n* obchodník
saliva *n* slina
salmon *n* losos
saloon *n* výčep; sál
salt *n* sůl
salty *adj* slaný
salvage *v* zachránit
salvation *n* spása
same *adj* stejný
sample *n* vzorek
sanctify *v* posvětit
sanction *v* sankcionovat
sanction *n* sankce
sanctity *n* posvátnost
sanctuary *n* svatostánek
sand *n* písek
sandal *n* sandál
sandpaper *n* brusný papír
sandwich *n* sendvič
sane *adj* příčetný
sanity *n* duševní zdraví
sap *n* dřina
sap *v* dřít
sapphire *n* safír
sarcasm *n* sarkasmus
sarcastic *adj* uštěpačný
sardine *n* sardinka**

satanic *adj* ďábelský
satellite *n* satelit
satire *n* satira
satisfaction *n* spokojenost
satisfactory *adj* uspokojivý
satisfy *v* uspokojit
saturate *v* nasytit
Saturday *n* sobota
sauce *n* omáčka
saucepan *n* pánvička
saucer *n* talířek
sausage *n* klobása
savage *adj* divošský
savagery *n* divokost
save *v* zachránit; uložit; uspořit
savings *n* úspory
savior *n* spasitel; zachránce
savor *v* pochutnat si
saw *iv* řezat pilou
saw *n* pila
say *iv* povědět
saying *n* rčení
scaffolding *n* lešení
scald *v* pařit
scale *v* vážit; oloupat
scale *n* váhy; skála; stupnice
scalp *n* kůže na hlavě
scam *n* podvod
scan *v* zkoumat; prohlížet; skenovat
scandal *n* skandál
scandalize *v* skandalizovat

scapegoat *n* obětní beránek
scar *n* jizva
scarce *adj* vzácný
scarcely *adv* stěží, sotva; skoro
scarcity *n* vzácnost
scare *v* vyděsit; leknout
scare *n* zděšení; hrůza; leknutí
scare away *v* zaplašit
scarf *n* šál
scary *adj* strašidelný
scatter *v* rozprášit
scenario *n* scénář; prostředí; situace
scene *n* scéna; dějiště; skandál
scenery *n* krajinný vzhled
scenic *adj* jevištní; přírodní
scent *n* pach
schedule *v* stanovit termín
schedule *n* časový rozpis, rozvrh
scheme *n* schéma; soustava
schism *n* rozkol; odpadlictví
scholar *n* učenec; vědec
scholarship *n* stipendium
school *n* škola
science *n* věda
scientific *adj* vědecký
scientist *n* vědec
scissors *n* nůžky
scoff *v* sežrat; spořádat
scold *v* nadávat
scolding *n* pokárání
scooter *n* koloběžka; skútr

S

scope n obor; pole působnosti

scorch v spálit

score n skóre

score v skórovat

scorn v pohrdat

scornful n opovržlivý

scorpion n štír

scoundrel n lotr

scour v vydrhnout

scourge n důtky

scout n zvěd; hlídka; skaut

scramble v pomíchat

scrambled adj míchané

scrap n šrot; ždibec

scrap v vyhodit; odepsat

scrape v drápat

scratch v škrtat

scratch n škrábnutí

scream v řvát

scream n křik

screech v pištět; ječet

screen n obrazovka; plenta

screen v lustrovat; chránit;
podrobit prohlídce

screw v otáčet

screw n plat

screwdriver n šroubovák

scribble v čmárat

script n písmo; rukopis; scénář;
povelový soubor

scroll n svitek; závit

scrub v drhnout

scrupulous adj zásadový

scrutiny n pečlivá prohlídka

scuffle n rvačka

sculptor n sochař

sculpture n socha

sea n moře

seafood n mořské produkty

seagull n racek

seal v zapečetit

seal n pečeť; nálepka

seal off v zatarasit

seam n šev

seamless adj bezešvý, bezespáry

seamstress n švadlena

search v hledat

search n hledání

seashore n pobřeží

seasick adj mající mořskou nemoc

seaside adj krajina u moře

season n roční období

season v vyzrát

seasonal adj sezónní

seasoning n koření

seat n sedadlo

seated adj usazený

secede v oddělit

secluded adj izolovaný

seclusion n odloučení

second n sekunda

second adj druhý

secondary adj sekundární

secrecy n tajnůstkářství

secret *n* tajemství
secretary *n* tajemník; ministr; sekretářka
secretly *adv* tajně
sect *n* sekta
section *n* část
sector *n* sektor; úsek; odvětví
secure *v* zajistit
secure *adj* bezpečný
security *n* bezpečnost; zajištění
sedate *v* utišit; uklidnit
sedation *n* sedativum
seduce *v* svádět
seduction *n* svádění
see *iv* vidět; chápat
seed *n* sémě
seedless *adj* bezsemenný
seedy *adj* zchátralý; semenný; sešlý
seek *iv* hledat; usilovat se o
seem *v* zdát se
see-through *adj* průhledný
segment *n* odvětví; úsečka
segregate *v* segregovat
segregation *n* segregace
seize *v* zajmout; chytit; zabrat
seizure *n* záchvat; konfiskace
seldom *adv* zřídka
select *v* vybírat
selection *n* výběr
self-conscious *adj* uvědomující si sebe

self-esteem *n* sebevědomí
self-evident *adj* samozřejmý
self-interest *n* vlastní zájem
selfish *adj* sobecký; lakomý
selfishness *n* sobectví
self-respect *n* sebeúcta
sell *iv* prodávat
seller *n* prodávající
sellout *n* výprodej
semblance *n* vnější podoba
semester *n* pololetí; semestr
seminary *n* seminář
senate *n* senát
senator *n* senátor
send *iv* poslat
sender *n* odesílatel
senile *adj* senilní
senior *adj* letitý; stařecký; senilní
seniority *n* služební věk
sensation *n* vjem; pocit; smyslové vnímání
sense *v* tušit; vycítit
sense *n* smysl; zdravý rozum
senseless *adj* nesmyslný
sensible *adj* rozumný
sensitive *adj* citlivý; choulostivý
sensual *adj* smyslný; smyslový
sentence *v* rozsoudit; potrestat
sentence *n* věta; rozsudek
sentiment *n* sentiment
sentimental *adj* sentimentální
sentry *n* stráž

S

separate *v* oddělit
separate *adj* oddělený
separation *n* oddělení
September *n* září
sequel *n* díl; pokračování
sequence *n* souslednost; sekvence
serenade *n* serenáda
serene *adj* klidný
serenity *n* klid
sergeant *n* četař, seržant
series *n* řada; série; seriál
serious *adj* vážný
seriousness *n* vážnost
sermon *n* kázání; řeč
serpent *n* had
serum *n* sérum
servant *n* sluha
serve *v* sloužit; podávat
service *n* služba, servis
service *v* sloužit; obsluhovat; podání
session *n* sezení, sedění
set *n* souprava; sbírka; komplet
set *iv* nastavit; složit; zasadit
set about *v* pustit se do
set off *v* spustit
set out *v* rozložit
set up *up* nastavit
setback *n* neúspěch; zhoršení
setting *n* pozadí; scenerie; nastavení

settle *v* usadit
settle down *v* usadit se
settle for *v* spokojit se s
settlement *n* finanční vypořádání
settler *n* osadník; smiřovatel
setup *n* nastavení; rozvržení; sestava
seven *adj* sedm
seventeen *adj* sedmnáct
seventh *adj* sedmý
seventy *adj* sedmdesát
sever *v* přeseknout; odervat
several *adj* několik
severance *n* odluka; odstupné
severe *adj* silný; drsný; závažný; kritický
severity *n* závažnost
sew *v* šít
sewage *n* odpadní vody
sewer *n* kanalizace
sewing *n* šití
sex *n* pohlaví; sex; pohlavní styk
sexuality *n* sexualita, pohlavnost
shabby *adj* šetrný; otrhaný; zchátralý
shack *n* chatrč
shackle *n* pouto, okov
shade *n* stín; odstín
shadow *n* stín
shady *adj* nezřetelný
shake *iv* třást, třepat
shaken *adj* otřesený**

shaky *adj* labilní
shallow *adj* plytký; povrchní
sham *n* oklamat
shambles *n* zmatek
shame *v* zahanbit; zostudit
shame *n* ostud
shameful *adj* hanebný
shameless *adj* nestoudný
shape *v* tvarovat
shape *n* tvar
share *v* sdílet
share *n* podíl
shareholder *n* akcionář
shark *n* žralok
sharp *adj* ostrý; inteligentní
sharpen *v* ostřit; zbystřit
sharpener *n* ořezávátko
shatter *v* roztříštit
shattering *adj* rozbíjející se
shave *v* holit
she *pro* ona
shear *iv* stříhat
shed *iv* prolít
shed *n* chatrč; kůlna
sheep *n* ovce
sheet *n* list papíru; prostěradlo
shelf *n* police
shell *v* loupat
shell *n* škeble; skořepina; krunýř; mušle
shellfish *n* měkkýš
shelter *v* poskytnout útočiště

shelter *n* skrýš; útočiště
shelves *n* police
shepherd *n* pastýř; ovčák
sherry *n* šery
shield *v* stínit; chránit
shield *n* kryt; štít
shift *n* páka; převod; změna
shift *v* přeřadit; přesunout; sesout
shine *n* třpyt
shine *iv* zářit
shiny *adj* zářivý; lesklý
ship *n* loď
ship *v* dodat; dopravovat
shipment *n* zásilka
shipwreck *n* vrak lodě
shipyard *n* loděnice
shirk *v* vyhýbat se
shirt *n* košile
shiver *v* třes
shiver *n* chvět se
shock *v* šokovat; zasáhnout proudem
shock *n* šok
shocking *adj* šokující
shoddy *adj* nekvalitní
shoe *n* bota
shoe polish *n* lak na boty
shoe store *n* obchod s obuví
shoelace *n* tkanička do bot
shoot *iv* střelit; fotografovat; říct hned
shoot down *v* sestřelit

S

shop *v* nakupovat

shop *n* prodejna

shoplifting *n* krádež v obchodě

shopping *n* nakupování

shore *n* pobřeží

short *adj* krátký; nízký

shortage *n* nedostatek

shortcoming *n* nedostatek

shortcut *n* zkratka

shorten *v* zkrátit

shorthand *n* těsnopis

short-lived *adj* krátkodobý

shortly *adv* zanedlouho

shorts *n* krátké kalhoty

shortsighted *adj* krátkozraký

shot *n* rána

shotgun *n* brokovnice

shoulder *n* rameno

shout *v* křičet

shout *n* křik

shouting *n* hulákání

shove *v* strkat

shovel *n* lopata

shovel *v* rýpaní

show *iv* ukazovat

show off *v* předvádět

show up *v* dostavit se

showdown *n* rozhodující boj

shower *n* sprcha

shrapnel *n* šrapnel

shred *v* trhat

shred *n* kousek

shrewd *adj* chytrý

shriek *v* ječet

shriek *n* jekot

shrimp *n* garnát

shrine *n* svatyně

shrink *iv* scvrknout

shroud *n* pokrýt

shrouded *adj* zahalený

shrub *n* keř

shrug *v* krčit

shudder *n* otřesení, mrazení

shudder *v* zachvět se

shuffle *v* promíchat

shun *v* stranit se

shut *iv* zavřít

shut off *v* uzavřít

shut up *v* přestat mluvit, zavřít pusu

shuttle *v* pendlovat

shy *adj* stydlivý

shyness *n* stydlivost

sick *adj* chorý

sicken *v* dělat se špatně

sickening *adj* odporný

sickle *n* srp

sickness *n* nemoc

side *n* strana

sideburns *n* licousy

sidestep *v* uhnout

sidewalk *n* chodník

sideways *adv* stranou

siege *n* obléhání

siege *v* obléhat
sift *v* prosévat
sigh *n* povzdech
sigh *v* povzdechnutí
sight *n* zrak; pohled
sightseeing *v* prohlížení pamětihodností
sign *v* podepsat; označit
sign *n* znak; symbol; cedule; značka
signal *n* znamení; signál
signal *v* dát znamení
signature *n* podpis
significance *n* význam, důležitost
significant *adj* významný, důležitý
signify *v* naznačit; dát najevo
silence *n* ticho
silence *v* umlčet; utišit
silent *adj* tichý; mlčící
silhouette *n* stínový obraz
silk *n* hedvábí
silly *adj* hloupý; pošetilý; směšný
silver *n* stříbro
silver-plated *adj* postříbřený
silversmith *n* zlatník, stříbrotepec
silverware *n* stříbrné věci
similar *adj* podobný
similarity *n* podobnost
simmer *v* pomalu vařit
simple *adj* jednoduchý; prostý; hloupý
simplicity *n* prostota

simplify *v* zjednodušit
simply *adv* prostě
simulate *v* předstírat
simultaneous *adj* probíhající současně
sin *v* prohřešit se
sin *n* hřích
since *c* od doby; odjakživa; potom až dodnes
since *pre* jelikož; vzhledem k tomu
since then *adv* od té doby
sincere *adj* srdečný
sincerity *n* upřímnost
sinful *adj* hříšný
sing *iv* zpívat
singer *n* zpěvák
single *n* jeden; singl
single *adj* jednotlivý; jediný
singlehanded *adj* bez pomoci
single-minded *adj* cílevědomý
singular *adj* jednotné číslo, singulární
sinister *n* nekalý; zlověstný
sink *n* dřez; kanál
sink *iv* ponořit, potopit se
sink in *v* vbořit se
sinner *n* hříšník
sip *v* srkat
sip *n* doušek
sir *n* pán; pane
siren *n* siréna; svůdná žena
sirloin *n* svíčková

sissy *adj* slaboch, zženštilec
sister *n* sestra
sister-in-law *n* švagrová
sit *iv* sedět; sednout
site *n* síť; stavební parcela; stanoviště; umístění
sitting *n* sezení; sed; ve funkci
situated *adj* položený
situation *n* situace; stav
six *adj* šest
sixteen *adj* šestnáct
sixth *adj* šestý
sixty *adj* šedesát
sizable *adj* velký; schopný úpravy rozměrů
size *n* velikost
size up *v* hodnotit
skate *v* jezdit na bruslích
skate *n* brusle
skeleton *n* kostra
skeptic *n* skeptik
skeptic *adj* skeptický
sketch *v* nakreslit
sketch *n* nákres; skeč
sketchy *adj* zběžný
ski *v* lyžovat
skill *n* dovednost
skillful *adj* dovedný
skim *v* povrchně se dotknout
skin *v* stáhnout
skin *n* kůže; obal; slupka
skinny *adj* hubený

skip *v* přeskočit
skip *n* přeskok
skirmish *n* spor
skirt *n* sukně
skull *n* lebka
sky *n* obloha
skylight *n* stropní světlík
skyscraper *n* mrakodrap
slab *n* krajíc; deska
slack *adj* volný
slacken *v* vyčerpaný
slacks *n* kalhoty
slam *v* bouchnout
slander *n* pomluva; urážka
slanted *adj* nakloněný
slap *n* plácnutí
slap *v* plácnout
slash *n* lomítko; prudce srazit
slash *v* mrskat; ořezat; prudce srazit
slate *n* břidlice
slaughter *v* zabíjení
slaughter *n* zabití
slave *n* otrok
slavery *n* otrokářství; otroctví
slay *iv* zabít
sleazy *adj* pochybný; ubohý
sleep *iv* spát
sleep *n* spánek
sleeve *n* rukáv
sleeveless *adj* bezrukávový
sleigh *n* velké sáně

S

sniff

slender *adj* štíhlý
slice *v* nakrájet na plátky
slice *n* plátek
slide *iv* klouznout
slightly *adv* mírně
slim *adj* štíhlý
slip *v* klouznout
slip *n* omyl; ústřižek
slipper *n* bačkora
slippery *adj* klouzavý
slit *iv* rozštěpit, rozříznout
slob *adj* flákač
slogan *n* slogan
slope *n* svah
sloppy *adj* lajdácký, nedbalý
slot *n* drážka; štěrbina
slow *adj* pomalý; hloupý
slow down *v* zpomalit
slow motion *n* pomalý pohyb
slowly *adv* pomalý
sluggish *adj* loudavý
slum *n* slum, brloh
slump *v* propad
slump *n* propadnutí
slur *v* nadávka; pomluva
sly *adj* chytrý
smack *n* plácnutí
smack *v* plácnout; chutnat
small *adj* malý
smallpox *n* pravé neštovice
smart *adj* bystrý
smash *v* vrazit, udřít

smear *n* roztěr, skvrna
smear *v* mazat; potírat; ušpinit
smell *n* vůně; zápach; čich
smell *iv* čichat
smelly *adj* páchnoucí
smile *v* usmívat se
smile *n* úsměv
smoke *v* kouřit; čmoudit; udit
smoked *adj* uzený
smoker *n* kuřák
smoking gun *n* dýmící zbraň;
  jednoznačný důkaz
smooth *v* uhladit; urovnat
smooth *adj* hladký
smoothly *adv* hladce
smoothness *n* hladkost
smother *v* udusit
smuggler *n* pašerák
snack *n* svačina; malé občerstvení
snack *v* svačit; pochutnat
snail *n* šnek
snake *n* had
snap *v* louskat prsty;
  vyfotografovat; zlomit
snapshot *n* snímek, momentka
snare *v* chytit do oka
snare *n* bubínek; oko; past
snatch *v* uchopit; chňapnout
sneak *v* plížit se
sneeze *v* kýchat
sneeze *n* kýchnutí
sniff *v* čmuchat

S

sniper *n* ostřelovač

snitch *v* donašeč

snooze *v* dřímat

snore *v* chrápat

snore *n* chrápání

snow *v* sněžit

snow *n* sníh

snowfall *n* sněžení

snowflake *n* sněhová vločka

snub *v* urazit; zkritizovat

snub *n* urážka; zkritizování

soak *v* nasávat, sáknout

soak in *v* sáknout; ponořit se

soak up *v* nasakovat

soar *v* tyčit se; vznášet se

sob *v* vzlykat

sob *n* vzlykání

sober *adj* střízlivý; rozvážný

so-called *adj* takzvaný

sociable *adj* společenský

socialism *n* socialismus

socialist *adj* socialistický

socialize *v* společensky se stýkat

society *n* společnost

sock *n* ponožka

sod *n* drn; blbec

soda *n* soda, sodovka

sofa *n* gauč; pohovka

soft *adj* měkký; jemný

soften *v* změkčit, zmírnit, zjemnit

softly *adv* měkce; zlehka; jemně

softness *n* hebkost, měkkost

soggy *adj* promočený

soil *v* ušpinit, pošpinit

soil *n* půda, země

soiled *adj* špinavý

solace *n* útěcha

solar *adj* slunečný

solder *v* pájet, letovat

soldier *n* voják

sold-out *adj* vyprodaný

sole *n* sám, jediný

sole *adj* jediný

solely *adv* samotný; výhradně

solemn *adj* vážný; slavnostní

solicit *v* vyžádat

solid *adj* solidní; pevný

solidarity *n* solidárnost

solitary *adj* osamělý

solitude *n* samota

soluble *adj* rozpustný

solution *n* řešení; roztok

solve *v* řešit; vyřešit

solvent *adj* rozpouštěcí

somber *adj* zádumčivý; ponurý

some *adj* nějaký; několik; něco

somebody *pro* někdo

someday *adv* někdy, jednoho dne

somehow *adv* nějak; nějakým způsobem

someone *pro* někdo

something *pro* něco

sometimes *adv* někdy

someway *adv* nějakým způsobem

S

somewhat *adv* cosi; poněkud; trochu

son *n* syn

song *n* píseň

son-in-law *n* zeť

soon *adv* brzy

soothe *v* tišit

sorcerer *n* čaroděj

sorcery *n* čarodějnictví

sore *n* bolest

sore *adj* bolestivý

sorrow *n* zármutek

sorrowful *adj* truchlící

sorry *adj* cítící lítost

sort *n* druh

sort out *v* setřídit; uspořádat; urovnat

soul *n* duše

sound *n* zvuk

sound *v* znít, zvučet

sound out *v* vyslechnout; vypozorovat

soup *n* polévka

sour *adj* kyselý; trpký

source *n* zdroj

south *n* jih

southbound *adv* směřující na jih

southeast *n* jihovýchod

southern *adj* jižní

southerner *n* obyvatel jihu

southwest *n* jihozápad

souvenir *n* suvenýr

sovereign *adj* svrchovaný; nejvyšší

sovereignty *n* suverenita

soviet *adj* sovětský

sow *iv* osít

spa *n* lázně

space *n* prostor; vesmír

space out *v* rozmístit

spacious *adj* prostorný

spade *n* rýč; lopata; piky

Spain *n* Španělsko

span *v* vyměřovat; klenout se; mít rozsah

span *n* rozpětí; rozsah; rozpon

Spaniard *n* Španěl

Spanish *adj* španělský

spank *v* naplácat

spanking *n* výprask

spare *v* uspořit, ušetřit

spare *adj* nadbytečný; záložní

spare part *n* náhradní díl

sparingly *adv* šetrně

spark *n* jiskra

spark off *v* zapálit

spark plug *n* zapalovací svíčka

sparkle *v* jiskřit

sparrow *n* vrabec

sparse *adj* rozvláčný

spasm *n* křeč

speak *iv* mluvit

speaker *n* mluvčí; reproduktor

spear *n* oštěp; harpuna

S

spearhead *v* průkopník
special *adj* zvláštní, neobyčejný
specialize *v* specializovat
specialty *n* specialita; specializace
species *n* druh; odrůda
specific *adj* specifický
specimen *n* vzorek; exemplář
speck *n* flíček; skvrna; špek
spectacle *n* brýle
spectator *n* divák
speculate *v* spekulovat
speculation *n* spekulace
speech *n* řeč, projev
speechless *adj* oněmělý, němý
speed *iv* jet rychle; rychlit
speed *n* rychlost
speedily *adv* rychlý, chvatný
speedy *adj* rychlý; bezodkladný
spell *iv* hláskovat; kouzlit
spell *n* kouzlo
spelling *n* pravopis; hláskování
spend *iv* vynaložit; strávit; utratit peníze
spending *n* strávení; výdaj; utrácení
sperm *n* sperma
sphere *n* koule; sféra
spice *n* koření
spicy *adj* pikantní
spider *n* pavouk
spider web *n* pavučina

spill *iv* rozlít
spill *n* louže
spin *iv* otáčet; roztočit
spine *n* páteř
spineless *adj* bezpáteřný
spinster *n* přadlena
spirit *n* líh; duch
spiritual *adj* duchovní
spit *iv* plivat
spite *n* zášť, zloba, vzdor
spiteful *adj* zlomyslný, zlý
splash *v* cákat
splendid *adj* báječný; nádherný; skvostný
splendor *n* nádhera
splint *n* úlomek; dýha; dlaha
splinter *n* tříska; štěpina; hoblina
splinter *v* rozbít na třísky, rozštípat
split *n* rozdělení
split *iv* rozdělit, rozštěpit
split up *v* oddělit
spoil *v* pokazit; zkazit; rozmazlit
spoils *n* zkažené zboží
sponge *n* mycí houba
sponsor *n* sponzor, patron
spontaneity *n* nenucenost; samovolnost
spontaneous *adj* nenucený; samovolný
spooky *adj* strašidelný
spool *n* cívka; vřeteno; souběžná činnost

S

spoon *n* lžíce
spoonful *n* lžíce
sporadic *adj* ojedinělý
sport *n* sport
sportsman *n* sportovec
sporty *adj* sportovní
spot *v* postřehnout; spatřit
spot *n* místo; flek; bod
spotless *adj* neposkvrněný
spotlight *n* světlo reflektoru; výsluní
spouse *n* druh; družka
sprain *v* vyvrtnout
sprawl *v* rozvalit; rozléhat; pnout se
spray *v* stříkat
spread *iv* rozšiřovat; rozptýlit; šířit se
spring *iv* napnout; vzpružit
spring *n* jaro; pružina
springboard *n* trampolína
sprinkle *v* pokropit
sprout *v* vyklíčit; růst
spruce up *up* vystrojit se
spur *v* povzbudit; pobízet; bodat
spur *n* podnět; osten
spy *v* vyzvídat
spy *n* zvěd
squalid *adj* zaneřáděný; zchátralý
squander *v* promarnit
square *adj* čtvercový; čtvereční
square *n* čtverec

squash *v* namačkat
squeak *v* skřípot; zakvičet
squeaky *adj* kvičivý
squeamish *adj* háklivý
squeeze *v* sevřít; zmáčknout
squeeze in *v* vtěsnat
squid *n* chobotnice; kalmar
squirrel *n* veverka
stab *v* bodnout
stab *n* bodnutí
stability *n* stálost; stabilita
stable *adj* stabilní; trvanlivý
stable *n* ustájit
stack *v* nahromadit
stack *n* halda; kupka; stoh; zásoba
staff *n* hůl; personál
staff *v* vybavit personálem
stage *n* scéna; jeviště; etapa
stage *v* uspořádat; zrežírovat
stagger *v* potácet
staggering *adj* enormní; šokující
stagnant *adj* stagnující; stojatý
stagnate *v* stagnovat
stagnation *n* stagnace; močálovitost
stain *v* poskvrnit; rezivět
stain *n* skvrna
stair *n* schod
staircase *n* schodiště
stairs *n* schody
stake *n* sázka; kůl
stake *v* odvážit se; upevnit

S

stale *adj* zatuchlý; zvětralý
stalemate *n* mrtvý bod
stalk *v* lepit se na paty, pronásledovat
stalk *n* stonek; brk
stall *n* zastavení; stáj
stall *v* blokovat; ustájit
stammer *v* zadrhávat
stamp *v* razit; označit; otisknout
stamp *n* razítko; razidlo; poštovní známka
stamp out *v* potlačit; zašlápnout
stampede *n* úprk; panika; davová mánie
stand *iv* stát; obstát; vystát
stand *n* postoj; postavení; stánek
stand for *v* stavět se za
stand out *v* vystupovat; vyčnívat
stand up *v* postavit se, vstát
standard *n* norma, standard, úroveň
standardize *v* typizovat; standardizovat; normalizovat
standing *n* stav; pozice
standpoint *n* stanoviště; hledisko; aspekt
standstill *adj* ustálení; stání; zastavení
staple *v* sešít; spojit
staple *n* spona; svorka
stapler *n* sešívačka
star *n* hvězda

starch *n* škrob
starchy *adj* škrobený
stare *v* hledět upřeně, civět
stark *adj* drsný; silný; pustý; naprostý
start *v* začít, startovat
start *n* začátek, start
startle *v* vyděsit
startled *adj* vyplašený
starvation *n* hladovění; vyhladovění; smrt hladem
starve *v* hladovět; umírat hlady
state *n* stav; situace
state *v* tvrdit; vyjádřit; stanovit
statement *n* sdělení; prohlášení; formulace; tvrzení
station *n* stanice; zastávka; stanoviště
stationary *adj* stacionární; nehybný
stationery *n* kancelářské potřeby
statistic *n* statistika
statue *n* socha
status *n* stav, status, statut
statute *n* ustanovení, předpis, směrnice
staunch *adj* zapřisáhlý; zarytý; spolehlivý
stay *v* zastavit; zůstat; zdržovat se
stay *n* pobyt; zastavení
steady *adj* neměnný; spolehlivý
steak *n* stejk, maso

S

steal *iv* krást
stealthy *adj* kradmý, plíživý
steam *n* pára
steel *n* ocel
steep *adj* příkrý
stem *n* kmen; stonek
stem *v* pramenit
stench *n* zápach
step *n* krok
step *v* kráčet
step down *v* odstoupit
step out *v* vyjít
step up *v* jít nahoru; přikročit k
stepbrother *n* nevlastní bratr
step-by-step *adv* postupný; krok za krokem
stepdaughter *n* nevlastní dcera
stepfather *n* nevlastní otec
stepladder *n* schůdky
stepmother *n* nevlastní matka
stepsister *n* nevlastní sestra
stepson *n* nevlastní syn
sterile *adj* neplodný; neúrodný; sterilní
sterilize *v* sterilizovat
stern *n* zadní část
stern *adj* tvrdý; krutý; nepříjemný; strohý
sternly *adv* přísně
stew *n* dušení; sádka na ryby
stewardess *n* letuška
stick *n* hůl, klacek, tyč

stick *iv* přilepit se; držet se
stick around *v* zůstat
stick out *v* vyčnívat, vystrčit
stick to *v* držet se; lnout k; přilepit
sticker *n* etiketa, nálepka
sticky *adj* lepivý
stiff *adj* pevný; tvrdý; toporný
stiffen *v* ztuhnout
stiffness *n* tuhost; strnulost
stifle *v* utlumit; dusit
stifling *adj* potlačující; dusivý
still *adj* tichý; pokojný
still *adv* pořád; stále ještě
stimulant *n* stimulant
stimulate *v* dráždit; stimulovat; podnítit
stimulus *n* podnět; popud
sting *iv* žahadlo; osten
sting *n* bodnutí
stinging *adj* bodání
stingy *adj* lakomý; mající osten
stink *iv* páchnout
stink *n* zápach
stinking *adj* zapáchající
stipulate *v* vyhradit si; určit; umluvit
stir *v* provokovat; namíchnout; hýbat
stir up *v* roznítit
stitch *v* šít
stitch *n* steh**

S

stock v zásobit
stock n zásoby; akcie; sklad
stocking n punčocha
stockpile n halda; rezerva
stockroom n sklad
stoic adj stoický; klidný člověk; flegmatik
stomach n žaludek, břicho
stone n kámen
stone v vydláždit; ukamenovat
stool n židlička; stolice
stop v zastavit
stop n zastavení
stop by v zastavit se
stop over v přerušit cestu
storage n uložení; zásoba
store v skladovat
store n sklad; obchod
stork n čáp
storm n bouře
stormy adj bouřlivý
story n příběh, povídka, pohádka
stove n vařič
straight adj rovný; heterosexuální
straighten out v srovnat
strain v napínat
strain n kmen; druh; nápor
strained adj napjatý
strainer n cedítko
strait n úzký
stranded adj vláknitý; ztroskotaný
strange adj cizí; podivný

stranger n cizinec; neznámá osoba
strangle v škrtit
strap n pás, opasek
strategy n strategie
straw n brčko, stéblo, sláma
strawberry n jahoda
stray adj sporadický
stray v bloudit
stream n sled; tok
street n ulice
streetcar n tramvaj
streetlight n uliční lampa
strength n síla
strengthen v posilnit
strenuous adj vysilující
stress n tlak; zatížení; důraz
stressful adj stresující
stretch n rozpětí, roztažení
stretch v natáhnout
stretcher n nosítka
strict adj přísný
stride iv kráčet
strife n svár
strike n udeřit; vyrazit
strike iv napadat; udeřit; stávka
strike back v oplatit, odrazit
strike out v odpálit míček; razit
strike up v zahrát
striking n bijící; zarážející; stávkující
string n struna; řetězec
stringent adj striktní, přísný
strip n pás, pásmo, proužek

S

strip v svléct; zbavit

stripe n pruh; proužek

striped adj pruhovaný

strive iv snažit se

stroke n úder; mrtvice; hlazení

stroll v potulovat se; procházet

strong adj silný, silně

structure n stavba; složení; textura; struktura

struggle v zápasit

struggle n zápas

stub n pařez; útržek; špalek

stubborn adj paličatý

student n student

study v studovat; nacvičovat; zkoumat

stuff n látka; věc

stuff v nacpat

stuffing n vycpávka; nádivka

stuffy adj ucpaný

stumble v zakopnout

stun v omráčit

stunning adj ohromující

stupendous adj ohromný

stupid adj hloupý

stupidity n hloupost

sturdy adj pevný

stutter v koktat

style n styl

subdue v zdolat

subdued adj podmaněný

subject v vystavit

subject n předmět; osoba

sublime adj vznešený; sublimační

submerge v ponor

submissive adj poddajný

submit v podat; postoupit; podvolit se

subpoena v předvolat

subpoena n předvolání

subscribe v upisovat; předplatit si; odebírat

subscription n předplatné; úpis

subsequent adj následný; posloupný

subsidiary adj podřízený; přidružený; vedlejší

subsidize v dotovat; přispívat; vydržovat

subsidy n dotace

subsist v živit se

substance n hmota; látka

substandard adj nevyhovující, neodpovídající standardu

substantial adj podstatný

substitute v nahradit

substitute n náhrada

subtitle n titulek; podnázev

subtle adj útlý, jemný, subtilní

subtract v odečíst

subtraction n odečtení

suburb n předměstí; okrajové sídliště

subway n metro; podchod

S

succeed *v* následovat; být nástupcem; uspět
success *n* úspěch
successful *adj* úspěšný
successor *n* nástupce
succulent *adj* šťavnatý
succumb *v* podléhat, podlehnout
such *adj* takový; takovýto
suck *v* sát
sucker *adj* nasávač; zelenáč; hlupáček
sudden *adj* náhlý
suddenly *adv* náhle
sue *v* žalovat
suffer *v* trpět
suffer from *v* trpět něčím
suffering *n* utrpen
sufficient *adj* dostačující
suffocate *n* dusit
sugar *n* cukr
suggest *v* navrhovat
suggestion *n* návrh; sugesce
suggestive *adj* naznačující
suicide *n* sebevražda
suit *n* oblek, oděv
suitable *adj* vhodný
suitcase *n* kufr
sulfur *n* síra
sullen *adj* neblahý; podrážděný; vzdorný
sum *n* souhrn; suma; celek
sum up *v* shrnout

summarize *v* sumarizovat
summary *n* souhrn; obsah
summer *n* léto
summit *n* summit; konference; vrchol
summon *v* přivolat
sumptuous *adj* drahý
sun *n* slunce
sun block *n* UV ochrana
sunburn *n* spálení sluncem
Sunday *n* neděle
sundown *n* západ slunce
sunglasses *n* sluneční brýle
sunken *adj* potopený; zapadlý
sunny *adj* slunečný
sunrise *n* východ slunce
sunset *n* západ slunce
superb *adj* skvělý
superfluous *adj* nadbytečný
superior *adj* nadřazený; nadřízený
superiority *n* nadřazenost
supermarket *n* supermarket
superpower *n* velmoc
supersede *v* nastoupit na místo
superstition *n* pověra
supervise *v* dohlížet
supervision *n* dohled; vedení
supper *n* večeře
supple *adj* přizpůsobivý; čilý
supplier *n* dodavatel
supplies *n* dodávky
supply *v* dodávat

support *v* podpořit
supporter *n* podporovatel
suppose *v* domnívat
supposing *c* za předpokladu
supposition *n* domněnka, předpoklad
suppress *v* potlačit
supremacy *n* nadřazenost
supreme *adj* nejvyšší; vrchní
surcharge *n* přitížení
sure *adj* jistý
surely *adv* jistě, bezpochyby
surf *v* surfovat
surface *n* plocha, povrch
surge *n* příval; nápor; nával
surgeon *n* chirurg
surgical *adv* chirurgický
surname *n* příjmení
surpass *v* překonávat
surplus *n* přebytek
surprise *v* překvapit
surprise *n* překvapení
surrender *v* vzdát se, kapitulovat
surround *v* obklíčit; obklopit
surroundings *n* okolí
surveillance *n* sledování
survey *n* přehled; průzkum; dotazník
survival *n* přežití
survive *v* přežít
survivor *n* přeživší
susceptible *adj* vnímavý; přístupný

suspect *v* podezírat; tušit
suspect *n* podezřelý
suspend *v* pozastavit; suspendovat; vyloučit
suspenders *n* podvazky; šle
suspense *n* napětí
suspension *n* závěs; napětí
suspicion *n* podezření
suspicious *adj* podezřívavý
sustain *v* snést; utrpět
sustenance *n* obživa, výživa
swallow *v* polknout
swamp *n* močál, bažina
swamped *adj* zaplavený
swan *n* labuť
swap *v* vyměnit
swap *n* výměna
swarm *v* rojit se
swarm *n* hejno
sway *v* točit; kymácet se
swear *iv* přísahat; nadávat
sweat *n* pot
sweat *v* dřít; potit se
sweater *n* svetr
Sweden *n* Švédsko
Swedish *adj* Švédský
sweep *iv* zametat, vymést
sweet *adj* sladký; milý
sweeten *v* sladit
sweetheart *n* zlatíčko, miláček
sweetness *n* sladkost
sweets *n* sladkosti

S

swell *iv* zvětšit; bobtnat; otékat

swelling *n* otok

swift *adj* rychlý

swim *iv* plavat

swimmer *n* plavec

swimming *n* plavání

swindle *v* podvádění

swindle *n* podvod

swindler *n* podvodník

swing *iv* švihat; houpat

swing *n* švihání

Swiss *adj* švýcarský

switch *v* přepnout

switch *n* vypínač

switch off *v* vypnout

switch on *v* zapnout

Switzerland *n* Švýcarsko

swivel *v* otáčet

swollen *adj* oteklý

sword *n* meč

swordfish *n* mečoun

syllable *n* slabika

symbol *n* symbol, znak

symbolic *adj* symbolický

symmetry *n* souměrnost

sympathize *v* sympatizovat; mít soucit

sympathy *n* soucit; pochopení; sympatie

symphony *n* symfonie

symptom *n* příznak

synagogue *n* synagoga

synchronize *v* synchronizovat

synod *n* církevní sjezd

synonym *n* synonymum

synthesis *n* sloučení, syntéza

syphilis *n* syfilis

syringe *n* injekční stříkačka

syrup *n* sirup

system *n* systém

systematic *adj* systematický

T

table *n* stůl; tabulka

tablecloth *n* ubrus

tablespoon *n* lžíce; naběračka

tablet *n* tablet; tableta; tabulka

tack *n* obrat; směr; připínáček

tackle *v* popadnout; vypořádat se

tact *n* takt

tactful *adj* taktní

tactical *adj* taktický

tactics *n* taktika

tag *n* přívěsek; cenovka; cedulka

tail *n* ocas; konec; zadní část

tail *v* jet v patách

tailor *n* krejčí

tainted *adj* poskvrněný; nakažený

take *iv* vzít; chopit se

take apart *v* rozebrat

take away *v* odnášet

take back *v* vzít zpátky; odvolat

take in *v* odbírat

take off *v* odlétat

take out *v* vyjmout; brát ven

take over *v* převzít

tale *n* příběh; pohádka

talent *n* talent

talk *v* mluvit

talkative *adj* hovorný

tall *adj* vysoký

tame *v* zkrotit

tangent *n* tečna

tangerine *n* mandarinka

tangible *adj* hmatatelný

tangle *n* hádka; zmatek

tank *n* nádrž; cisterna; tank

tanned *adj* opálený

tantamount to *adj* rovnající se

tantrum *n* hněv

tap *n* klepnutí; čep; pípa

tap into *v* klepnutí na

tape *n* pásek, páska

tape recorder *n* magnetofon

tapestry *n* nástěnný koberec

tar *n* dehet; asfalt

tarantula *n* tarantule

tardy *adv* opožděný

target *n* cíl

tariff *n* ceník; sazba

tarnish *v* pošpinit

tart *n* koláč; běhna

tartar *n* hrubián; xantipa

task *n* úkol

taste *v* chutnání

taste *n* chuť

tasteful *adj* vkusný

tasteless *adj* nechutný

tasty *adj* vkusný

tavern *n* hospoda

tax *n* daň

tea *n* čaj

teach *iv* učit

teacher *n* učitel

team *n* tým

teapot *n* čajová konvice

tear *iv* trhat; rozervat

tear *n* slza; trhlina

tearful *adj* ubrečený

tease *v* škádlit; dobírat; dráždit

teaspoon *n* čajová lžička

technical *adj* technický

technicality *n* formalita

technician *n* technik

technique *n* technika

technology *n* technologie; technika

tedious *adj* otravný

tedium *n* fádnost

teenager *n* teenager

teeth *n* zuby

telegram *n* telegram

telepathy *n* telepatie

telephone *n* telefon
telescope *n* teleskop
televise *v* vysílat
television *n* televize
tell *iv* říct
teller *n* vypravěč
telling *adj* vyprávějící
temper *n* povaha
temperature *n* teplota
tempest *n* vichřice; vřava
temple *n* kostel; chrám; spánek
temporary *adj* dočasný
tempt *v* lákat
temptation *n* pokušení
tempting *adj* lákavý
ten *adj* desítka
tenacity *n* urputnost
tenant *n* nájemník
tendency *n* tendence
tender *adj* něžný
tenderness *n* něha
tennis *n* tenis
tenor *n* tenor; průběh
tense *adj* napjatý
tension *n* napětí, tenze
tent *n* stan
tentacle *n* chapadlo
tentative *adj* váhavý
tenth *n* desetina
tenuous *adj* jemný; štíhlý; řídký
tepid *adj* vlažný
term *n* období; doba; podmínka

terminate *v* ukončit
terminology *n* terminologie
termite *n* termit
terms *n* podmínky
terrace *n* terasa
terrain *n* terén
terrestrial *adj* pozemský
terrible *adj* hrozný
terrific *adj* velkolepý; ohromný; děsný
terrify *v* vyděsit
terrifying *adj* děsivý
territory *n* území
terror *n* hrůza
terrorism *n* terorismus
terrorist *n* terorista
terrorize *v* terorizovat
terse *adj* střízlivý; stručný
test *v* testovaní; zkoušení
test *n* test, prověrka
testament *n* závěť; svědectví
testify *v* svědčit
testimony *n* svědectví
text *n* text
textbook *n* učebnice
texture *n* struktura
thank *v* děkovat
thankful *adj* vděčný
thanks *n* dík; díky; poděkování
that *adj* takový
thaw *v* rozehřát
thaw *n* oteplení**

theater *n* divadlo; kino
theft *n* krádež
theme *n* téma; motiv; znělka
themselves *pro* oni sami; sobě
then *adv* pak, potom, poté
theologian *n* bohoslovec
theology *n* teologie
theory *n* teorie; nauka
therapy *n* léčba, terapie
there *adv* tam
therefore *adv* tudíž; proto
thermometer *n* teploměr
thermostat *n* termostat
these *adj* tito; tyto; tyhle
thesis *n* teze; diplomka; disertace
they *pro* oni; ony
thick *adj* tlustý; hustý
thicken *v* ztloustnout; zahustit
thickness *n* tloušťka
thief *n* zloděj
thigh *n* stehno
thin *adj* tenký; řídký
thing *n* věc
think *iv* myslet
thinly *adv* tence
third *adj* třetí
thirst *v* žíznit
thirsty *adj* žíznivý
thirteen *adj* třináct
thirty *adj* třicet
this *adj* tohle
thorn *n* trn

thorny *adj* trnitý
thorough *adj* důkladný
those *adj* tamti; tamty
though *c* ačkoliv
thought *n* myšlenka
thoughtful *adj* ohleduplný;
  pozorný; myslivý
thousand *adj* tisíc
thread *v* táhnout se, proplétat se
thread *n* vlákno; souvislost
threat *n* hrozba
threaten *v* vyhrožovat
three *adj* tři
thresh *v* mlátit
threshold *n* práh; hranice
thrifty *adj* poctivý
thrill *v* vzrušovat; napínat
thrill *n* záchvěv; vzrušení
thrive *v* vzkvétat
throat *n* hrdlo
throb *n* tlukot; záchvěv
throb *v* tlouct; pulsovat
thrombosis *n* trombóza
throne *n* trůn
throng *n* tlačenice
through *pre* přes, skrze
throw *iv* házet
throw away *v* zahodit; promarnit
throw up *v* zvracet
thug *n* kriminálník, hrdlořez
thumb *n* palec
thumbtack *n* napínáček**

T

thunder *n* hrom

thunderbolt *n* blesk

thunderstorm *n* hromobití

Thursday *n* čtvrtek

thus *adv* tudíž

thwart *v* zmařit

thyroid *n* štítná žláza

tickle *v* lechtat

tickle *n* polechtání

ticklish *adj* lechtivý

tidal wave *n* přílivová vlna

tide *n* příliv a odliv

tidy *adj* uspořádaný

tie *v* vázat

tie *n* kravata; remíza

tiger *n* tygr

tight *adj* těsný

tighten *v* sevřít; utáhnout

tile *n* dlaždice

till *adv* dokud, až do

till *v* obdělávat půdu

tilt *v* naklánět

timber *n* dříví

time *n* čas

time *v* načasovat

timeless *adj* nadčasový

timely *adj* včasný

times *n* časy

timetable *n* rozvrh

timid *adj* bázlivý

timidity *n* nesmělost

tin *n* plech; konzerva

tiny *adj* drobný

tip *n* hrot, konec

tiptoe *v* jít po špičkách

tire *n* pneumatika

tire *v* unavovat

tired *adj* unavený

tiredness *n* unavenost

tireless *adj* neúnavný

tiresome *adj* únavný

tissue *n* tkanivo; papírové kapesníky

title *n* titul, název

to *pre* k; ke; aby

toad *n* žába

toast *v* opékat

toast *n* toast; přípitek

toaster *n* toustovač

tobacco *n* tabák

today *adv* dnes

toddler *n* batole

toe *n* prst na noze

toenail *n* nehet na noze

together *adv* společně

toil *v* dřít

toilet *n* záchod

token *n* žeton; symbol

tolerable *adj* snesitelný

tolerance *n* snášenlivost

tolerate *v* snášet

toll *n* clo; mýtné; daň; poplatek; cena

tomato *n* rajče**

tomb *n* hrobka

tombstone *n* náhrobní kámen

tomorrow *adv* zítra

ton *n* tuna; tisíc

tone *n* tón

tongs *n* kleště

tongue *n* jazyk; řeč

tonic *n* tonikum; tonik

tonight *adv* dnes večer, dnešní noc

tonsil *n* krční mandle

too *adv* moc; příliš; také; též; taky; rovněž

tool *n* nástroj

tooth *n* zub

toothache *n* bolest zubů

toothpick *n* párátko

top *n* vrchol; špice; svršek

topic *n* téma

topple *v* skácet

torch *n* pochodeň

torment *v* mučit, trápit

torment *n* mučení, trápení, utrpení

torrent *n* proud

torrid *adj* vášnivý; vyprahlý

torso *n* trup

tortoise *n* želva

torture *v* mučit

torture *n* mučení

toss *v* hodit

total *adj* celkový; úplný

totalitarian *adj* totalista

totality *n* celost; totalita

touch *n* dotek

touch *v* dotýkat se

touch on *v* dotýkat se

touch up *v* upravit

touching *adj* dojímavý

tough *adj* silný

toughen *v* utužit

tour *n* cesta; výprava

tourism *n* turistika, cestování

tourist *n* turista

tournament *n* turnaj

tow *v* táhnout

tow truck *n* odtahovací vozidlo

towards *pre* vůči; proti; směrem k

towel *n* ručník

tower *n* věž

towering *adj* čnící

town *n* město

town hall *n* radnice

toxic *adj* jedovatý

toxin *n* toxin

toy *n* hračka

trace *v* stopa

track *n* stopa; dráha

track *v* stopovat; sledovat

traction *n* tažná síla

tractor *n* traktor

trade *n* obchod

trade *v* obchodovat

trademark *n* ochranná známka

trader *n* obchodník, kupec

tradition *n* tradice

traffic *n* silniční doprava, provoz

traffic *v* obchodování

tragedy *n* tragédie

tragic *adj* tragický

trail *v* vléct

trail *n* stopa

trailer *n* přívěsný vůz; vlek; ukázka filmu

train *n* vlak

train *v* cvičit, školit

trainee *n* účastník školení

trainer *n* školitel; cvičitel; trenér

training *n* školení; výcvik; trénink

trait *n* rys

traitor *n* zrádce

trajectory *n* dráha

tram *n* tramvaj

trample *v* udupat

trance *n* trans

tranquility *n* klid

transaction *n* transakce; provedení obchodu

transcend *v* překročit

transcribe *v* přepsat

transfer *v* přenést; dopravit

transfer *n* přesun

transform *v* proměnit

transformation *n* proměna

transfusion *n* transfuse

transient *adj* přechodný

transit *n* přeprava

transition *n* přechod; změna

translate *v* překládat

translator *n* překladatel; překladač

transmit *v* vysílat

transparent *adj* průhledný; zřejmý

transplant *v* přesadit; transplantovat

transport *v* přepravit

trap *n* past

trap *v* chytit

trash *n* odpad, smetí

trash can *n* popelnice

traumatic *adj* traumatický

traumatize *v* traumatizovat

travel *v* cestovat

traveler *n* cestovatel

tray *n* tác

treacherous *adj* úkladný; proradný

treachery *n* zrada

tread *iv* šlapat

treason *n* zrada, velezrada

treasure *n* poklad

treasurer *n* pokladník

treat *v* zacházet s; léčit

treat *n* dárek; báječná věc

treatment *n* zacházení s; léčení

treaty *n* dohoda

tree *n* strom

tremble v třást se
tremendous adj ohromný
tremor n třes
trench n zákop
trend n trend, móda
trendy adj módní
trespass v vstoupit na cizí pozemek
trial n soudní řízení; zkouška; experiment
triangle n trojúhelník
tribe n kmen
tribulation n soužení
tribunal n soudní dvůr
tribute n pocta
trick v ošidit
trick n trik; lest
trickle v kanout
tricky adj obtížný
trigger v spustit
trigger n kohoutek; spoušťěč
trim v ořezávat
trimester n trimestr
trimmings n obruby; odstřižky
trip n výlet, cesta
trip v zakopnout; dovádět
triple adj trojitý
tripod n trojnožka
triumph n vítězství
triumphant adj vítězoslavný
trivial adj banální
trivialize v bagatelizovat

trolley n vozík
troop n četa, vojsko
trophy n trofej; kořist
tropic n tropy
tropical adj tropický
trouble n starost; potíž
trouble v sužovat
troublesome adj namáhavý; působící nesnáze
trousers n kalhoty
trout n pstruh
truce n příměří
truck n nákladní auto
trucker n řidič nákladního auta
trumped-up adj zinscenovaný
trumpet n trubka
trunk n trup; kufr
trust v věřit; důvěřovat
trust n víra; důvěra; svěřenectví; kartel; nadace
truth n pravda
truthful adj pravdivý
try v zkusit
tub n koupat
tuberculosis n tuberkulóza
Tuesday n úterý
tuition n vyučování; školné
tulip n tulipán
tumble v povalit
tummy n břicho
tumor n nádor
tumult n rozruch

tumultuous *adj* bouřlivý

tuna *n* tuňák

tune *n* píseň; melodie

tune *v* ladit

tune up *v* naladit

tunic *n* obal; blána; halenka

tunnel *n* tunelovat

turbine *n* turbína

turbulence *n* turbulence

turf *n* trávník; území

Turk *adj* turecký

Turkey *n* Turecko; krocan

turmoil *adj* nepokojný

turn *n* odbočka; zvrat

turn *v* zabočit; otočit; zvrátit

turn back *v* otočit zpět

turn down *v* odmítat

turn in *v* zdržet se

turn off *v* vypnout

turn on *v* zapnout

turn out *v* ukázat se; dopadnout

turn over *v* obrátit

turn up *v* dostavit se

turret *n* věž

turtle *n* želva

tusk *n* kel, tesák

tutor *n* školitel

tweezers *n* pinzeta

twelfth *adj* dvanáctý

twelve *adj* dvanáct

twentieth *adj* dvacátý

twenty *adj* dvacet

twice *adv* dvakrát

twilight *n* stmívání

twin *n* dvojče

twinkle *v* třpytit

twist *v* překroutit

twist *n* zápletka

twisted *adj* zkroucený; zvrácený

twister *n* tornádo

two *adj* dva, dvě

tycoon *n* magnát

type *n* písmo; typ

type *v* psát na stroji

typical *adj* typický

tyranny *n* tyranství; diktatura

tyrant *n* tyran; despota

U

ugliness *n* šerednost

ugly *adj* ošklivý

ulcer *n* vřed

ultimate *adj* konečný

ultimatum *n* ultimátum

ultrasound *n* ultrazvuk

umbrella *n* deštník

umpire *n* rozhodčí

unable *adj* neschopný

unanimity *n* jednomyslnost

T
U

unarmed *adj* neozbrojený

unassuming *adj* skromný

unattached *adj* volný; nepřipoutaný

unavoidable *adj* neodvratitelný

unaware *adj* nevědomý

unbearable *adj* nesnesitelný

unbeatable *adj* neporazitelný

unbelievable *adj* neuvěřitelný

unbiased *adj* nepředpojatý

unbroken *adj* nerozbitý; nezlomený

unbutton *v* rozepnout

uncertain *adj* nejistý

uncle *n* strýc

uncomfortable *adj* nepohodlný; nepříjemný

uncommon *adj* neobvyklý

unconscious *adj* bezvědomý; nevědomý

uncover *v* odkrýt

undecided *adj* nerozhodnutý

undeniable *adj* nepopiratelný

under *pre* pod; dolů

undercover *adj* tajný

underdog *n* smolař

undergo *v* podstoupit

underground *adj* podzemní

underlie *v* tvořit základ

underline *v* podtrhnout

underlying *adj* spodní; základový; zásadní

undermine *v* podrýt

underneath *pre* pod; spodní

underpass *n* podchod, podjezd

understand *v* rozumět

understandable *adj* srozumitelný

understanding *adj* chápavý

undertake *v* podniknout

underwear *n* spodní prádlo

underwrite *v* podepsat

undeserved *adj* nezasloužený

undesirable *adj* nežádoucí

undisputed *adj* nesporný

undo *v* odčinit

undoubtedly *adv* nepochybně

undress *v* svlékat

undue *adj* přílišný

unearth *v* odkrýt, vytáhnout ze země

uneasiness *n* rozpačitost

uneasy *adj* nesnadný; znepokojený

uneducated *adj* nevzdělaný

unemployed *adj* nezaměstnaný

unemployment *n* nezaměstnanost

unending *adj* nekončící

unequal *adj* nerovný

unequivocal *adj* nepochybný, jednoznačný

uneven *adj* lichý; nevyrovnaný

uneventful *adj* jednotvárný

unexpected *adj* neočekávaný

unfailing *adj* neselhávající
unfair *adj* nespravedlivý
unfairly *adv* nečestně
unfairness *n* nečestnost
unfaithful *adj* nesvědomitý; nevěrný
unfamiliar *adj* neobeznámený s něčím
unfasten *v* rozpínat
unfavorable *adj* nemilý
unfit *adj* nehodící se
unfold *v* rozložit; odhalit; vyložit
unforeseen *adj* neočekávaný
unforgettable *adj* nezapomenutelný
unfounded *adj* neopodstatněný
unfriendly *adj* nepřátelský, nevlídný
unfurnished *adj* neopatřený; nezařízený
ungrateful *adj* nevděčný
unhappiness *n* nešťastnost
unhappy *adj* nešťastný
unharmed *adj* nezraněný; nepoškozený
unhealthy *adj* nezdravý
unheard-of *adj* neslýchaný
unhurt *adj* nezraněný; nedotčený
unification *n* jednotnost; sjednocení
uniform *n* uniforma
uniformity *n* jednotnost, uniformita

unify *v* sjednotit
unilateral *adj* jednostranný
union *n* sjednocení; unie
unique *adj* jedinečný
unit *n* jednotka
unite *v* sjednotit
unity *n* jednota
universal *adj* univerzální; všestranný; obecný
universe *n* vesmír
university *n* univerzita
unjust *adj* nespravedlivý
unjustified *adj* neoprávněný
unknown *adj* neznámý
unlawful *adj* nezákonný
unleaded *adj* bezolovnatý
unleash *v* uvolnit; odvázat
unless *c* ledaže, leda
unlike *adj* různý
unlikely *adj* nepravděpodobný
unlimited *adj* neomezený
unload *v* složit; vyložit
unlock *v* odemknout
unlucky *adj* nešťastný
unmarried *adj* svobodný
unmask *v* odhalit
unmistakable *adj* nepochybný
unnecessary *adj* nepotřebný
unnoticed *adj* nepovšimnutý
unoccupied *adj* neobsazený
unofficially *adv* neoficiálně
unpack *v* vybalit; rozbalit

unpleasant *adj* nepříjemný
unplug *v* odpojit
unpopular *adj* neoblíbený
unpredictable *adj* nepředvídatelný
unprofitable *adj* nevýnosný
unprotected *adj* nechráněný
unravel *v* rozpadat
unreal *adj* neskutečný
unrealistic *adj* nerealistický
unreasonable *adj* nerozumný
unrelated *adj* nesouvisející
unreliable *adj* nespolehlivý
unrest *n* neklid
unsafe *adj* nebezpečný
unselfish *adj* nesobecký
unspeakable *adj* nepopsatelný
unstable *adj* nestálý
unsteady *adj* nestálý
unsuccessful *adj* neúspěšný
unsuitable *adj* nevhodný
unsuspecting *adj* důvěřivý
unthinkable *adj* nemyslitelný
untie *v* rozvázat
until *pre* dokud
untimely *adj* nepříhodný
untouchable *adj* nedotknutelný
untrue *adj* nepravdivý
unusual *adj* neobyčejný
unveil *v* odhalit
unwillingly *adv* neochotně
unwind *v* odvíjet

unwise *adj* nerozumný
unwrap *v* rozbalit
upbringing *n* výchova
upcoming *adj* nastávající
update *v* aktualizovat
upgrade *v* vylepšit
upheaval *n* zdvihání
uphill *adv* vyvýšený; stoupající
uphold *v* podporovat; pozdvihnout; prosazovat
upholstery *n* čalounění
upkeep *n* údržba
upon *pre* na; při; nad
upper *adj* horní
upright *adj* svislý; kolmo; vzpřímený
uprising *n* povstání
uproar *n* zmatek; randál
uproot *v* vykořenit
upset *v* rozčílit; rozrušit
upside-down *adv* vzhůru nohama
upstairs *adv* nahoru po schodech; vyšší poschodí
uptight *adj* napnutý; napjatý
up-to-date *adj* aktuální
upturn *n* konjunktura; vzestup
upwards *adv* směrem nahoru
urban *adj* městský
urge *n* urgence
urge *v* naléhat
urgency *n* naléhavost
urgent *adj* naléhavý

urinate v močit

urine n moč

urn n urna

us pre nás; nám

usage n spotřeba; použití

use v používat

use n použití

used to adj zvyklý

useful adj užitečný

usefulness n užitečnost

useless adj nepoužitelný

user n uživatel

usher n uvaděč; biletář

usual adj obvyklý

usurp v zmocnit

utensil n kuchyňské náčiní

uterus n děloha

utilize v využít; upotřebit

utmost adj mezní

utter v vyjádřit; vyslovit

V

vacancy n prázdnota; volné pracovní místo

vacant adj prázdný

vacate v vyprázdnit

vacation n vyprázdnění; dovolená

vaccinate v očkovat

vaccine n vakcína

vacillate v váhat; kolísat

vagrant n tulák

vague adj neurčitý

vain adj marnivý

vainly adv marně

valiant adj statečný

valid adj platný

validate v ověřit platnost

validity n platnost

valley n údolí

valuable adj cenný

value n hodnota

value v docenit; cenit si

valve n ventil

vampire n upír

van n dodávkový vůz

vandal n vandal

vandalism n vandalismus

vandalize v pustošit

vanguard n předvoj

vanish v zmizet

vanity n marnost

vanquish v zdolat

vaporize v vypařit

variable adj proměnná

varied adj různorodý; odlišný

variety n různorodost

various adj různý

varnish v lakovat

varnish n lak

vary *v* odlišit
vase *n* váza
vast *adj* obrovský; širý
veal *n* telecí maso
veer *v* točit
vegetable *n* zelenina
vegetarian *v* vegetarián
vegetation *n* vegetace
vehicle *n* vůz
veil *n* závoj, rouška
vein *n* žíla
velocity *n* rychlost
velvet *n* samet
venerate *v* uctívat
vengeance *n* pomsta
venison *n* maso z jelena
venom *n* jed
vent *n* průchod; větrací otvor
ventilate *v* ventilovat; větrat
ventilation *n* ventilace
venture *v* spekulace; hazard;
venture *n* podnik
verb *n* sloveso
verbally *adv* slovně
verbatim *adv* doslova
verdict *n* rozhodnutí
verge *n* okraj; lem
verification *n* ověření
verify *v* ověřit
versatile *adj* všestranný;
  univerzální
verse *n* verš

versed *adj* zručný; zkušený;
  informovaný
version *n* verze
versus *pre* proti
vertebra *n* obratel
very *adv* hodně
vessel *n* céva
vest *n* tílko, triko
vestige *n* zdání; stopa
veteran *n* veterán
veterinarian *n* zvěrolékař
veto *v* vetovat
viaduct *n* viadukt
vibrant *adj* sytý
vibrate *v* vibrovat
vibration *n* vibrace
vice *n* svěrák; chyba; vada
vicinity *n* blízké okolí
vicious *adj* zlý
victim *n* oběť
victimize *v* dělat z někoho oběť
victor *n* vítěz
victorious *adj* vítězný
victory *n* vítězství
view *n* pohled
view *v* prohlídnout
viewpoint *n* výhled; zorný bod;
  hledisko
vigil *n* bdění
village *n* vesnice
villager *n* vesničan
villain *n* kriminálník

vindicate *v* obhájit; očistit; dávat za pravdu

vindictive *adj* obhajující; mstivý; trestní

vine *n* vinná réva

vinegar *n* ocet

vineyard *n* vinice

violate *v* porušit; ublížit

violence *n* násilí

violent *adj* násilný

violet *n* fialka

violin *n* housle

violinist *n* houslista

viper *n* zmije

virgin *n* panna

virginity *n* panenství

virile *adj* mužný; plodný; potentní

virility *n* síla; potence

virtually *adv* virtuálně; doslova

virtue *n* ctnost; právní moc

virtuous *adj* ctnostně

virulent *adj* jedovatý

virus *n* vir

visibility *n* viditelnost

visible *adj* viditelný

vision *n* zrak; vize

visit *n* návštěva

visit *v* navštívit

visitor *n* návštěvník

visual *adj* vizuální

visualize *v* představit si

vital *adj* životaschopný

vitality *n* vitalita

vitamin *n* vitamin

vivacious *adj* živý, čilý

vivid *adj* intenzivní

vocabulary *n* slovní zásoba

vocation *n* povolání

vogue *n* móda

voice *n* hlas

void *adj* marný, prázdný

volatile *adj* prchlivý

volcano *n* sopka

volleyball *n* volejbal

voltage *n* napětí

volume *n* objem; hlasitost; díl

volunteer *n* dobrovolník

vomit *v* zvracet

vomit *n* zvratky

vote *v* volit

vote *n* hlas

voting *n* hlasování

vouch for *v* zaručit se za

voucher *n* kupon

vow *v* zaslíbit

vowel *n* samohláska

voyage *v* cesta

voyager *n* cestovatel; mořeplavec

vulgar *adj* vulgární

vulgarity *n* vulgárnost

vulnerable *adj* zranitelný

vulture *n* sup, kondor

V

wafer *n* plát; oplatka; pečeť
wag *v* kývat
wage *n* mzda
wage *v* vést boj
wagon *n* povoz; vůz
wail *v* truchlit
wail *n* nářek
waist *n* pás
wait *v* čekat
waiter *n* číšník
waiting *n* čekání
waitress *n* servírka
waive *v* odmítnout
wake up *iv* vzbudit se
walk *v* chodit; kráčet
walk *n* chůze
walkout *n* stávka
wall *n* zeď; stěna
wallet *n* peněženka
walnut *n* vlašský ořech
walrus *n* mrož
waltz *n* valčík
wander *v* putovat; potulovat se
wanderer *n* vandrák; tulák; poutník
wane *v* slábnout; mizet
want *v* chtít
war *n* válka
ward *n* vězení; léčebna; poručnictví

warden *n* dozorce; vychovatel; správce
wardrobe *n* šaty, šatník; skříň na šaty
warehouse *n* sklad; skladiště; obchodní dům
warfare *n* válčení
warm *adj* teplý
warm up *v* ohřát
warmth *n* teplo; vřelost
warn *v* varovat; upozornit
warning *n* varování; upozornění
warp *v* deformovat
warped *adj* zdeformovaný
warrant *v* dovolovat; ručit; zaručit
warrant *n* příkaz; zatykač
warranty *n* záruka
warrior *n* válečník
warship *n* válečná loď
wart *n* bradavice
wary *adj* obezřetný
wash *v* mýt
washable *adj* omyvatelný, pratelný
wasp *n* vosa
waste *v* plýtvat
waste *n* odpad
waste basket *n* koš na odpadky
wasteful *adj* plýtvající
watch *n* hlídka; hodinky
watch *v* dívat se; hlídkovat

watch out *v* dávat si pozor
watchful *adj* bdělý, pozorný
watchmaker *n* hodinář
water *n* voda
water *v* zavlažování
water down *v* rozředit
water heater *n* ohřívač vody
waterfall *n* vodopád
watermelon *n* meloun
waterproof *adj* vodotěsný
watershed *n* vodní předěl; rozvodí
watertight *adj* nepropustný
watery *adj* vlhký; rozbředlý; vodnatý
watt *n* watt
wave *n* vlna; mávnutí
wave *v* mávat
waver *v* kolísat; váhat
wavy *adj* zvlněný
wax *n* vosk
way *n* cesta; způsob
way in *n* vchod; způsob
way out *n* cesta ven; východ
we *pro* my
weak *adj* slabý
weaken *v* zeslábnout, oslabit
weakness *n* slabost, slabina
wealth *n* bohatství
wealthy *adj* bohatý, zámožný
weapon *n* zbraň
wear *n* oděv

wear *iv* oblékat
wear down *v* opotřebovat se
wear out *v* obnosit; opotřebovat se
weary *adj* zmožený; vyčerpaný; unavený
weather *n* počasí
weave *iv* tkát
web *n* web; pavučina
web site *n* internetová stránka
wed *iv* oženit; vdát
wedding *n* svatba
wedge *n* klín
Wednesday *n* středa
weed *n* plevel; tráva
weed *v* plít
week *n* týden
weekday *adj* všední den
weekend *n* víkend
weekly *adv* týdenní
weep *iv* pláč
weigh *v* vážit
weight *n* váha, tíže
weird *adj* divný, podivný
welcome *v* přivítání
welcome *n* uvítání
weld *v* svářet
welder *n* svářeč
welfare *n* blahobyt; sociální péče
well *n* dobro, studánka, pramen
well *adj* dobrý
well-known *adj* dobře známý
well-to-do *adj* prosperující, blahobytný

W

west *n* západ
westbound *adv* směřující na západ
western *adj* západní; westernový
westerner *adj* obyvatel západu
wet *adj* mokrý
whale *n* velryba
wharf *n* přístaviště
what *adj* jaký, který
whatever *adj* jakýkoli
wheat *n* pšenice
wheel *n* kolo
wheelbarrow *n* trakař
wheelchair *n* invalidní vozík
wheeze *v* těžce dýchat
when *adv* když
whenever *adv* kdykoli
where *adv* kde
whereabouts *n* místo nacházení
whereas *c* kde, kdežto
whereupon *c* načež
wherever *c* kdekoliv
whether *c* zdali, zda
which *adj* který
while *c* zatímco; když; chvíle
whim *n* rozmar
whine *v* fňukání
whip *v* mrskat
whip *n* bič
whirl *v* vír; otáčet
whirlpool *n* vodní vír; vířivá lázeň
whiskers *n* kníry

whisper *v* šeptat
whisper *n* šepot
whistle *v* pískat
whistle *n* písknutí
white *adj* bílý
whiten *v* bělit
whittle *v* řezat
who *pro* kdo
whoever *pro* kdokoliv
whole *adj* celý
wholehearted *adj* dobrosrdečný
wholesale *n* velkoobchod
wholesome *adj* zdraví prospěšný
whom *pro* jimž; nimž; jejž; jemuž; komu
why *adv* proč
wicked *adj* zlý
wickedness *n* špatnost
wide *adj* široký
widely *adv* široce; obecně
widen *v* šířit
widespread *adj* obecně rozšířený
widow *n* vdova
widower *n* vdovec
width *n* šířka
wield *v* ovládat
wife *n* manželka
wig *n* paruka
wiggle *v* vrtět, třepotat
wild *adj* divoký
wild boar *n* černá zvěř
wilderness *n* divočina

wildlife *n* divočina; život v přírodě

will *n* vůle; ochota

willfully *adv* svéhlavě

willing *adj* ochotný; dobrovolný

willingly *adv* ochotně

willingness *n* snaha; ochota; dobrá vůle

willow *n* vrba; kriketová pálka

wily *adj* lstivý; mazaný

wimp *adj* chudák; ňouma; slaboch

win *iv* vítězit, vyhrávat

win back *v* vyhrát dřív prohrané

wind *n* vítr

wind *iv* ovinout

wind up *v* navíjet; skončit

winding *adj* točivý

windmill *n* větrný mlýn

window *n* okno

windpipe *n* průdušnice

windshield *n* čelní sklo auta

windy *adj* větrný; bouřlivý; bezobsažný

wine *n* víno

winery *n* vinice; vinařský závod

wing *n* křídlo

wink *n* mrknutí

wink *v* mrkat

winner *n* vítěz; výherce

winter *n* zima

wipe *v* utírat

wipe out *v* vytírat; upadnout; smazat

wire *n* drát; lanko; odposlouchávací štěnice

wireless *adj* bezdrátový

wisdom *n* moudrost

wise *adj* moudrý

wish *v* přát

wish *n* přání

wit *n* důvtip; vtipnost

witch *n* čarodějnice

witchcraft *n* čarodějnictví

with *pre* s, se

withdraw *v* vyzvednout; odvolat

withdrawal *n* ústup; odvolání; vysázení

withdrawn *adj* odebraný

wither *v* vadnout, chřadnout

withhold *iv* odepřít; odmítnout; zatajit

within *pre* v mezích, během, v průběhu

without *pre* bez, beze

withstand *v* vydržet, snášet

witness *n* svědek

witty *adj* duchaplný, vtipný

wives *n* manželky

wizard *n* čaroděj

wobble *v* kmitat

woes *n* strasti

wolf *n* vlk

woman *n* žena

womb *n* lůno; děloha

women *n* ženy

wonder *v* divit se; žasnout
wonder *n* údiv; zázrak; div
wonderful *adj* nádherný
wood *n* dřevo
wooden *adj* dřevěný
wool *n* vlna
woolen *adj* vlněný
word *n* slovo
wording *n* formulace; znění
work *n* práce; dílo
work *v* pracovat; fungovat
work out *v* vypracovat; posilovat
workable *adj* funkční;
  tvarovatelný; proveditelný
workbook *n* pracovní sešit, kniha
worker *n* dělník; zaměstnanec
workshop *n* dílna; seminář
world *n* svět
worldly *adj* světový; pozemský
worldwide *adj* celosvětový
worm *n* červ
worn-out *adj* opotřebený
worrisome *adj* znepokojující;
  obtěžující
worry *v* znepokojovat, sužovat
worry *n* obava, starost
worse *adj* horší
worsen *v* zhoršovat
worship *v* uctívání
worst *adj* nejhorší
worth *adj* cenný
worthless *adj* bezcenný; nehodný

worthwhile *adj* stojící za to
worthy *adj* hodnotný
would-be *adj* rádoby
wound *n* zranění
wound *v* zranit
woven *adj* tkaný
wrap *v* zavinout, zabalit
wrap up *v* zabalit
wrapping *n* obal
wrath *n* vztek, zloba
wreath *n* věnec
wreck *v* zničit
wreckage *n* vrak
wrench *n* klíč na matice
wrestle *v* zápasit
wrestler *n* zápasník
wrestling *n* zápas
wretched *adj* mizerný; nešťastný;
  podlý
wring *iv* kroutit; mačkat
wrinkle *v* vrásnit
wrinkle *n* vráska
wrist *n* zápěstí
write *iv* psát
write down *v* napsat, zapsat
writer *n* spisovatel
writhe *v* svíjet
writing *n* psaní
written *adj* psaný
wrong *adj* špatný

X-mas *n* Vánoce
X-ray *n* rentgenový paprsek

yacht *n* jachta
yam *n* sladký brambor
yard *n* dvůr; délková míra
yarn *n* příze, vlákno
yawn *n* zívnutí
yawn *v* zívání
year *n* rok
yearly *adv* roční, každoroční
yearn *v* toužit; být dojat
yeast *n* kvasnice; kvasinka
yell *v* křičet
yellow *adj* žlutý
yes *adv* jo, ano
yesterday *adv* včera
yet *c* ještě; dosud; stále
yield *v* dát přednost, poddat se
yield *n* úroda, výtěžek
yoke *n* jařmo

yolk *n* žloutek
you *pro* ty; vy
young *adj* mladý
youngster *n* mládenec
your *pro* Váš; tvůj
yours *pro* Váš; tvůj
yourself *pro* ty sám; vy sám; sobě
youth *n* mládí, mládež
youthful *adj* mladický

Z

zap *v* praštit; odprásknout
zeal *n* horlivost
zealous *adj* horlivý, zanícený
zebra *n* zebra
zero *n* nula
zest *n* chuť, koření, říz
zinc *n* zinek
zip code *n* poštovní směrovací
číslo
zipper *n* zip
zone *n* zóna
zoo *n* zoologická zahrada
zoology *n* zoologie

Czech-English

Bilingual Dictionaries, Inc.

Abbreviations

a - article
n - noun
e - exclamation
pro - pronoun
adj - adjective
adv - adverb
v - verb
pre - preposition
c - conjunction

A

a *c* and
abeceda *n* alphabet
abnormalita *n* abnormality
abnormální *adj* abnormal
absolutní *adj* absolute
absolvování *n* graduation
absolvovat *v* graduate
abstraktní *adj* abstract
absurdní *adj* ludicrous, absurd; grotesque
aby *c* but
aby *pre* to
ačkoli *adv* as
ačkoliv *c* although, though
adaptace *n* adaptation
adaptér *n* adapter
administrativa *n* paperwork
admirál *n* admiral
adopce *n* adoption
adoptivní *adj* adoptive
adoptovat *v* adopt
adresa *n* address
adresář *n* folder; directory
adresát *n* addressee
adresovat *v* address
advent *n* Advent
advokát *n* lawyer
aerolinie *n* airline
afrodiziakální *adj* aphrodisiac

agenda *n* agenda
agent *n* agent
agentura *n* agency
agitátor *n* agitator
agnostik *n* agnostic
agrární *adj* country
agrese *n* aggression
agresivní *adj* aggressive
agresor *n* aggressor
ahoj *e* bye, hello
akademický *adj* academic
akademie *n* academy
akce *n* action
akcelerátor *n* accelerator
akcie *n* stock
akcionář *n* shareholder
aklimatizovat *v* acclimatize
akr *n* acre
akrobat *n* acrobat
akta *n* dossier
aktiva *n* assets
aktivace *n* activation
aktivita *n* activity
aktivní *adj* active, energetic
aktivovat *v* activate
aktivum *n* asset
aktovka *n* briefcase
aktualizovat *v* update
aktuálně *adv* currently
aktuální *adj* actual; up-to-date
akustický *adj* acoustic
akutní *adj* acute

akvadukt *n* aqueduct
akvárium *n* aquarium
akvizice *n* acquisition
alarmovat *v* alert
alarmující *adj* alarming
ale *c* but
alegorie *n* allegory
alej *n* alley, lane
alergický *adj* allergic
alergie *n* allergy
algebra *n* algebra
aliance *n* alliance
aligátor *n* alligator
alkohol *n* booze
alkoholický *adj* alcoholic
alkoholizmus *n* alcoholism
almanach *n* almanac
almužna *n* handout
almužny *n* alms
alokovat *v* allocate
alternativa *n* alternative
amatérský *adj* amateur
ambiciózní *adj* ambitious
ambulance *n* ambulance
ambulantní pacient *n* outpatient
americký *adj* American
americký fotbal *n* football
amfiteátr *n* amphitheater
amfora *n* pitcher
amnestie *n* amnesty
amnézie *n* amnesia

amorální *adj* amoral
amorfní *adj* amorphous
amortizace *n* depreciation
amplion *n* amplifier
amputace *n* amputation
amputovat *v* amputate
analogie *n* analogy
analýza *n* analysis
analyzovat *v* analyze
ananas *n* pineapple
anarchie *n* anarchy
anarchista *n* anarchist
anatomie *n* anatomy
anděl *n* angel
andělský *adj* angelic
anekdota *n* anecdote
anektovat území *n* annexation
anestézie *n* anesthesia
anexe *n* annexation
angažovanost *n* involvement
angína *n* angina
anglický *adj* English
Anglie *n* England
anglikánský *adj* Anglican
ani *adv* neither
ani *c* nor
ani ten ani onen *adv* neither
animace *n* animation
animovat *v* animate
anketa *n* poll
ano *adv* yes
anomálie *n* abnormality

anonymita *n* anonymity
anonymní *adj* anonymous
anotace *n* annotation, footnote
anténa *n* antenna
antibiotikum *n* antibiotic
antilopa *n* antelope
antipatie *n* antipathy
anulování *n* cancellation, annulment
anulovat *v* invalidate, cancel, annul, nullify
aperitiv *n* appetizer, aperitif
aplaudovat *v* applaud
aplaus *n* applause
aplikace *n* application
aplikovat *v* apply
apokalypsa *n* apocalypse
apostrof *n* apostrophe
apoštol *n* apostle
arabský *adj* Arabic
aranžér *n* dresser
arašíd *n* peanut
arbitráž *n* arbitration
arcibiskup *n* archbishop
aréna *n* arena
aretace *n* arrest
argument *n* argument
argumentace *n* reasoning
argumentovat *v* reason
archa *n* ark
archeologie *n* archaeology
architekt *n* architect

architektura *n* architecture
archív *n* archive
aristokracie *n* aristocracy, nobility
aristokrat *n* aristocrat
aritmetický *n* arithmetic
arktický *adj* arctic
armáda *n* army
arogance *n* arrogance
arogantní *adj* arrogant, overbearing
aroma *n* flavor
aromatický *adj* aromatic
arsenál *n* arsenal
arterie *n* artery
artritida *n* arthritis
artyčok *n* artichoke
arzén *n* arsenic
asfalt *n* tar, asphalt
asi *pre* about
asistence *n* assistance
asistovat *v* assist
asketický *adj* ascetic
asociovat *v* associate
asparágus *n* asparagus
aspekt *n* aspect, facet, standpoint
aspirin *n* aspirin
aspirovat *v* aspire
asteroid *n* asteroid
astma *n* asthma
astmatický *adj* asthmatic
astrolog *n* astrologer

astrologie *n* astrology
astronom *n* astronomer
astronomie *n* astronomy
ateismus *n* atheism
ateista *n* atheist
atentát *n* assassination
atlet *n* athlete
atletický *adj* athletic
atmosféra *n* atmosphere
atmosférický *adj* atmospheric
atom *n* atom
atomový *adj* nuclear, atomic
aukce *n* auction
autentický *adj* authentic
auto *n* car, auto
autobus *n* bus, coach
autogram *n* autograph
automatický *adj* automatic
automobil *n* automobile
autonomie *n* autonomy
autonomní *adj* autonomous
autor *n* author
autoritativní *adj* authoritarian
autorská práva *n* copyright
autorský honorář *n* royalty
autostop *n* hitchhike
averze *n* aversion, loathing
avšak *adv* nevertheless
axióm *n* axiom
azyl *n* asylum
až *adv* down
až do *adv* till

B

babička *n* grandmother, granny
baculatý *adj* plump
bačkora *n* slipper
bádání *n* inquiry
bádat *v* research
badatel *n* explorer
bagatelizovat *v* belittle, trivialize
bageta *n* baguette
bahnitý *adj* muddy
bahno *n* bog
báj *n* myth
báječná věc *n* treat
báječný *adj* fantastic, splendid, blissful
bajka *n* fable
bakalář *n* bachelor
bakterie *n* germ
baktérie *n* bacteria
baldachýn *n* awning
balení *n* pack, bundle
balík *n* bale, package, parcel
balit *v* bag, sack
balit do fólie *v* foil
balit do krabic *v* box
balkón *n* balcony
balón *n* balloon
balvan *n* boulder
balzám *n* balm
balzamovat *v* embalm

bambus *n* bamboo
banální *adj* banal, gray; petty, trivial
banálnost *n* banality
banán *n* banana
banka *n* bank
banket *n* banquet
bankovka *n* bill
bankrot *n* bankruptcy
bar *n* bar
barák *n* crib
barbar *n* barbarian
barbarský *adj* barbaric
barbarství *n* barbarism
barel *n* barrel
baret *n* beret
barevný *adj* colorful
bariéra *n* barrier
barikáda *n* barricade
barman *n* barman, bartender
barmanka *n* barmaid
barometr *n* barometer
barva *n* paint, color, dye
barvicí *adj* dying
barvit *v* color, dye
bas *n* bass
baseball *n* baseball
basketbal *n* basketball
baterie *n* battery
batoh *n* backpack
batole *n* toddler
bavlna *n* cotton

bazar *n* bazaar
bazén *n* pool
bažant *n* pheasant
bažina *n* swamp
bažit *v* lust, covet
báseň *n* poem
básník *n* poet
báze *n* base, basis
bázeň *n* awe
bázlivý *adj* afraid, timid
bdělý *adj* watchful, awake
bdění *n* vigil
bedna *n* box, chest
bedra *n* loin
beletrie *n* fiction
belgický *adj* Belgian
Belgie *n* Belgium
beneficient *n* beneficiary
benigní *adj* benign
benzín *n* gasoline, gas
beran *n* ram
beranit *v* ram
beroucí dech *adj* breathtaking
bestiální *adj* bestial
bestie *n* beast
beton *n* concrete
betonový *adj* concrete
bez *pre* without
bez cíle *adv* adrift
bez domova *adj* homeless
bez ohledu *adv* regardless
bez peněz *adj* penniless

bez pomoci *adj* singlehanded
bez rukávů *adj* sleeveless
bezbolestný *adj* painless
bezbožný *adj* godless
bezbranný *adj* defenseless
bezcenný *adj* worthless
bezcílný *adj* aimless
bezcitný *adj* callous, heartless
bezdětný *adj* childless
bezdrátový *adj* cordless, wireless
beze *pre* without
bezedný *adj* bottomless
bezespárý *adj* seamless
bezešvý *adj* seamless
bezcharakterní *adj* greasy
bezkofeinový *adj* decaf
bezmocný *adj* powerless
bezmračný *adj* cloudless
beznadějný *adj* hopeless
bezobsažný *adj* windy
bezodkladný *adj* speedy
bezohledný *adj* careless, irrespective
bezolovnatý *adj* unleaded
bezpáteřný *adj* spineless
bezpečí *n* safety
bezpečnost *n* security
bezpečný *adj* secure, safe
bezplatný *adj* free
bezpochyby *adv* surely
bezprostřední *adj* imminent
bezradný *adj* helpless

bezsemenný *adj* seedless
bezstarostný *adj* carefree
beztrestnost *n* impunity
beztvarý *adj* amorphous
bezúhonnost *n* integrity
bezúhonný *adj* blameless
bezútěšný *adj* abysmal
bezvadně fungující *adj* foolproof
bezvadný *adj* impeccable, flawless
bezvědomý *adj* unconscious
bezvládí *n* anarchy
bezvýznamný *adj* meaningless
bědovat *v* lament
běhat *v* run
během *pre* within, during
běhna *n* tart
bělidlo *n* bleach
bělit *v* bleach, whiten
běsnit *v* rampage; rave
běžec *n* runner
běžet *v* operate
běžně *adv* normally
běžný *adj* ordinary, casual, common
běžný postup *n* routine
bible *n* bible
biblický *adj* biblical
bibliografie *n* bibliography
bič *v* lash
bič *n* whip
bída *n* poverty

bídný *adj* lousy, miserable
bigamie *n* bigamy
bigotní *adj* bigot
bigotnost *n* bigotry
bijící *n* striking
bilance *n* balance
biletář *n* usher
bílit *v* bleach
bílkovina *n* protein
bílý *adj* white
binec *n* mess
biografie *n* biography
biologický *adj* biological
biologie *n* biology
biskup *n* bishop
bít *v* beat, bludgeon
bití *n* beating
bitva *n* battle
bizarní *adj* bizarre
bizon *n* bison
blábolit *v* babble
blaho *n* bliss
blahobyt *n* welfare, affluence, prosperity
blahobytný *adj* well-to-do, affluent
blahopřání *n* congratulations
blána *n* tunic
bláto *n* mud
blázen *n* fool
bláznit *v* fool
bláznivost *n* craziness

bláznivý *adj* mad, crazy
blaženost *n* bliss
blažený *adj* blessed
blbec *n* sod
blbnout *v* goof
blbost *n* rubbish
bledost *n* paleness
bledý *adj* pale
blecha *n* flea
blesk *n* bolt, lightning, thunderbolt
blikání *n* glimmer
blikat *v* blink, flicker
blízké okolí *n* vicinity
blízko *pre* near
blízko u *pre* close to
blízkost *n* affinity; proximity
blízký *adj* close, intimate, nearby
blízký člověk *n* bosom
blízký přítel *n* crony
blížící se *adj* forthcoming
blok *n* block
blokáda *n* blockage, blockade
blokování *n* blockage
blokovat *v* stall, inhibit, obstruct, block
blonďatý *adj* blond
bloudit *v* stray
blouznit *v* hallucinate
blud *n* delusion, fallacy, heresy
bludiště *n* labyrinth, maze
blýskavý *adj* flashy

B

blyštit se *v* gleam
bobr *n* beaver
bobtnat *v* swell
bod *n* article, point, spot
bodák *n* bayonet
bodání *adj* stinging
bodat *v* prick, spur
bodavá bolest *n* pang
bodnout *v* stab
bodnutí *n* stab, sting
bodový *adj* punctual
bohatí *adj* rich
bohatství *n* wealth
bohatý *adj* ample; wealthy
bohoslovec *n* theologian
bohyně *n* goddess
bochánek *n* bun
bochníček *n* cob
bochník *n* loaf
boj *n* conflict, combat, fight
bóje *n* buoy
bojechtivý *adj* belligerent
bojkotovat *v* boycott
bojovat *v* champion; battle, combat, fight
bojovník *n* fighter, champion, combatant
bok *n* flank
bok po boku *adv* abreast
bolest *n* ache, pain, sore
bolest hlavy *n* headache
bolest ucha *n* earache

bolest zubů *n* toothache
bolestivý *adj* painful, sore
bolestná ztráta úmrtím *n* bereavement
bolestný *adj* hurtful
bomba *n* bombshell, bomb
bombardování *n* bombing
bombardovat *v* bomb
bonus *n* bonus
bordel *n* brothel
borec *n* champion
borovice *n* pine
bosý *adj* barefoot
bota *n* boot, shoe
botanika *n* botany
boubelatý *adj* chubby
bouda *n* booth
bouchnout *v* slam
bouchnutí *v* pop
boule *n* bulge
bourání *n* demolition
bouře *n* storm
bouřit *v* riot
bouřit se *v* rebel
bouřlivý *adj* tumultuous; windy, stormy; boisterous, gutsy; ecstatic
box *n* boxing
boxer *n* boxer
boxovat *v* box
božský *adj* divine
božství *n* divinity

B

božstvo *n* deity
brada *n* chin
bradatý *adj* bearded
bradavice *n* wart
brambora *n* potato
brána *n* gate
brandy *n* brandy
branec *n* recruit, conscript
bránit *v* defend, prevent
branka *n* goal
brankář *n* goalkeeper
brát na vědomí *v* acknowledge
brát narkotikum *v* dope
brát ven *v* take out
bratr *n* brother
bratranec *n* cousin
bratrský *adj* brotherly, fraternal
bratrství *n* brotherhood, fraternity
bratři *n* brethren
brázda *n* furrow
brázdit *v* plow; channel
brblat *v* grouch
brčko *n* straw
brečet *v* cry
brigáda *n* brigade
Británie *n* Britain
britský *adj* British
brk *n* stalk
brloh *n* slum; kennel, den
brnění *n* armor
brokovnice *n* shotgun

bronchitida *n* bronchitis
bronz *n* bronze
broskev *n* peach
brouk *n* bug, beetle
broukat *v* hum
brousit *v* rub
brožura *n* booklet, brochure, pamphlet
brusle *n* skate
bruslení *v* ice skate
brusný papír *n* sandpaper
brutálně zacházet *v* brutalize
brutální *adj* bestial, brute, brutal
brýle *n* eyeglasses, glasses, goggles, spectacle
brzda *n* brake
brzdit *v* brake
brzy *adv* early; soon
břeh *n* bank, brink
břemeno *n* burden
březen *n* March
břidlice *n* slate
břicho *n* stomach, tummy, abdomen, belly
břímě *n* charge, imposition
bříško prstu *n* fingertip
břitva *n* razor
buben *n* drum
bubínek *n* snare
bublina *n* bubble
buď *adv* either
budík *n* alarm, alarm clock

B
C

budoucnost *n* future
budova *n* building, edifice
bufet *n* cafeteria; bar
bujný *adj* rampant
bulletin *n* bulletin
bulvár *n* boulevard, avenue
bunda *n* jacket
bunkr *n* bunker
burácení *n* rumble
burácet *v* rumble
buržoazní *adj* bourgeois
buš *n* bush
bušit *v* bang, batter, knock,
  pound, hammer
buvol *n* buffalo
bůček *n* bacon
Bůh *n* God
by měl *v* ought to
bydlet *v* reside
bylina *n* herb
byrokracie *n* red tape,
  bureaucracy
byrokrat *n* bureaucrat
bys měl *v* ought to
bysta *n* bust
bystrost *n* perception
bystrý *adj* bright, smart
byt *n* condo, apartment, flat,
  quarters
bytí *n* being
bytná *n* landlady
bytný *n* landlord

bytost *n* creature
bytostný *adj* fundamental
býčí zápas *n* bull fight
býk *n* bull
být *v* exist, be
být dojat *v* yearn
být důležité *v* matter
být nástupcem *v* succeed
být podstatou čeho *v* constitute
být povinován *v* owe
být proti *v* oppose
být přitahován *v* gravitate
být v rozporu *v* collide, conflict,
  contrast
být ve shodě *v* concur
bývalý *adj* former
bzučák *n* buzzer
bzučení *n* buzz

C

car *n* czar
cákat *v* splash
cedítko *n* strainer
cedule *n* sign
cedulka *n* tag
cech *n* guild
cejchovat *v* calibrate

celebrovat *v* celebrate; officiate
celek *n* sum
celer *n* celery
celibát *n* celibacy
celibátní *adj* celibate
celistvost *n* integrity
celkově *adv* overall
celkový *adj* total, altogether
celkový majetek *n* assets
celnice *n* customs
celnictví *n* customs
celoroční *adj* perennial
celost *n* totality
celostátní *adj* national
celosvětový *adj* worldwide
celý *adj* all, entire, whole
cement *n* cement
cena *n* award, merit, prize; toll, cost, price
cena letenky *n* airfare
ceník *n* tariff
cenit si *v* value
cenný *adj* valuable, worth
cenová nabídka *n* quotation
cenově dostupný *adj* affordable
cenovka *n* tag
cent *n* cent, penny
centimetr *n* centimeter
centralizovat *v* centralize
centrální *adj* central
centrovat *v* center
centrum *n* hub

cenzura *n* censorship
ceremonie *n* ceremony
certifikát *n* certificate
cesta *n* path, way; trip, tour, expedition, journey
cesta *v* voyage
cesta ven *n* way out
cestování *n* tourism
cestovat *v* travel
cestovatel *n* explorer, voyager, traveler
cestující *n* itinerary
céva *n* duct, vessel
cibule *n* onion
cibulka *n* bulb
ciferník *n* dial
cigareta *n* cigarette
cihla *n* brick
Cikán *n* gypsy
cirkus *n* circus
cisterna *n* tank, cistern
cit *n* emotion
citace *n* quotation
citlivý *adj* sensitive, responsive
citovat *v* quote
citové výlevy *n* outpouring
citový *adj* emotional
citron *n* lemon
cituplný *adj* pathetic
city *n* feelings
civět *v* stare
civilizace *n* civilization

C

civilizovat *v* civilize
civilní *adj* civil
cívka *n* spool, reel
cizí *adj* strange, foreign
cizinec *n* stranger, alien, foreigner
cizoložit *v* adulterate
cizoložství *n* adultery
cizopasník *n* parasite
cíl *n* purpose; point, target
cíl cesty *n* destination
cílevědomý *adj* single-minded
cílit *v* aim
církev *n* church
církevní sjezd *n* synod
císař *n* emperor
císařovna *n* empress
císařský *adj* imperial
císařství *n* empire
cítící lítost *adj* sorry
cítit *v* feel
clo *n* customs, duty, toll
clona *n* curtain
co *c* as
co se týče *pre* concerning
cokoliv *pro* anything
cop *n* braid
cosi *adv* somewhat
couvat *v* back
což *c* as
ctít *v* esteem, respect
ctitel *n* admirer
ctižádost *n* ambition

ctižádostivý *adj* ambitious
ctnost *n* virtue
ctnostně *adj* virtuous
cudnost *n* chastity, modesty
cudný *adj* chaste
cukr *n* sugar
cukroví *n* pastry
cukrovinky *n* candy
cukrovka *n* diabetes
cvaknout *v* click
cvičení *n* practice, exercise
cvičit *v* practice, exercise, train
cvičitel *n* trainer
cvok *n* pin
cvrček *n* cricket
cyklista *n* cyclist
cyklón *n* cyclone
cyklovat *v* cycle
cyklus *n* cycle
cylindr *n* cylinder
cynický *adj* cynic
cynizmus *n* cynicism
cypřiš *n* cypress
cysta *n* cyst

Č

čaj *n* tea
čajová konvice *n* teapot
čajová lžička *n* teaspoon
čalounění *n* padding; upholstery
čaroděj *n* sorcerer, wizard
čarodějnice *n* witch
čarodějnictví *n* sorcery,
 witchcraft
čas *n* time
časopis *n* magazine
časová posloupnost *n*
 chronology
časování *n* conjunction
časovat *v* conjugate
časový rozpis *n* schedule
často *adv* often
častost *n* frequency
častý *adj* frequent
časy *n* times
čáp *n* stork
čára *n* line
čárka *n* comma
část *n* portion, partition, part,
 section
částečka *n* particle
částečná ztráta paměti *n*
 amnesia
částečně *adv* partially
částečný *adj* partial, partly

částice *n* corpuscle; element
částka *n* amount
čekání *n* waiting
čekat *v* expect, wait
čelist *n* jaw
čelit *v* oppose, face
čelní představitel *n* leader
čelní sklo auta *n* windshield
čelo *n* forehead
čenich *n* muzzle
čenichat *v* muzzle
čep *n* bolt; tap
čepel *n* blade
čepice *n* cap
čerň *n* blackness
černá zvěř *n* wild boar
černost *n* blackness
černý *adj* black
černý jako uhel *adj* pitch-black
čerpací stanice *n* garage
čerpadlo *n* pump
čerstvý *adj* fresh
čert *n* devil
červ *n* worm
červen *n* June
červená páska *n* red tape
červená řepa *n* beet
červenající se *adj* rosy
červenat se *v* blush
červenec *n* July
červený *adj* red
čeření *n* purification

česnek *n* garlic
čest *n* honor
čestnost *n* fairness, honesty
čestný *adj* fair, honest
četa *n* troop, platoon
četař *n* sergeant
četba *n* reading
četný *adj* numerous
či *c* or
čich *n* smell
čichat *v* smell
čilý *adj* vivacious, supple
čin *n* action, act, feat
činit částku *v* amount to
činitel *n* agent; factor
činnost *n* action, activity, operation
činže *n* rent
čip *n* chip
čistění *n* purification
čisticí prostředek *n* cleaner
čistič *n* cleanser
čistidlo *n* bleach
čistit *v* purify, clean, purge
čistit chemicky *v* dry-clean
čistka *n* purge
čistota *n* purity, cleanliness
čistý *adj* blank, pure, clean
čitelný *adj* legible
číhat *v* prowl, lurk
číselník *n* dial
číslice *n* digit

číslo *n* number, figure
číst *v* read
číšník *n* waiter
článek *n* article
člen *n* member
členit *v* articulate
členstvo *n* membership
člověk *n* man
člun *n* boat
čmárat *v* scribble
čmoudit *v* smoke
čmuchat *v* sniff
čnící *adj* towering
čnít *v* protrude
čočka *n* lens; lentil
čokoláda *n* chocolate
čpavek *n* ammonia
čtenář *n* reader
čtrnáct *adj* fourteen
čtvercový *adj* square
čtverec *n* square
čtvereční *adj* square
čtvrt *n* quarters
čtvrť *n* borough
čtvrtek *n* Thursday
čtvrtina *n* quarter
čtvrtletí *n* quarters
čtvrtletní *adj* quarterly
čtvrtý *adj* fourth
čtyři *adj* four
čtyřicet *adj* forty
čudlík *n* nip

D

daleko *adv* afar
dalekohled *n* binoculars
daleký *adv* far
další *adj* additional, another; other, next
další *adv* further
daň *n* duty, toll, tax
danit *v* levy
dar *n* gratuity, donation, gift, present
darebáctví *n* mischief
darebák *n* crook
darebný *adj* naughty
darování *n* donation
darovat *v* donate
dařit se *v* prosper
dáseň *n* gum
data *n* data
databáze *n* database
datum *n* date
dav *n* crowd, mob
davová mánie *n* stampede
dál *pre* along, further, onwards
dále *adv* furthermore; further, farther
dále než *adv* beyond
dálkový *adj* remote
dálnice *n* freeway, highway
dáma *n* madam, lady

dámské prádlo *n* lingerie
Dánsko *n* Denmark
dárce *n* donor
dárek *n* gift, treat
dát *v* put; give
dát do sádry *v* plaster
dát do zástavy *v* pawn
dát na příděl *v* ration
dát najevo *v* manifest, signify, exhibit
dát pokyn *v* instruct
dát právní formu *v* constitute
dát pryč *v* give away, put away
dát přednost *v* yield
dát rozchod *v* dismiss
dát si pozor *v* beware
dát stranou *v* earmark, put aside
dát ven *v* put out
dát znamení *v* beckon, signal
dávat do oběhu *v* emit
dávat přednost *v* prefer
dávat si pozor *v* watch out
dávat za pravdu *v* vindicate
dávka *n* dosage; ration; batch
dávkování *n* dosage
dbalost *adj* mindless
dbalý *adj* mindful
dbát *v* heed
dcera *n* daughter
debata *v* debate
debatovat *n* debate
debut *n* debut

dedukce *n* deduction
dedukovat *v* infer
deficit *n* deficiency, deficit
definice *n* definition
definovat *v* define
deformace *n* deformity
deformovat *v* deform, warp
degenerace *n* degeneration
degenerovaný *adj* degenerate
degenerovat *v* degenerate
degradovat *v* demote
dehet *n* tar
dehydratovat *v* dehydrate
dehydrovat *v* dehydrate
dech *n* breath
deka *n* blanket, quilt
deklarovat *v* declare
dekorovat *v* decorate
dekret *n* decree
delegace *n* delegation
delegát *n* delegate
delfín *n* dolphin
dementovaný *adj* demented
demise *n* demise
demokracie *n* democracy
demokratický *adj* democratic
demonstrovat *v* march
demontovat *v* dismantle
demoralizovat *v* demoralize
den *n* day
deník *n* diary, journal, log
denně *adv* daily

dentální *adj* dental
deodorant *n* deodorant
depo *n* depot
deportace *n* deportation
deportovat *v* deport
deprese *n* depression
deprimovaný *adj* dejected
deprimovat *v* depress
deprimující *adj* depressing
derivační *adj* derivative
derivovat *v* derive
desátník *n* corporal
deseticent *n* dime
desetina *n* tenth
desetinný *adj* decimal
desetník *n* dime
desítiletí *n* decade
desítka *adj* ten
deska *n* slab
despota *n* tyrant
despotický *adj* domineering, despotic
destička *n* plate
destilát *n* liquor
destilovat *v* distill
destrukce *n* destruction
deštník *n* umbrella
dešťová srážka *n* rainfall
detail *n* detail
detailní *adj* punctual
detekovat *v* detect
detektiv *n* detective

detektor *n* detector
detonovat *v* detonate
devadesát *adj* ninety
devalvace *n* devaluation
devalvovat *v* devalue
devastace *n* devastation
devatenáct *adj* nineteen
devátý *adj* ninth
devět *adj* nine
deviace *n* deviation
devíza *n* motto
dezert *n* dessert
dezertovat *v* defect
deziluze *n* disillusion
dezinfekční prostředek *n* disinfectant
dezinfikovat *v* disinfect
dezintegrace *n* disintegration
dezolátní *adj* desolate
dezorientovaný *adj* disoriented
délka *n* length
délková míra *n* foot; yard
démant *n* diamond
démon *n* demon
déšť *n* rain
děda *n* granddad
dědeček *n* grandfather
dědic *n* heir
dědictví *n* inheritance, heritage, legacy, patrimony
dědička *n* heiress
dědičný *adj* hereditary

děj *n* plot
dějiště *n* scene
dějství *n* act
děkan *n* dean
děkovat *v* thank
dělat *v* do
dělat se špatně *v* sicken
dělat výtržnosti *v* riot
dělat z někoho oběť *v* victimize
dělenec *n* dividend
dělit *v* divide
dělitelný *adj* divisible
dělník *n* worker
dělo *n* cannon
děloha *n* womb, uterus
dělostřelectvo *n* artillery
děrování *n* piercing
děs *n* consternation, nightmare
děsit *v* horrify
děsivý *adj* frightening, terrifying
děsný *adj* terrific, ghastly
děťátko *n* baby
děti *n* children
dětinský *adj* childish
dětství *n* childhood
děvče *n* girl
diabetický *adj* diabetic
diagnostikovat *v* diagnose
diagnóza *n* diagnosis
diagram *n* chart, diagram
diákon *n* deacon
dialog *n* dialogue

D

diamant *n* diamond
diář *n* diary
diecéze *n* diocese
dieta *n* diet
dík *n* thanks
dikobraz *n* porcupine
diktátor *n* dictator
diktátorský *adj* dictatorial
diktatura *n* tyranny, dictatorship
diktovat *v* dictate
díky *n* thanks
dilema *n* predicament, dilemma
dílna *n* workshop
dinosaurus *n* dinosaur
diplom *n* diploma
diplomacie *n* diplomacy
diplomat *n* diplomat
diplomatický *adj* diplomatic
diplomka *n* thesis
disciplína *n* discipline
disent *v* dissent
disertace *n* thesis
disk *n* disk
diskrétní *adj* discreet
diskriminace *n* discrimination
diskriminovat *v* discriminate
diskutabilní *adj* debatable
diskutovat *v* discuss
diskuze *n* discussion
diskvalifikovat *v* disqualify
displej *n* display
disponibilní *adj* available

disponovat *v* dispose
distancovat *v* disclaim
distribuce *n* distribution
distribuovat *v* distribute
div *n* phenomenon, wonder
divadlo *n* theater
divák *n* onlooker, spectator
diverzifikovat *v* diversify
dividenda *n* dividend
divit se *v* wonder
divize *n* division
dívka *n* maid, gal
divný *adj* bizarre, weird
divočina *n* wildlife, wilderness
divokost *n* ferocity, savagery
divoký *adj* fierce, ferocious, wild
divošský *adj* savage
díl *n* sequel, episode, volume
dílo *n* creation, work
díra *n* hole, pothole
dírkování *n* perforation
dítě *n* child, kid
dívat *v* look
dívat se *v* watch
dívat se na *v* look at
dívat se skrz prsty *v* look down
dlaha *n* splint
dlaň *n* palm
dlažba *n* pavement
dlaždice *n* tile
dlažební kostka *n* cobblestone
dláto *n* chisel

dláždit *v* pitch
dlouhodobý *adj* long-term
dlouhotrvající *adj* long-standing
dlouhý *adj* long
dlouhý dopis *n* epistle
dluh *n* debit, debt
dlužit *v* owe
dlužník *n* debtor
dlužný *adj* due
dlužný *adv* owing to
dna *n* gout
dnes *adv* today
dnes večer *adv* tonight
dnešní noc *adv* tonight
dno *n* bottom
do *pre* by
do čeho *adv* down
doba *n* age, term
dobírat *v* tease
dobít *v* recharge
dobrá vůle *n* willingness, goodwill
dobro *n* well
dobročinný *adj* charitable
dobrodružství *n* adventure
dobrořečení *n* benediction
dobrosrdečný *adj* caring, wholehearted
dobrota *n* goodness, kindness
dobrotivý *adj* benevolent
dobrovolník *n* volunteer
dobrovolný *adj* willing

dobrý *adj* well
dobře *adv* alright
dobře vychovaný *adj* ladylike
dobře známý *adj* familiar, well-known
doby *n* terms
dobýt *v* conquer
dobytek *n* livestock
dobytí *n* conquest
dobyvatel *n* conqueror
docela *adv* quite
docenit *v* value
dočasný *adj* temporary
dodání *n* delivery
dodat *v* ship
dodatek *n* amendment, appendix
dodatkový *adj* additional
dodávat *v* supply
dodávat živiny *v* nourish
dodavatel *n* supplier
dodávkový vůz *n* van
dodávky *n* supplies
dodržet *v* comply
dogmatický *adj* dogmatic
dohadovat se *v* argue
dohánět *v* catch up
dohled *n* inspection, supervision
dohlížet *v* oversee, supervise
dohoda *n* agreement, deal, arrangement, barge, pact, treaty
dohodnout se *v* agree
docházet *v* attend

D

dojem *n* notion
dojímavý *adj* touching
dojíždět denně *v* commute
dojmout *v* affect
dok *n* dock
dokazující *adj* demonstrative
dokonalost *n* perfection
dokonalý *adj* impeccable, perfect
dokonce když *c* even if
dokonce víc *c* even more
dokončení *n* completion
dokončit *v* complete, finalize, finish
doktor *n* doctor, physician
doktrína *n* doctrine
dokud *adv* till
dokud *pre* until
dokument *n* document
dokumentace *n* documentation
dokumentární film *n* documentary
dokumenty *n* dossier
dolar *n* dollar
dole *adv* below, beneath
dolní *adj* down
doložit *v* corroborate
doložit příkladem *v* exemplify
doložka *n* clause
dolů *adv* below, down
dolů *pre* under
dóm *n* dome
domácí *adj* domestic
domácí *adv* indoor
domácí *n* landlady

domácí paní *n* housewife
domácí práce *n* housework
domácí úkol *n* homework
domácí zařízení *n* furnishings
domácí zvíře *n* pet
domácnost *n* household
domáhat *v* claim
domestikovat *v* domesticate
dominantní *adj* domineering
dominovat *v* rule
domluva *n* agreement
domnělý *adj* fictitious
domněnka *n* supposition, assumption, presupposition
domnívat *v* suppose
domnívat se *v* assume
domorodý *adj* native
domov *n* home
domovní lupič *n* burglar
domovník *n* caretaker, janitor
domýšlivý *adj* conceited
donašeč *v* snitch
donutit *v* force
doopravdy *adv* really, actually
dopad *n* fallout
dopadení *n* capture
dopadnout *v* capture, apprehend; pitch; turn out
dopis *n* letter
dopisovatel *n* correspondent
doplněk *n* amendment, addition; complement

doplnit *v* amend, replenish
doplnit palivo *v* refuel
doplňkový *adj* auxiliary
doporučení *n* commendation
doporučeníhodný *adj* advisable
doporučit *v* commend; recommend
dopovat *v* dope
dopravit *v* transfer, convey
dopravit autobusem *v* bus
dopravní letoun *n* airliner
dopravní zácpa *n* hold-up
dopravovat *v* ship
doprovázet *v* accompany
doprovod *n* escort
dopřát *v* grant
dopředu *adv* forward
dort *n* cake
doručit *v* deliver
dosadit *v* install
dosah *n* range, reach, radius; impact
dosáhnout *v* accomplish, attain, reach
dosáhnout čeho *v* achieve
dosazení *n* installment
dosažení *n* achievement, attainment
dosažení úspěchu *n* accomplishment
dosažitelný *adj* attainable
doskočit míč *v* rebound

doslova *adv* virtually, verbatim
doslovně *adv* literally
doslovný *adj* literal
dospělý *n* adult, grown-up
dospívající člověk *n* adolescent
dospívání *n* adolescence
dost *adv* enough
dostačující *adj* sufficient
dostat *v* get
dostat se dovnitř *v* get in
dostat se na kloub *v* fathom
dostat se pryč *v* get away
dostavit se *v* show up, turn up
dostavit se ke vstupní kontrole *v* check in
dostupnost *n* availability
dostupný *adj* accessible, available
dosud *adv* hitherto
dosud *c* yet
dosvědčit *v* corroborate
dotace *n* grant, subsidy
dotaz *n* question
dotázat se *v* inquire
dotazník *n* survey, questionnaire
dotek *n* touch
dotisk *n* reprint
dotisknout *v* reprint
dotknout se dlaní *v* palm
dotovat *v* subsidize
dotýkat se *v* touch, touch on
doufat *v* hope
doupě *n* den

D

doušek *n* gulp, sip
dout *v* blow
doutník *n* cigar
dovádět *v* trip
dovážet *v* import
dovědět se *v* find out
dovednost *n* know-how, proficiency, skill
dovedný *adj* proficient, skillful
dovětek *n* annex
dovnitř *pre* inside
dovnitř *adv* inwards
dovolená *n* holiday, vacation
dovolit *v* allow, let
dovolit si *v* afford
dovolovat *v* warrant
dovoz *n* importation
dozadu *pre* behind, backwards
doznání *n* confession
dozor *n* guidance
dozorce *n* warden
doživotní *adj* lifetime
drahokam *n* rock, gem
drak *n* dragon
dramatický *adj* dramatic
dramatizovat *v* dramatize
drastický *adj* drastic
dráha *n* line, track, trajectory
dráha pro letadla *n* airstrip
drahý *adj* costly, pricey, sumptuous; precious, dear
dráp *n* claw

drápat *v* claw, scrape
drát *n* cord, wire
dražba *n* auction
dráždit *v* stimulate, provoke, tease, excite, irritate
dráždivý *adj* irritating
dražebník *n* auctioneer
dražit *v* auction
drážka *n* slot
drby *n* gossip
drenáž *n* drainage
dres *n* jersey
drezura *n* drill
drhnout *v* scrub
drkotat *v* jolt
drn *n* sod
drnčet *v* buzz
drobné peníze *n* change
drobný *adj* petite, tiny
drobný tisk *n* fine print
droga *n* drug, dope
drogerie *n* drugstore
drolit *v* pulverize
drsnost *n* harshness
drsný *adj* coarse, rough; bleak, stark, severe
drť *n* pulp
drtit *v* mangle
drtivý *adj* crushing, devastating
drůbež *n* poultry
druh *n* spouse, mate; species, sort, strain; comrade

druh melounu *n* cantaloupe
druh papouška *n* parakeet
druhý *adj* second
družička *n* bridesmaid
družka *n* spouse, mate
družný *adj* gregarious
drzost *n* arrogance, boldness, nerve
drzý *adj* arrogant, cheeky, bold, insolent
držadlo *n* butt
držák *n* bracket, mount
držení těla *n* pose
držet *v* adhere, hold
držet dietu *v* diet
držet na uzdě *v* curb, rein
držet se *v* stick, stick to, keep up, hold on to
držet se stranou *v* hold back
dřeň *n* pulp
dřepnout *v* crouch
dřevěný *adj* wooden
dřevo *n* wood
dřez *n* sink
dřímat *v* doze, snooze
dřímota *n* doze
dřina *n* sap
dřít *v* toil, sweat; sap
dříve *adv* before, formerly
dříví *n* timber
duální *adj* dual
dub *n* oak

duben *n* April
dudlík *n* nipple
duha *n* rainbow
duch *n* ghost, spirit
duchaplný *adj* witty
duchovenský *adj* clerical
duchovenstvo *n* clergy
duchovní *n* clergyman
duchovní *adj* spiritual
dupat *v* pound
duplikace *n* duplication
dusík *n* nitrogen
dusit *v* stifle, choke, suffocate
dusit se *v* gag
dusivý *adj* stifling
duše *n* soul
dušení *n* stew
duševní *adj* psychic; mental
duševní choroba *n* insanity
duševní zdraví *n* sanity
dutina *n* cavity, cavern
dužina *n* pulp
důchod *n* retirement
důkaz *n* evidence, proof
důkladný *adj* particular, thorough
důležitost *n* significance, magnitude, importance
důležitý *adj* significant, major, momentous
dům *n* house
důraz *n* emphasis, insistence, accent, stress

D

důsledek *n* implication, fallout, consequence, corollary
důstojník *n* officer
důstojnost *n* dignity
důtky *n* scourge
důvěra *n* trust, credit
důvěrník *n* confidant
důvěrník *adj* confident
důvěrnost *n* intimacy, privacy; confidence
důvěrný *adj* intimate, confidential
důvěřivý *adj* gullible, unsuspecting
důvěřovat *v* confide, trust
důvod *n* cause, reason
důvtip *n* wit, ingenuity
dva *adj* two
dvacátý *adj* twentieth
dvacet *adj* twenty
dvakrát *adv* twice
dvanáct *adj* twelve
dvanáctý *adj* twelfth
dvě *adj* two
dveře *n* door
dvojče *n* twin
dvojice *n* couple
dvojitý *adj* dual, double
dvojjazyčný *adj* bilingual
dvojsmyslná narážka *n* innuendo
dvojsmyslný *adj* ambiguous
dvojtečka *n* colon

dvojženství *n* bigamy
dvorek za domem *n* backyard
dvoření *n* courtship
dvořit se *v* court
dvouměsíční *adj* bimonthly
dvoutýdenní *adj* bimonthly
dvůr *n* yard; farmyard
dýha *n* splint
dýchání *n* breathing, respiration
dýchat *v* breathe
dýka *n* dagger
dýmící zbraň *n* smoking gun
dynamický *adj* dynamic
dynamit *n* dynamite
dynastie *n* dynasty
dýně *n* marrow
džbán *n* jar, mug
džem *n* jam
džentlmen *n* gentleman
džíny *n* jeans
džungle *n* jungle
džus *n* juice

Ď

ď**ábel** *n* devil
ď**ábelský** *adj* diabolical, satanic

E

edice *n* edition
editovat *v* edit
efektivita *n* efficiency
efektivní *adj* effective, efficient
efektivnost *n* effectiveness
efuzivní *adj* effusive
echo *n* echo
ekologie *n* ecology
ekonomický *adj* economical
ekonomika *n* economy
ekvivalentní *adj* equivalent
elán *n* gusto
elastický *adj* elastic
elegance *n* elegance
elegantní *adj* elegant; neat
elektrická pojistka *n* fuse
elektrický *adj* electric
elektrifikovat *v* electrify
elektrikář *n* electrician
elektronika *adj* electronic

elektronika *n* gadget
elektřina *n* electricity
element *n* element
emancipovat *v* emancipate
emblém *n* emblem
embryo *n* embryo
emigrant *n* emigrant
emigrovat *v* exile, emigrate
emise *n* emission
emoční *adj* emotional
encyklopedie *n* encyclopedia
energetický *adj* energetic
energie *n* power, energy
enkláva *n* enclave
enormní *adj* staggering
epidemický *n* epidemic
epilepsie *n* epilepsy
epištola *n* epistle
epitaf *n* epitaph
epizoda *n* interlude, episode
epocha *n* epoch
erb *n* crest
erupce *n* eruption
eskapáda *n* escapade
eso *n* ace
estetický *adj* aesthetic
etapa *n* lap; stage
etický *adj* moral, ethical
etika *n* morality, ethics
etiketa *n* sticker, label; etiquette
euforie *n* euphoria
evakuovat *v* evacuate

Ď
E

eventualita *n* contingency
evoluce *n* evolution
Evropa *n* Europe
evropský *adj* European
excelence *n* majesty
excelovat *v* master
exces *n* excess
exekutiva *n* executive
exemplární *adj* exemplary
exemplář *n* specimen
exil *n* exile
existence *n* existence
existovat *v* exist
exodus *n* exodus
exotický *adj* exotic
expedice *n* expedition
expedovat *v* dispatch
experiment *n* trial
explicitní *adj* explicit
explodovat *v* detonate, explode
exploze *n* explosion
exportovat *v* export
expozice *n* display
exspirace *n* expiration
extáze *n* ecstasy
exteriér *adj* exterior
externí *adj* external, outer, outside
extra *adv* extra
extravagance *n* extravagance
extravagantní *adj* flamboyant, extravagant

extremistický *adj* extremist
extrémní *adj* extreme
extrovertní *adj* extroverted

É

éra *n* era

F

facka *n* cuff
fádní *adj* gray
fádnost *n* tedium
fajfka *n* pipe
fakta *n* evidence
faktor *n* factor
faktura *n* invoice
fakulta *n* faculty
falešná zpráva *n* hoax
falešnost *n* falsehood
falešný *adj* phony, counterfeit
falšovat *v* counterfeit
fáma *n* rumor
fanatický *adj* bigot, fanatic

fandit *v* cheer
fanoušek *n* fan
fantazie *n* imagination, fantasy
fantazírovat *v* daydream
fantóm *n* phantom
farář *n* pastor, rector
farma *n* ranch, farm
farmaceut *n* pharmacist
farmář *n* farmer
farník *n* parishioner
farnost *n* parish
fasáda *n* frontage
fascikl *n* dossier
fascinující *adj* glamorous
fazeta *n* facet
fazol obecný *n* green bean
fazole *n* bean
fáze *n* phase
federální *adj* federal
fenomén *n* phenomenon, prodigy
fenomenální *adj* prodigious
ferment *n* ferment
fermentovat *v* ferment
férovost *n* fairness
férový *adj* fair
fialka *n* violet
fiasko *n* flop
fígl *n* bluff
fík *n* fig
fikce *n* fiction
filc *n* felt

film *n* film, movie
filosof *n* philosopher
filozofie *n* philosophy
filtr *n* filter
filtrovat *v* filter
finance *n* funds
financovat *v* finance, fund
finanční *adj* financial
finanční prostředky *n* funds
finanční vypořádání *n* settlement
Finsko *n* Finland
finský *adj* Finnish
finta *n* ruse
firma *n* firm
fitness *n* fitness
fjord *n* fjord
flákač *adj* slob
flákat se *v* goof, mess around
flámovat *v* party
flegmatik *adj* stoic
flek *n* spot
flétna *n* flute
flirtovat *v* flirt
flíček *n* speck
flotila *n* fleet
fňukání *v* whine
fobie *n* phobia
fond *n* fund
fontána *n* fountain
forma *n* mold, form
formace *n* formation
formalita *n* formality, technicality

F

F
G

formalizovat *v* formalize
formálně *adv* formally
formální *adj* formal
formát *n* format
formovat *v* mold
formovat spojenectví *v* ally
formulace *n* wording, phrase, statement
formulář *n* form
formule *n* formula
formulovat *v* conceive
fosforeskující *n* phosphorus
fosilie *n* fossil
fotbal *n* football
fotoaparát *n* camera
fotograf *n* photographer
fotografie *n* photography, photo, photograph
fotografova *v* shoot
fotografování *n* photography
fotokopie *n* photocopy
foukat *v* blow
fouknutí *n* puff, blow
fragment *n* fragment
frakce *n* fraction
Francie *n* France
francouzský *adj* French
franšíza *n* franchise
fraška *n* farce
fráze *n* phrase
fregata *n* frigate
frekvence *n* frequency

frigidní *adj* frigid
fronta *n* line, queue
frustrace *n* frustration
frustrovat *v* frustrate
fungovat *v* run, work, operate
funkce *n* operation, function
funkční *adj* workable
fúze *n* fusion
fyzicky *adj* physically
fyzika *n* physics

G

galantní *adj* gallant
galaxie *n* galaxy
galerie *n* gallery
galon *n* gallon
galvanizovat *v* galvanize
gang *n* mob, gang
gangster *n* mobster
garantovat *v* back
garáž *n* garage
garnát *n* prawn, shrimp
gauč *n* sofa, couch
gáza *n* gauze
gejzír *n* geyser
gen *n* gene
generace *n* generation

generál *n* general
generátor *n* generator
generický *adj* generic
generovat *v* generate
genetický *adj* genetic
génius *n* prodigy, genius
genocida *n* genocide
geografie *n* geography
geologie *n* geology
geometrie *n* geometry
gerila *n* guerrilla
gerundium *n* gerund
gestikulovat *v* gesticulate
gesto *n* gesture
gigantický *adj* gigantic
gilotina *n* guillotine
gladiátor *n* gladiator
glukóza *n* glucose
gorila *n* gorilla
gospel *n* gospel
gól *n* goal
graf *n* chart
grafický *adj* graphic
gram *n* gram
gramatika *n* grammar
gramotný *adj* literate
granát *n* grenade
granátové jablko *n* pomegranate
grandiózní *adj* magnificent
granit *n* granite
grant *n* grant
granule *n* pellet

gratulovat *v* congratulate
gravírovaní *n* engraving
gravitace *n* gravity
grep *n* grapefruit
gril *n* grill, barbecue, broiler
grilovat *v* broil, grill
Grónsko *n* Greenland
guma *n* gum; eraser; rubber
guvernér *n* governor
gymnázium *n* gymnasium
gynekologie *n* gynecology

H

had *n* serpent, snake
hala *n* hallway; lounge
halda *n* stack, stockpile, heap
halenka *n* tunic; blouse
haléř *n* cent, penny
halový *adv* indoor
hamburger *n* burger, hamburger
hanba *n* disgrace
hanbatý *adj* naughty
handrkovat se *v* haggle
hanebný *adj* shameful
hanobit *v* defame
hanopis *n* libel
haraburdí *n* junk

harfa *n* harp
harmonika *n* accordion
harpuna *n* spear, harpoon
hasič *n* firefighter, fireman
hasit *v* quench
hašiš *n* hashish
haštěřivý *adj* belligerent, quarrelsome
havarijní stav *n* disrepair
havarovat *v* crash
havran *n* raven
hazard *v* venture, hazard
hazardní *adj* risky, hazardous
hádanka *n* riddle, puzzle
hádat *v* guess
hádat se *v* argue, quarrel; jar
hádka *n* tangle, fuss, argument, quarrel
hájit *v* defend, advocate
hájit se *v* plead
hák *n* hook; bog
háklivý *adj* squeamish
házet *v* pitch, throw; bowl
hbitý *adj* agile; brisk
hebkost *n* softness
hedvábí *n* silk; floss
hejno *n* swarm
helikoptéry *n* helicopter
herec *n* actor
herecký výkon *n* act
herečka *n* actress
heroin *n* heroin

heslo *n* password
heterosexuální *adj* straight
hezky *adv* neatly
hezký *adj* pretty, handsome; neat
hierarchie *n* hierarchy
hispánský *adj* Hispanic
historie *n* history
historik *n* historian
hit *n* hit
hlad *n* hunger
hladce *adv* smoothly
hladina *n* level
hladit *v* fondle
hladítko *n* plane
hladkost *n* smoothness
hladký *adj* smooth
hladomor *n* famine
hladomorna *n* dungeon
hladovění *n* starvation
hladovět *v* starve
hladový *adj* hungry
hlas *n* voice; vote
hlasatel *n* announcer, reporter
hlasitě *adv* aloud, loudly, noisily
hlasitost *n* volume
hlasitý *adj* loud; resounding
hláskování *n* spelling
hláskovat *v* spell
hlasování *n* poll, ballot, voting
hlava *n* head
hlaveň *n* barrel
hlávkový salát *n* lettuce

hlavně *adv* mainly

hlavní *n* capital

hlavní *adj* main, principal, chief; major; prime

hlavní loď *n* nave

hlavní město *n* capital

hlavní stan *n* headquarters

hlavní tribuna *n* grandstand

hlavní větev *n* bough

hlavní zkouška z *v* major in

hlavolam *n* puzzle

hlazení *n* stroke

hledání *n* search

hledat *v* seek, search, look for

hledět *v* look

hledět spatra *v* look down

hledět upřeně *v* stare

hledisko *n* aspect; perspective, standpoint, viewpoint; angle

hlen *n* mucus

hliník *n* aluminum

hlídač *n* caretaker, guard

hlídka *n* watch, scout, patrol

hlídkovat *v* watch

hlína *n* clay

hlodavec *n* rodent

hloubit *v* excavate

hloubka *n* depth

hloupá chyba *n* goof

hloupost *n* stupidity; crap

hloupý *adj* stupid, silly; slow, simple

hltat *v* devour, gobble

hluboký *adj* deep

hlučný *adj* noisy

hluchota *n* deafness

hluchý *adj* deaf

hluk *n* noise

hlupáček *adj* sucker

hlupák *n* clam

hmatatelný *adj* palpable, tangible

hmota *n* mass, matter, material, substance; concrete

hmotný *adj* concrete

hmyz *n* insect

hnací řemen *n* band

hnací stroj *n* driver

hnát *v* propel; drift

hnát se *v* dash

hned *adv* now

hnědovláska *adj* brunette

hnědý *adj* brown

hněv *n* aggravation, anger, tantrum

hnidopišství *adj* nitpicking

hniloba *n* rot

hnis *n* pus; matter

hnisat *v* fester

hnít *v* fester

hnití *v* rot

hnízdo *n* nest

hnojit *v* fertilize

hnout *v* motion

hnout se *v* budge

hnůj *n* manure, dung
hnus *n* disgust, revulsion
hnusit si *v* loathe
hnusný *adj* disgusting
hnutí *n* move, movement
hoblina *n* splinter
hod *n* cast
hodící se *adj* fit
hodina *n* hour
hodinář *n* watchmaker
hodinky *n* watch
hodiny *n* clock
hodit *v* toss
hodit se *v* match
hodně *adv* very; a lot of
hodnocení *n* rate
hodnost *n* rank, grade
hodnost krále *n* kinship
hodnostář *n* dignitary
hodnota *n* value
hodnota majetku *n* asset
hodnotit *v* evaluate, size up
hodnotný *adj* worthy
hodnověrnost *n* authenticity, credibility
hodnověrný *adj* credible, plausible
hodný *adj* nice, good
hody *n* banquet, feast
hoch *n* lad
hojit *v* heal
hojivý *adj* balmy

hojnost *n* opulence, abundance
hojný *adj* abundant, plentiful
Holandsko *n* Holland
holandský *adj* Dutch
holič *n* barber
holínka *n* boot
holit *v* shave
holokaust *n* holocaust
holub *n* pigeon
holubice *n* dove
holý *adj* bare
hon *v* chase
honba *n* pursuit
honička *v* chase
honit *v* bowl
honit *n* chase
honorovat *v* remunerate
hora *n* hill, mountain
horečka *n* fever
horečná činnost *n* frenzy
horečnatý *adj* feverish
horečný *adj* frantic, frenetic, hectic
horizontální *adj* lateral
horký *adj* hot
horlivě *adv* busily
horlivě usilující *adj* anxious
horlivost *n* eagerness, zeal
horlivý *adj* avid, eager, zealous
hormon *n* hormone
horná hranice *n* bottleneck
hornatý *adj* mountainous

horní *adj* upper
horník *n* miner
hornina *n* rock
horolezectví *n* climbing
horor *n* horror
horský hřeben *n* ridge
horší *adj* worse
hořce *adv* bitterly
hořčice *n* mustard
hořet *v* burn, blaze
hořící *adj* ablaze
hořký *adj* bitter
hořlavina *n* combustible
hořlavý *adj* flammable
hospitalizovat *v* hospitalize
hospoda *n* tavern
hospodář *n* housekeeper
hospodařit *v* farm
hospodářský pokles *n* recession
hospodářství *n* economy
hospodyně *n* housekeeper
host *n* guest, diner
hosteska *n* hostess
hostinec *n* inn
hostitel *n* host
hostitelka *n* hostess
hotel *n* hotel
hotelový pokoj *n* apartment
hotovost *n* cash
houba *n* fungus, mushroom
houpat *v* swing, dangle
housenka *n* caterpillar

houska *n* bun
housle *n* fiddle, violin
houslista *n* violinist
houževnatý *adj* arduous
hovět *v* pander
hovězí dobytek *n* cattle
hovězí maso *n* beef
hovor *n* call
hovorný *adj* talkative
hra *n* game, play
hrábě *n* rake
hraběnka *n* countess
hrabství *n* county
hráč *n* player
hračka *n* toy
hrad *n* castle
hrana *n* edge
hranice *n* border, boundary, outline, limit, threshold, frontier
hranice *adj* borderline
hraničit *v* border on
hraniční *adj* marginal
hranit *v* edge
hranol *n* prism
hranolky *n* fries
hrášek *n* pea
hrát *v* play
hrát roli *v* act
hrát v poli *v* field
hravý *adj* playful
hráz *n* dike
hrazda *n* bar

H

hrb *n* hump
hrbáč *n* hunchback
hrbol *n* hump
hrbolatý *adj* bumpy
hrbolek *n* bump
hrdě *adv* proudly
hrdina *n* hero
hrdinský *adj* heroic
hrdinský čin *n* exploit
hrdinství *n* bravery, heroism
hrdlo *n* throat
hrdlo láhve *n* bottleneck
hrdlořez *n* thug
hrdost *n* pride
hrdý *adj* proud
hrnec *n* kettle, pot
hrnek *n* cup, mug
hrob *n* grave
hrobka *n* tomb
hrom *n* thunder
hromada *n* lump
hromadit *v* aggregate, pile,
  gather, hoard
hromádka *n* loaf
hromadný odchod *n* exodus
hromobití *n* thunderstorm
hrot *n* tip; bit
hrouda *n* lump
hroutit *v* crumble
hrozba *n* menace, threat
hrozen *n* grape
hrozinka *n* raisin

hrozit se *v* abhor
hrozivý *adj* formidable
hrozný *adj* terrible, dire, awful
hroznýš *n* python
hrst *n* handful
hrtan *n* larynx
hrubě *adv* grossly
hrubián *n* tartar
hrubost *n* rudeness
hrubý *adj* coarse, rough; brute,
  blunt, rude, gross, crass, abusive
hrubý omyl *n* blunder
hruď *n* breast, chest
hrudka *n* knob
hruška *n* pear
hrůza *n* horror, scare, terror
hryzat *v* gnaw
hryzení *n* champ
hřbet *n* crest
hřbitov *n* cemetery, graveyard
hřeben *n* comb
hřebík *n* nail
hřebínek *n* crest
hřích *n* sin
hříšník *n* sinner
hříšný *adj* sinful
hřiště *n* court, playground
hubený *adj* lean, meager; skinny
hubící prostředek *n* pesticide
hubička *n* nozzle
hubit *v* exterminate
hučet *v* buzz

hudba _n_ music
hudební skupina _n_ band
hudebník _n_ musician
hukot _n_ buzz
hůl _n_ stick, staff, club
hulákání _n_ shouting
hulvátský _adj_ rude, rowdy
humanitní vědy _n_ humanities
humánnosti _n_ humanities
humor _n_ humor
humr _n_ lobster
husa _n_ goose
hustit _v_ pump
hustota _n_ density
hustý _adj_ thick, dense
husy _n_ geese
hutnost _n_ density; consistency
hutný _adj_ replete
hvězda _n_ star
hvězdárna _n_ observatory
hvězdářský _adj_ astronomic
hvězdička _n_ asterisk
hýbat _v_ move; stir
hýčkat _v_ pamper
hydraulický _adj_ hydraulic
hyena _n_ hyena
hygiena _n_ hygiene
hymna _n_ anthem
hynout _v_ perish
hypnotizovat _v_ hypnotize
hypnóza _n_ hypnosis
hypotéka _n_ mortgage

hypotéza _n_ hypothesis
hýřit _v_ revel
hysterický _adj_ hysterical
hysterie _n_ hysteria

CH

chabě _adv_ poorly
chabý _adj_ faint, flimsy
chalupa _n_ cottage
chamtivost _n_ greed
chamtivý _adj_ greedy
chaos _n_ mayhem, chaos
chaotický _adj_ chaotic
chapadlo _n_ tentacle
chápání _n_ conception
chápat _v_ apprehend, follow, see, comprehend
chápavý _adj_ understanding
charakter _n_ personality, character, nature
charakteristický _adj_ distinct, characteristic
charisma _n_ charisma
charismatický _adj_ charismatic
charita _n_ charity
charta _n_ charter
chata _n_ chalet, cabin, crib

CH

chatrč *n* shed, hut, shack
chemický *adj* chemical
chemie *n* chemistry
chemik *n* chemist
chichotat *v* giggle
chirurg *n* surgeon
chirurgický *adv* surgical
chlad *n* chill, coldness
chladicí *adj* cooling
chladič *n* radiator
chladit *v* cool, refrigerate
chladivý *adj* cooling, cool
chladnost *n* coolness
chladný *adj* chilly, cold
chlácholit *v* console
chlap *n* guy
chlapec *n* lad
chlapectví *n* boyhood
chlápek *n* guy, fellow
chléb *n* bread
chlípný *adj* prurient
chlubit se *v* flaunt
chlupatý *adj* hairy, fuzzy
chlupy *n* hair
chmurnější *adj* gloomy
chmurný *adj* cloudy, dismal
chňapnout *v* snatch
chobotnice *n* squid, octopus
chod *n* process, motion, pulse; dish
chodba *n* aisle, hallway, corridor
chodec *n* pedestrian

chodidla *n* feet
chodidlo *n* foot
chodit *v* walk
chodník *n* pavement, sidewalk
chochol *n* crest
cholera *n* cholera
cholesterol *n* cholesterol
chopit se *v* embrace; take
chorál *n* chant
chorý *adj* sick
chóry *n* choir
choulostivost *n* delicacy
choulostivý *adj* delicate, sensitive
chovanec *n* inmate
chování *n* manner, behavior, demeanor
chování se *n* conduct
chovat *v* rear
chovat se *v* conduct, behave
chovat se teatrálně *v* dramatize
chrám *n* cathedral, temple
chránit *v* guard, screen, shield, fence
chrápání *n* snore
chrápat *v* snore
chraplavý *adj* hoarse, husky
chrastit *v* rattle
chromý *adj* lame
chronický *adj* chronic
chronologie *n* chronology
chrt *n* hound, greyhound
chřadnout *v* wither, languish
chřipka *n* flu, influenza

chtíč *n* lust
chtít *v* want
chtivý *adj* avid
chudák *adj* wimp
chudokrevnost *n* anemia
chudokrevný *adj* anemic
chudý *adj* broke, penniless, indigent
chudý *n* poor
chuligán *n* hoodlum, hooligan
chuligánský *adj* rowdy
chuť *n* zest; appetite; taste
chutnání *v* taste
chutnat *v* smack
chuťová přísada *n* condiment
chůva *n* nurse, nanny
chůze *n* pace, walk
chvála *n* commendation
chválit *v* commend
chvalitebný *adj* praiseworthy
chvalozpěv *n* hymn
chvástat se *v* boast, brag
chvatný *adv* speedily, hasty
chvět se *v* pulsate, shiver
chvíle *c* while
chvilkově *adv* momentarily
chyba *n* error, mistake, lapse, fault, vice; bug
chybějící *adj* missing
chybit *v* mistake
chybný *adj* incorrect, erroneous, faulty, mistaken

chybný výtisk *n* misprint
chybovat *v* err
chytat lasem *n* lasso
chytit *v* capture, seize, trap
chytit do oka *v* snare
chytnout *v* catch
chytrý *adj* clever, bright, cunning, shrewd, sly

I

CH
I

i *c* and
i kdyby *c* even if
i když *c* even if
i později *adv* beyond
ideální *adj* ideal
identifikovat *v* identify, pinpoint
ideologie *n* ideology
idiomatické spojení *n* idiom
idiot *n* idiot
idiotský *adj* idiotic
idol *n* idol
ignorovat *v* ignore, disregard
ihned *adv* immediately
ikona *n* icon
ilustrace *n* illustration
ilustrovat *v* exemplify, illustrate
iluze *n* illusion

imatrikulovat *v* matriculate

imitace *n* imitation

imperialismus *n* imperialism

imperiální *adj* imperial

impérium *n* empire

implantovat *v* implant

implicitní *adj* implicit

implikace *n* implication

import *n* importation

importovat *v* import

impotentní *adj* impotent

impozantní *adj* formidable

improvizovaný *adv* impromptu

improvizovat *v* improvise

impulzívní *adj* impulsive, impetuous

imunita *n* immunity

imunizovat *v* immunize

imunní *adj* immune

inaugurace *n* inauguration

incident *n* incident

index *n* index

indikace *n* indication

indikátor *n* marker

indikovat *v* indicate

indisponovaný *adj* indisposed

infantilní *adj* puerile

infekce *n* infection

inflace *n* inflation

influkce *n* influx

informace *n* information

informátor *n* informant

informovaný *adj* versed

informovat *v* brief

infuze *n* infusion

ingot *n* ingot

inhibovat *v* inhibit

iniciála *n* initial

iniciály *n* initials

iniciativa *n* initiative

iniciovat *v* initiate

injekce *n* injection

injekční stříkačka *n* syringe

inkontinence *n* incontinence

inkoust *n* ink

inkriminovat *v* incriminate

inkvizice *n* inquisition

inovace *n* innovation

inspekce *n* inspection

inspektor *n* inspector

inspirace *n* inspiration

inspirovat *v* inspire

instalace *n* installment, installation

instalatér *n* plumber

instalatérství *n* plumbing

instalovat *v* install

instance *n* instance

instinkt *n* instinct

instituce *n* institution

instruktor *n* instructor

instruovat *v* brief, instruct

integrace *n* integration

integrita *n* integrity

integrovat *v* integrate
inteligence *n* aptitude
inteligentní *adj* intelligent, sharp
intenzivní *adj* intense, fierce, vivid
intenzívní *adj* intensive
internát *n* dormitory
internetová stránka *n* web site
internovat *v* intern
interpret *n* interpreter
interpretace *n* interpretation; reading
interpretovat *v* interpret
interrupce *n* abortion
interval *n* interval, interlude
intervence *n* intervention, intercession
intervenovat *v* intervene, intercede
interview *n* interview
intimní *adj* intimate
intimnost *n* intimacy, romance
intrika *n* intrigue
intrikovat *v* connive
introvertní *adj* introvert
intuice *n* intuition
invalidita *n* disability
invalidní vozík *n* wheelchair
invaze *n* invasion
inventář *n* inventory
investice *n* investment
investor *n* investor

investování *n* leverage
investovat *v* invest
inzerce *n* advertising
inzerovat *v* placate
inženýr *n* engineer
iracionální *adj* irrational
ironický *adj* ironic
ironie *n* irony
ironizovat *v* mock
Irsko *n* Ireland
irský *adj* Irish
islámský *adj* Islamic
Itálie *n* Italy
italský *adj* Italian
itinerář *n* itinerary
izolace *n* isolation, insulation
izolování *n* insulation
izolovaný *adj* secluded
izolovat *v* isolate, insulate

I
J

J

jablko *n* apple
jaderný *adj* nuclear
jaguár *n* jaguar
jahoda *n* strawberry
jachta *n* yacht
jak *adv* as; how

jakkoli *pro* anyhow
jakkoliv *pro* anyhow
jakkoliv *adv* as
jakmile *c* once
jako *adv* as
jako *pre* like
jakost *n* grade, class
jaký *adj* what
jakýkoli *adj* whatever
jáma *n* hole, pothole, pit, ditch
Japonsko *n* Japan
japonský *adj* Japanese
jaro *n* spring
jařmo *n* yoke
jas *n* brightness
jásat *v* exult, crow
jásavý *adj* jubilant
jasmín *n* jasmine
jasně *adv* clearly
jasnost *n* clarity
jasný *adj* clear; bright, vivid; lucid; distinct, explicit
jazyk *n* tongue, language
já *pro* I
já sám *pro* myself
jádro *n* core
játra *n* liver
ječet *v* screech, shriek
ječmen *n* barley
jed *n* poison, venom
jeden *adj* one
jeden *n* single

jeden i druhý *adv* either
jedenáct *adj* eleven
jedenáctý *adj* eleventh
jedenkrát *adv* once
jedinečný *adj* unique
jediný *adj* single, sole
jediný *n* sole
jedlý *adj* edible
jednání *n* proceedings, dealings, negotiation
jednat *v* discuss, deal, confer
jednat blahosklonně *v* patronize
jednat povýšeně *v* patronize
jednička *n* ace
jednoduchá věta *n* clause
jednoduchý *adj* simple, primitive
jednoduše *adv* plainly
jednoho dne *adv* someday
jednolitý *adj* compact
jednomyslnost *n* unanimity
jednorázový *adj* disposable
jednostranný *adj* unilateral
jednota *n* unity
jednotka *n* unit
jednotlivý *adj* single
jednotné číslo *adj* singular
jednotnost *n* uniformity, unification
jednotvárnost *n* monotony
jednotvárný *adj* monotonous, uneventful

jednoúčelový *adj* disposable
jednoznačný *adj* unequivocal, clear-cut
jednoznačný důkaz *n* smoking gun
jedovatý *adj* poisonous, toxic, virulent
jehla *n* needle
jehlan *n* pyramid
jehlový *adj* needless
jehně *n* lamb
jeho *adj* his
její *pro* her, hers
jejž *pro* whom
jekot *n* shriek
jelen *n* deer
jelikož *c* because
jelikož *pre* since
jemně *adv* softly
jemnost *n* gentleness
jemný *adj* gentle, soft; subtle, mellow; tenuous; bland
jemuž *pro* whom
jen *adv* only
jen do toho *v* go ahead
jenom *c* but
jenom *adv* merely
jenomže *adv* only
jeptiška *n* nun
jeřáb *n* crane
jeskyně *n* pit, cave, grotto
jesle *n* nursery

jestliže *c* if
jestřáb *n* hawk
ješitný *adj* conceited
ještě *c* yet
ještě jednou zkontrolovat *v* double-check
ještě víc *c* even more
ještěr *n* lizard
jet *v* go; drive, ride; roll
jet dál *v* go on
jet na kole *v* cycle
jet napřed *v* go ahead
jet rychle *v* speed
jet v patách *v* tail
jeviště *n* stage
jevištní *adj* scenic
jevit *v* appear
jezdec *n* knight
jezdit *v* ride
jezdit na bruslích *v* skate
jezero *n* lake, pond
ježto *c* inasmuch as
ji *pro* her
jícen *n* esophagus
jídelna *n* cafeteria, dining room; canteen
jídlo *n* food, dish, meal
jih *n* south
jihovýchod *n* southeast
jihozápad *n* southwest
jilm *n* elm
jimž *pro* whom

J

jinak *adv* else, otherwise
jinam *adv* elsewhere
jinde *adv* elsewhere
jiní *adj* other
jinotaj *n* allegory
jiný *adj* different
jiný *adv* else
jiskra *n* spark
jiskření *n* glimmer
jiskřit *v* sparkle
jíst *v* eat
jistě *adv* surely
jistota *n* assurance, certainty
jistý *adj* certain, sure
jít *v* go
jít dolů *v* go down
jít dovnitř *v* go in
jít nahoru *v* move up, go up, step up
jít po špičkách *v* tiptoe
jít ven *v* go out
jitro *n* morning
jízda *n* fare
jízdné *n* fare
jízdní kolo *n* bike, bicycle
jízdní pruh *n* lane
jizva *n* scar
již *adv* already
jižní *adj* southern
jménem koho *adv* behalf (on)
jmění *n* fortune; property
jméno *n* name

jmenovatel *n* denominator
jmenovitý *adv* namely
jo *adv* yes
jód *n* iodine
judaismus *n* Judaism
juniorský *adj* junior

K

k *pre* at, to, for
k břehu *adv* ashore
k pobřeží *adv* ashore
kabaret *n* revue
kabát *n* coat
kabel *n* cable
kabelka *n* bag, purse, handbag
kabina *n* cabin, cockpit; cab
kacíř *adj* heretic
kadeř *n* curl
kadeřavý *adj* curly
kadeřník *n* hairdresser
kadidlo *n* incense
kachna *n* duck
kajícník *n* penitent
kajícnost *n* contrition
kajícný *adj* remorseful
kakao *n* cocoa
kakaovník *n* cocoa

kalendář _n_ calendar
kalhoty _n_ pants, slacks, trousers
kalibrovat _v_ calibrate
kalich _n_ chalice
kalkulačka _n_ calculator
kalmar _n_ squid
kalorie _n_ calorie
kamarád _n_ friend, buddy, pal, mate, comrade; boyfriend
kamarádství _n_ fellowship
kamera _n_ camera
kamínek _n_ pebble
kampaň _n_ campaign
kamufláž _n_ cover-up
kanál _n_ aqueduct, canal, channel; sink
kanalizace _n_ sewer
kanárek _n_ canary
kancelář _n_ office
kancelářská sponka _n_ paperclip
kancelářské potřeby _n_ stationery
kancléř _n_ chancellor
kandidát _n_ candidate
kandidatura _n_ candidacy
kanec _n_ boar
kaňon _n_ canyon
kanout _v_ trickle
kantýna _n_ canteen
kanystr _n_ canister
kapacita _n_ capacity
kapalina _n_ liquid

kapat _v_ drop; drip
kapesné _n_ allowance
kapesní zloděj _n_ pickpocket
kapesník _n_ handkerchief
kapička _n_ globule
kapitál _n_ capital
kapitalismus _n_ capitalism
kapitalizovat _v_ capitalize
kapitán _n_ captain
kapitola _n_ chapter
kapitulovat _v_ surrender, capitulate
kapka _n_ drip, drop; gout
kaplan _n_ chaplain
kaple _n_ chapel
kapota _n_ hood
kaprál _n_ corporal
kapsa _n_ pocket
kapsle _n_ capsule
kapuce _n_ hood
karafiát _n_ carnation
káraní _n_ chastisement
karát _n_ carat
karate _n_ karate
karavana _n_ caravan
karbanátek _n_ burger
karburátor _n_ carburetor
kardiologie _n_ cardiology
kariéra _n_ career
karikatura _n_ caricature
karta _n_ card
kartáč _n_ brush

kartáč na vlasy *n* hairbrush
kartáčovat *v* brush up, brush
kartel *n* trust
karton *n* cardboard
kartotéka *n* file
kasárna *n* barracks
kasino *n* casino
kasta *n* caste
kastrol *n* casserole
kašel *n* cough
kašlat *v* cough
kaštan *n* chestnut
katakomby *n* catacomb
katalog *n* catalog
katalogizovat *v* catalog
katarakt *n* cataract
katastrofa *n* catastrophe, disaster
katastrofální *adj* disastrous
katedrála *n* cathedral
kategorie *n* rank, category
katechismus *n* catechism
katolicizmus *n* Catholicism
katolický *adj* catholic
kauce *n* bail
kauza *n* cause
kavalerie *n* cavalry
kaz *n* decay
kazatel *n* preacher
kazatelna *n* pulpit
kazeta *n* cartridge
každodenní *adj* everyday

každoroční *adj* annual, yearly
každou hodinu *adv* hourly
každý *adv* either
každý *adj* every, each, any
každý *pro* everybody
kácet *v* cut down
kámen *n* stone
kánoe *n* canoe
kát se *v* repent
káva *n* coffee
kázání *n* sermon, pulpit, homily, preaching
kázat *v* preach
kázeň *n* discipline
kbelík *n* bucket
kde *adv* where
kde *c* whereas
kdekoliv *c* wherever
kdežto *c* whereas
kdo *pro* who
kdokoliv *pro* anybody, whoever
kdykoli *adv* whenever
kdysi *adv* once, formerly
když *c* if, while
když *adv* when
ke *pre* at; to; for
kecat *v* chat
kel *n* tusk
kemp *n* camp
kempovat *v* camp
keramika *n* ceramic
keř *n* shrub

K

kilogram *n* kilogram
kilometr *n* kilometer
kilowatt *n* kilowatt
kino *n* theater, cinema
klábosit *v* gossip
klacek *n* stick
kladivo *n* hammer
kladka *n* pulley
kladkostroj *n* pulley, hoist
kladný *adv* plus
kladný *adj* positive
klam *n* delusion, illusion; bluff
klamný *adj* deceptive
klan *n* clan
klapnout *v* click
klarinet *n* clarinet
klasický *adj* classic
klasifikovat *v* grade, classify
klást *v* lay, repose
klášter *n* convent, cloister, monastery
klášterní *adj* monastic
klaun *n* clown
klauzule *n* clause
klávesnice *n* keyboard
klávesový nástroj *n* keyboard
klavírista *n* pianist
klec *n* cage
klečet *v* kneel
klenba *n* arch
klení *n* oath
klenotnictví *n* jewelry store

klenotník *n* jeweler
klenout se *v* span
klepat *v* beat, knock
klepnutí *n* tap
klepnutí na *v* tap into
klepy *n* gossip, hearsay
klerikální *adj* clerical
klesající *adj* downcast
klesající *n* dwelling
klesání *n* recession
klesat *v* drop off
klesnout *v* plummet
klestit *v* prune
kleště *n* pliers, tongs
kletba *n* oath
klíč *n* key
klíč na matice *n* wrench
klíček *n* bud
klíčit *v* germinate
klíční kost *n* collarbone
klid *n* composure, calm, serenity, tranquility, peace; repose
klidná mysl *n* composure
klidný *adj* calm, composed, peaceful, serene
klidný člověk *adj* stoic
klient *n* client
klientela *n* clientele; custom
klika *n* handle
kliknout *v* click
klima *n* climate
klimatický *adj* climatic

klín *n* wedge; lap
klinika *n* clinic
klisna *n* mare
klít *v* cuss
klobása *n* sausage
klobouk *n* hat
klokan *n* kangaroo
kloktat *v* gargle
klonování *n* cloning
klonovat *v* clone
kloub *n* joint
klouzat *v* glide
klouzavý *adj* slippery
klouznout *v* slide, slip
klovnout *v* peck
klovnutí *n* peck
klub *n* club
kluk *n* boy
klus *v* gallop
kmen *n* strain; stem; tribe
kmitat *v* wobble, flutter; flicker
kmitočet *n* frequency
kněz *n* priest
kněžka *n* priestess
kněžství *n* priesthood
kniha *n* book, workbook
knihkupec *n* bookseller
knihkupectví *n* bookstore
knihověda *n* bibliography
knihovna *n* library; bookcase
knihovník *n* librarian
knír *n* mustache

kníry *n* whiskers
kníže *n* duke
knoflík *n* knob, button
knoflíková dírka *n* buttonhole
koalice *n* coalition
koberec *n* carpet, rug
kobylka *n* locust
kočár *n* coach, carriage
kočka *n* cat
kočovník *n* gypsy
kodifikovat *v* codify
koeficient *n* ratio; coefficient
koexistovat *v* coexist
kofein *n* caffeine
kohout *n* cock, rooster
kohoutek *n* faucet; trigger
kojenec *n* infant
kokain *n* cocaine
kokos *n* coconut
kokrhat *v* crow
koktat *v* falter, stutter
koktejl *n* cocktail
kolaborant *n* collaborator
kolaborovat *v* collaborate
koláč *n* cake, tart, pie
kolaps *n* collapse, breakdown
kolébka *n* crib, cradle
koleda *n* carol
kolega *n* fellow, colleague
kolej *n* college
kolejnice *n* rail
kolem *adv* about

K

kolem *pro* around
kolem *pre* by; along
kolemjdoucí *n* passer-by
kolenní jablko *n* kneecap
koleno *n* knee
kolidovat *v* clash
kolidující *adj* conflicting
kolika *n* colic
kolínská *n* cologne
kolísat *v* alternate, fluctuate, vacillate, waver
kolísavý *adj* alternate
kolize *n* collision, clash
kolmo *adj* upright
kolo *n* round; wheel
koloběh *n* circulation, cycle
koloběžka *n* scooter
kolona *n* column
koloniální *adj* colonial
kolonie *n* colony
kolonizace *n* colonization
kolonizovat *v* colonize
kolosální *adj* colossal
kolt *n* colt
komár *n* mosquito
kombinace *n* combination
komediant *n* comedian
komedie *n* comedy
komentář *n* comment
komentovat *v* comment
komerční *adj* commercial
kometa *n* comet

komický výstup *n* gag
komik *n* comedian
komín *n* chimney
komise *n* board, committee
komora *n* pantry, chamber
kompas *n* compass
kompenzace *n* compensation
kompenzovat *v* offset, recoup
kompetence *n* competence
kompetentní *adj* competent
komplet *n* set
kompletace *n* completion
komplex *n* insecurity
komplikace *n* complication
komplikovat *v* complicate
kompliment *n* compliment
kompost *n* compost
kompozice *n* composition
kompromis *n* compromise
kompromitovat *v* incriminate, compromise
komunikace *n* communication
komunikovat *v* communicate
komunismus *n* communism
komunistický *adj* communist
komunita *n* community
konat zvráceně *v* pervert
konce *n* extremities
koncentrace *n* concentration
koncept *n* concept, draft
koncert *n* concert
koncert sólisty *n* recital

koncese *n* concession, franchise
koncízní *adj* concise
končetina *n* member, limb
končetiny *n* extremities
kondenzace *n* condensation
kondenzovat *v* condense
kondicionér *n* conditioner
kondominium *n* condo
kondor *n* vulture
konec *n* end, ending; tail; tip
koneček prstu *n* fingertip
konečník *n* rectum
konečný *adj* final, last; ultimate; definitive
konečný úsudek *n* conclusion
konečný výsledek *n* eventuality
konference *n* conference; summit
konfiskace *n* confiscation, seizure
konfiskovat *v* confiscate
konflikt *n* conflict
konformita *n* conformity
konfrontace *n* confrontation
konfrontovat *v* confront
kongregace *n* congregation
kongres *n* congress
koníček *n* hobby
konjuktura *n* conjecture
konjunktura *n* upturn
konkrétní *adj* concrete; particular
konkurence *n* competition
konkurent *n* competitor

konkurs *n* bankruptcy
konsenzus *n* consensus
konservativní *adj* conservative
konsolidovat *v* consolidate
konspirace *n* conspiracy
konstantní *adj* constant
konstelace *n* constellation
konstrukce *n* construction; framework
konstruktivní *adj* constructive
konstruovat *v* concoct
kontakt *n* contact
kontaktovat *v* contact
kontaminace *n* contamination
kontaminovat *v* contaminate
kontejner *n* container
kontext *n* context
kontinent *n* continent
kontinuita *n* continuity
konto *n* account
kontraband *n* contraband
kontrabas *n* bass
kontrakce *n* contraction
kontrast *n* contrast
kontrola *n* check
kontrolovat *v* audit, check
kontroverze *n* controversy
kontroverzní *adj* controversial
kontura *n* outline
konvenční *adj* conventional
konvent *n* convent
konvergovat *v* converge

konverzace *n* conversation
konverze *n* conversion
konverzovat *v* converse
konvoj *n* procession, convoy
konzerva *n* can, tin
konzervovaný *adj* canned
konzervovat *v* can
konzistence *n* consistency
konzistentní *adj* consistent
konzul *n* consul
konzulát *n* consulate
konzultace *n* consultation, counsel
konzultant *n* adviser
konzultovat *v* counsel
koordinace *n* coordination
koordinátor *n* coordinator
kopaná *n* football
kopat *v* kick, dig
kopie *n* duplication, copy
kopírka *n* copier
kopírovat *v* replicate, duplicate, copy
kopnout *v* kick
kopule *n* dome
kopyto *n* hoof
kordón *n* cordon
korek *n* cork
korekce *n* correction
korelovat *v* correlate
korespondovat *v* correspond
korigovat *v* rectify

kormidlo *n* rudder, helm
kornout *n* cornet
korodovat *v* corrode
koroptev *n* partridge
korporace *n* corporation
koruna *n* crown
korunovace *n* coronation
korunování *n* crowning
korunovat *v* crown
korupce *n* bribery, corruption
koryto *n* ravine
kořalka *n* brandy
kořen *n* root
koření *n* spice, zest, condiment
kořist *n* loot, trophy, prey
kosit *v* mow
kosmetický *n* cosmetic
kosmický *adj* cosmic
kosmonaut *n* astronaut, cosmonaut
kosočtverec *n* quarry
kost *n* bone
kostel *n* temple, church
kostelní lavice *n* pew
kostka *n* cube
kostka ledu *n* ice cube
kostky *n* dice
kostní dřeň *n* bone marrow
kostra *n* skeleton, frame, body
kostým *n* costume
koš *n* bin, basket
koš na odpadky *n* waste basket

košíková *n* basketball
košile *n* shirt
koště *n* broom
kotě *n* kitten
kotník *n* ankle
kotouč *n* disk; roll
kótování *n* quotation
kotva *n* anchor
kotviště *n* berth
kouknout *v* peep
koule *n* ball; sphere
koulet *v* bowl
koupat *v* bathe
koupat *n* tub
koupě *n* purchase
koupel *n* bath
koupelna *n* bathroom
koupit *v* buy, purchase
kouřit *v* smoke
kousat *v* bite
kousek *n* bit, shred
kousnutí *n* bite
kout *v* concoct
kout *n* corner
kouzelník *n* magician
kouzelný *adj* magical
kouzlit *v* spell
kouzlo *n* magic, spell
kov *n* metal
kovadlina *n* anvil
kovář *n* blacksmith
kovboj *n* cowboy

kovový *adj* metallic
kozel *n* goat
kód *n* code
kóje *n* box; cubicle
kóma *n* coma
krab *n* crab
krabice *n* box
kráčet *v* walk, stride, step
krádež *n* theft
krádež v obchodě *n* shoplifting
kradmý *adj* stealthy
krach *n* bankruptcy
krachovat *v* bankrupt
kraj *n* brink, brim, margin; region, country, province
krajan *n* compatriot
krajani *n* brethren
krajíc *n* slab
krajina *n* landscape, countryside
krajina u moře *adj* seaside
krajinný vzhled *n* scenery
krajinomalba *n* landscape
krajka *n* lace
krajnosti *n* extremities
krajta *n* python
krákat *v* crow
král *n* king
králík *n* rabbit
královna *n* queen
královský *adj* royal
království *n* kingdom
krása *n* beauty

krásný *adj* beautiful
krasobruslení *v* ice skate
krást *v* pilfer, steal
kráter *n* crater
krátká porada *n* briefing
krátké kalhoty *n* shorts
krátkodobý *adj* short-lived
krátkozraký *adj* myopic, nearsighted, shortsighted
krátký *adj* short
kratochvíle *n* pastime
kráva *n* cow
kravata *n* tie, necktie
krb *n* fireplace, hearth
krčit *v* shrug
krční mandle *n* tonsil
kredenc *n* cupboard, dresser
kredit *n* credit
krejčí *n* tailor
krematorium *n* crematorium
kresba *n* drawing
kreslený film *n* cartoon
kreslený vtip *n* cartoon
kreslič *n* draftsman
kreslit *v* draw
krev *n* blood
kreveta *n* prawn
krém *n* cream
krémový *adj* creamy
kriket *n* cricket
kriketová pálka *n* willow
kriminalita *n* delinquency

kriminální *adj* criminal
kriminálník *n* crook, thug, villain
kritérium *n* criterion
kritický *adj* crucial, critical, severe
kritika *n* critique, criticism
kritizovat *v* criticize
krize *n* depression, crisis
krk *n* neck
krkat *v* burp
krkavec *n* buzzard
krmit *v* feed
krocan *n* Turkey
krok *n* pace, step
krok za krokem *adv* step-by-step
krokodýl *n* crocodile
krokovat *v* pace
krom *pre* except
kromě *pre* barring, except
kromě toho *pre* besides
kromě toho *adv* furthermore, moreover
kronika *n* chronicle
kroutit *v* wring
kroužek na klíče *n* key ring
kroužit *v* ring, circle
krtek *n* mole
krucifix *n* crucifix
kruh *n* ring, circle
kruhový *adj* circular
krumpáč *n* pick
krunýř *n* shell
krutě *adv* harshly

krutost *n* cruelty
krutý *adj* harsh, stern, cruel
krůček po krůčku *adv* little by little
krvácení *n* bleeding, hemorrhage
krvácet *v* bleed
krvavý *adj* bloody, gory
krvežíznivý *adj* bloodthirsty
krvinka *n* corpuscle
krychle *n* cube
krysa *n* rat
kryt *n* hood, shield, case, cover
krýt *v* cover
krytí *n* cover, backing, coverage
krytý vchod *n* porch
křeč *n* convulsion, spasm, cramp
křečovitý *adj* cramped

křehkost *n* frailty
křehký *adj* fragile, brittle, frail, petite
křepelka *n* quail
křeslo *n* chair, armchair
křest *n* christening, baptism
křesťanský *adj* Christian
křesťanství *n* Christianity
křičet *v* shout, yell
křída *n* chalk
křídlo *n* wing
křik *n* cry, scream, shout
křiklavý *adj* lurid
křišťál *n* crystal
křivá přísaha *n* perjury

křivda *n* grievance
křivé svědectví *n* perjury
křivka *n* curve
křivý *adj* crooked
kříž *n* cross, crucifix
křižák *n* crusader
křížek *n* cross
křížem *pre* across
kříženec *n* bastard
křížení *n* crossing
křížová palba *n* crossfire
křížová výprava *n* crusade
křižovatka *n* junction, crossroads
křížovka *n* crossword
křovina *n* bush
křtiny *n* christening
křupavý *adj* crisp, crispy, crunchy
kšeftovat *n* hustle
který *adv* as
který *adj* what, which
kterýkoli *pro* anyone
kterýkoli *adj* either
kterýkoliv *pro* anyone
kubický *adj* cubic
kufr *n* trunk, suitcase
kuchař *n* cook
kuchyně *n* cuisine, kitchen
kuchyňská linka *n* counter
kuchyňské náčiní *n* utensil
kukuřice *n* corn
kulečník *n* billiards
kulhat *v* limp

kulhavost *n* limp
kulička *n* globule
kulka *n* bullet
kulminovat *v* culminate
kulomet *n* machine gun
kult *n* cult
kultivace *n* cultivation
kultivovat *v* cultivate
kultura *n* culture
kulturní *adj* cultural
kupa *n* pile
kupa sena *n* goof
kupec *n* buyer, trader, merchant
kupit *v* pile
kupka *n* stack
kupka sena *n* haystack
kupon *n* voucher
kupón *n* coupon
kupředu *adv* forward, onwards
kurátor *n* curator
kurs *n* rate
kurýr *n* courier
kurz *n* course
kurzíva *adj* italics
kuřák *n* smoker
kuřátko *n* chick
kuře *n* chicken
kus *n* chunk, piece
kus oděvu *n* garment
kutálet *v* roll
kužel *n* cone
kůl *n* post, stake

kůlna *n* shed
kůň *n* horse
kůrka *n* crust
kůže *n* skin; leather
kůže na hlavě *n* scalp
kvalifikovat *v* qualify, rank
kvalita *n* quality
kvasinka *n* yeast
kvasnice *n* ferment, yeast
květ *v* blossom
květ *n* flower
květák *n* cauliflower
květen *n* May
květináč *n* flowerpot
kvičivý *adj* squeaky
kvocient *n* quotient
kvůli *pre* because of
kyanid *n* cyanide
kyčel *n* hip
kyj *n* club, rod
kýl *n* fin
kýla *n* hernia
kymácet se *v* sway
kyselina *n* acid
kyselost *n* acidity
kyselý *adj* sour
kyslík *n* oxygen
kytara *n* guitar
kyvadlo *n* pendulum
kýč *n* junk
kýchat *v* sneeze
kýchnutí *n* sneeze

kývat *v* wag

L

labilní *adj* shaky
laboratoř *n* lab
labuť *n* swan
ladit *v* tune
laguna *n* lagoon
lahodný *adj* delicate, delicious
lahůdka *n* delicacy
lajdácký *adj* sloppy
lak *n* varnish
lak na boty *n* shoe polish
lakomec *n* miser
lakomství *n* avarice
lakomý *adj* stingy, cheap, selfish, avaricious
lakovat *v* varnish
lampa *n* lamp
lanko *n* wire
lapat po dechu *v* gasp
lapidární *adj* concise
láhev *n* bottle
lákadlo *n* enticement
lákat *n* allure
lákat *v* lure, entice, tempt; beckon

lákavý *adj* enticing, alluring, tempting
lascivní *adj* prurient
laser *n* laser
laskavě *adv* kindly
laskavost *n* goodness, benevolence, kindness, favor
laskavý *adj* kind, benevolent; caring, affectionate; gracious, amiable
laso *v* lasso
lastura *n* clam
látka *n* substance; material, stuff
latrína *n* bog
lavice *n* bench
lavina *n* avalanche
láska *n* affection, romance, love
láskyplný *adj* affectionate, caring
lázně *n* spa
lebka *n* skull
leč *c* but, however
led *n* ice
leda *c* unless
ledaže *c* unless
leden *n* January
lednička *n* icebox
ledově studený *adj* ice-cold
ledovec *n* glacier, iceberg
ledový *adj* icy
ledvina *n* kidney
legalizovat *v* legalize
legální *adj* lawful

K
L

legálnost *n* legality
legenda *n* legend
legie *n* legion
legislativa *n* legislation
legislatura *n* legislature
legitimace *n* badge
legitimní *adj* legitimate
legrace *n* fun
legrační *adj* funny, ridiculous
lehce *adv* lightly
lehkomyslný *adj* frivolous
lehký *adj* easy, light
lehký *n* lightweight
lehký úkol *n* routine
lechtat *v* tickle
lechtivý *adj* ticklish
lekce *n* lesson
leknout *v* scare
leknutí *n* scare
lem *n* hem; rim, border, verge; braid
lemovka *n* lace
lenost *n* laziness
lenošit *v* lounge
leopard *n* leopard
lep *n* glue
lepidlo *n* paste
lepit *v* glue
lepit se na paty *v* stalk
lepivý *adj* sticky
lepra *n* leper, leprosy
lepší *adj* better

les *n* forest
lesk *n* polish, gloss; gleam
lesklý *adj* shiny, glossy
lesknout se *v* gleam
lest *n* trick, gimmick
lešení *n* scaffolding
leštidlo *n* polish
leštit *v* polish
let *n* flight
letadlo *n* plane, aircraft, airplane
leták *n* flier, leaflet
letec *n* flier, aviator
letecká pošta *n* airmail
letectví *n* aviation
letět *v* fly
letět střemhlav *adv* nosedive
letiště *n* airport
letitý *adj* senior
letmo zahlédnout *v* glimpse
letmý pohled *n* glance, glimpse
letovat *v* solder
letuška *n* stewardess
leukemie *n* leukemia
lev *n* lion
levá strana *n* left
levice *n* left
levný *adj* cheap, inexpensive
levý *adj* left
lež *n* lie
ležérní *adj* casual
ležet *v* lie
léčba *n* therapy, medication

léčebna *n* ward
léčení *n* treatment
léčit *v* cure, treat
léčit se *v* heal
léčitel *n* healer
léčivo *n* drug, medicine
léčivý *adj* medicinal
lék *n* drug, medication, remedy, cure
lék tišící bolest *n* painkiller
lékárna *n* drugstore, pharmacy
lékař *n* doctor
léto *n* summer
lézt *v* climb
lhář *adj* liar
lhát *v* lie
lhostejnost *n* ignorance, indifference
lhostejný *adj* ignorant, indifferent
lhůta *n* deadline
líbánky *n* honeymoon
líbit se *v* appeal
libovolný *adj* arbitrary
libra *n* pound
licence *n* license
licencovat *v* license
licitátor *n* auctioneer
lícní kost *n* cheekbone
licousy *n* sideburns
lidé *n* folks, people
lidičky *n* folks
lidoop *n* ape

lidožrout *n* cannibal
lidská bytost *n* human being
lidský *adj* human
lidstvo *n* humankind, mankind
liga *n* league
lichotit *v* flatter
lichý *adj* odd, uneven
liják *n* downpour
likér *n* liqueur
likvidace *n* liquidation
likvidovat *v* liquidate
limeta *n* lime
limit *n* limit
limonáda *n* lemonade
líný *adj* lazy
lis *n* press
lisovat *v* press
list *n* leaf
list papíru *n* sheet
listí *n* leaves
listina *n* deed
listopad *n* November
lišácký *adj* foxy
lišit se *v* differ
liška *n* fox
litanie *n* litany
literární esej *n* essay
literatura *n* literature
litovat *v* regret
litr *n* liter
litující *adj* remorseful
liturgie *n* liturgy

lůno

líc *n* cheek
líčení *n* makeup
líčidla *n* makeup
líh *n* spirit
lískový oříšek *n* hazelnut
lístkové těsto *n* puff
lít *v* pour
lítost *n* remorse, regret, pity
lízat *v* lick
lněná tkanina *n* linen
lnout k *v* stick to
loajální *adj* loyal
lobby *n* lobby
lobovat *v* lobby
loď *n* ship
loděnice *n* shipyard
loďka *n* boat
logické myšlení *n* reasoning
logický *adj* reasonable, logical
logika *n* logic
lokalizovat *v* localize
lokální *adj* parochial
loket *n* elbow
lom *n* quarry
lomítko *n* slash
lomoz *n* noise
lomozit *v* clamor
lopata *n* spade, shovel
lordstvo *n* lordship
losos *n* salmon
loterie *n* raffle, lottery
lotr *n* scoundrel

loudat se *v* loiter
loudavý *adj* sluggish
louka *n* meadow
loupat *v* peel, shell
loupež *n* robbery, heist
loupežné přepadení *n* mugging
loupežník *n* robber
loupit *v* loot
louskat prsty *v* snap
loutka *n* puppet
louže *n* spill
lov *n* hunting
lovec *n* hunter
lovecký pes *n* hound
lovit *v* prowl, hunt
lovná zvěř *n* quarry
ložisko *n* reservoir
ložní prádlo *n* bedding
ložnice *n* bedroom
lpět *v* cling
lstivý *adj* wily
luk *n* bow
lump *n* rascal
luňák *n* kite
lup *n* booty
lupnutí *n* crack
lupy *n* dandruff
lustr *n* chandelier
lustrovat *v* screen
luštěniny *n* pulse
luxusní *adj* luxurious, deluxe
lůno *n* womb

lůžko *n* berth, bed
lvice *n* lioness
lynčovat *v* lynch
lyrika *n* lyrics
lysý *adj* bald
lyžovat *v* ski
lýtko *n* calf
lžíce *n* tablespoon, spoon;
  spoonful

M

mačkat *v* wring; crease
madam *n* madam
mafie *n* mob
magnát *n* tycoon
magnet *n* magnet
magnetický *adj* magnetic
magnetismus *n* magnetism
magnetofon *n* recorder, tape
  recorder
magnituda *n* magnitude
mahagon *n* mahogany
maják *n* beacon, lighthouse
majetek *n* estate
mající mořskou nemoc *adj*
  seasick
mající osten *adj* stingy

mající štěstí *adj* fortunate
mající zácpu *adj* constipated
mající zpětný účinek *adj*
  retroactive
majitelé *n* owner
major *n* major
majoritní *adj* major
malárie *n* malaria
malé dítě *n* baby
malé občerstvení *n* snack
malebný *adj* picturesque
malichernost *n* pettiness
malicherný *adj* fussy
malina *n* raspberry
malíř *n* painter
malomocenství *n* leper, leprosy
malování *n* painting
malovat *v* paint
malta *n* mortar
malý *adj* little, small
maminka *n* mom
mamut *n* mammoth
manažer *n* manager
mandarinka *n* tangerine
mandát *n* mandate
mandle *n* almond
manévr *n* maneuver
maniak *adj* maniac
manko *n* deficiency
mantinel *n* barrier
manuál *n* manual, reference
manuální *adj* manual

L
M

manýra *n* mannerism
manžel *n* husband
manželka *n* wife
manželky *n* wives
manželský *adj* conjugal, marital
manželství *n* marriage, matrimony
manžeta *n* cuff
mapa *n* map
mapovat *v* map
marinovat *v* marinate
markantní *adj* prominent
markýza *n* awning
marmeláda *n* marmalade
marně *adv* vainly
marnivý *adj* futile, vain
marnost *n* futility, vanity
marný *adj* void
Mars *n* Mars
maršál *n* marshal
marxista *adj* Marxist
marže *n* margin
mařit *v* confound
masa *n* mass
masakr *n* carnage, massacre
masáž *n* massage
masérka *n* masseuse
masírovat *v* rub, massage
masivní *adj* massive
maska *n* mask, guise
maskáč *n* camouflage
maskovací vzor *n* camouflage

maskování *n* camouflage
maskovat *v* camouflage, mask
maso *n* steak, meat; flesh
maso z jelena *n* venison
maso z ledviny *n* loin
masochismus *n* masochism
masová koule *n* meatball
mast *n* ointment
mastný *adj* fatty
matematika *n* math
materiál *n* material
materialismus *n* materialism
mateřské znaménko *n* mole
mateřský *adj* maternal
mateřství *n* maternity, motherhood
matice *n* nut
matka *n* mother
matrace *n* mattress
maturita *n* graduation, maturity
maximálně *adj* most
maximum *adj* maximum
maz *n* grease
mazání *n* lubrication
mazaný *adj* wily
mazat *v* smear, paste
mazlavý *adj* greasy
mazlení *n* caress
mazlit *v* fondle, caress
mazlit se *v* pet
má *adj* my
mák *n* poppy

M

málo *adj* few
márnice *n* mortuary
máslo *n* butter
mást *v* baffle, confuse
mávat *v* wave
mávnutí *n* wave
mdlo *n* qualm
mdlý *adj* faint; insipid
mé *adj* my
mě *pro* myself
mecenáš *n* benefactor
meč *n* sword
mečoun *n* swordfish
med *n* honey
medaile *n* medal
medailon *n* medallion
medailónek *n* pendant
medicína *n* medicine
medvěd *n* bear
mech *n* moss
mechanik *n* engineer, mechanic
mechanismus *n* mechanism
mechanizovat *v* mechanize
mejdan *n* party
melancholicky hledět *v* languish
melancholie *n* melancholy
melodický *adj* melodic
melodie *n* tune, melody
meloun *n* melon, watermelon
membrána *n* membrane
memento *n* memento
meningitida *n* meningitis

menopauza *n* menopause
menstruace *n* menstruation, period
menší *adj* minor, lessor
menšina *n* minority
mentalita *n* mentality
mentální *adj* psychic
menu *n* menu
meruňka *n* apricot
mešita *n* mosque
metafora *n* metaphor
meteor *n* meteor
metodický *adj* methodical
metr *n* meter
metrický *adj* metric
metro *n* subway
metropole *n* metropolis
mexický *adj* Mexican
mez *n* boundary
meze *n* extremities
mezek *n* mule
mezera *n* gap, interval
mezi *pre* amid, among, between
mezihra *n* interlude
mezitím *adv* meanwhile, meantime
mezní *adj* marginal; utmost
měď *n* copper
měchýř *n* bladder
měkce *adv* softly
měkkost *n* softness
měkký *adj* mellow, soft
měkkýš *n* shellfish
měl bych *v* ought to

M

měna *n* currency
měnit *v* alter, change
měnit se *v* fluctuate
měření *n* measurement
měřit *v* gauge, measure
měsíc *n* month; moon
měsíčně *adv* monthly
město *n* city, town
městská třída *n* avenue
městský *adj* urban
městský obvod *n* borough
měšťácký *adj* bourgeois
méně *adj* fewer, less
migréna *n* migraine
migrovat *v* migrate
míchané *adj* scrambled
míchaný *adj* assorted
míchat *v* mix, mingle
mikrob *n* microbe
mikrofon *n* microphone
mikroskop *n* microscope
mikrovlna *n* microwave
miláček *n* sweetheart
milenec *n* lover, boyfriend
milenecký *adj* intimate
milenka *n* lover, mistress
miliarda *n* billion
miliardář *n* billionaire
miligram *n* milligram
milimetr *n* millimeter
milión *n* million
milionář *adj* millionaire

militantní *adj* militant
milník *n* milestone
milosrdný *adj* merciful
milost *n* grace; reprieve, pardon
milostivý *adj* gracious
milostný poměr *n* affair
milovaný *adj* beloved, darling
milovat *v* love
milovník *n* lover
milující *adj* fond, loving
milý *adj* dear, nice, kind, sweet, agreeable
mim *n* mime
mimo *adv* beyond; aside; away; out; extra
mimo *pre* by, barring, except
mimo to *pre* besides
mimoto *adv* furthermore
mimozemšťan *n* alien
mina *n* mine
mince *n* coin
mincovna *n* mint
minerál *n* mineral
miniatura *n* miniature
minimalizovat *v* minimize
minimum *n* minimum
ministerstvo *n* ministry
ministr *n* minister; secretary
minisukně *n* miniskirt
minomet *n* mortar
minoritní *adj* minor
minout *v* pass

minout se *v* miss
minové pole *n* minefield
minulost *n* history
minulý *adj* previous, past
minusový *adj* minus
minuta *n* minute
mise *n* mission
misionář *n* missionary
mistr *n* master
mistrovské dílo *n* masterpiece
mixér *n* mixer, blender
mizera *n* bastard
mizérie *n* misery
mizerný *adj* lousy, wretched, crappy, paltry
mizet *v* wane, fade
mí *adj* my
míč *n* ball
míjet *v* pass around
míle *n* mile
mínění *n* mind
mír *n* peace
míra *n* measurement
mírně *adv* slightly
mírnost *n* leniency; moderation
mírný *adj* bland, mild, lenient; low-key
mířící *adj* pointed
mířit *v* aim
mísa *n* bowl, dish
místní *adj* local
místnost *n* room

místo *n* spot, place, vacancy; room; location
místo čeho *n* lieu
místo nacházení *n* whereabouts
místo určení *n* destination
místodržitel *n* governor
mít *v* possess, have
mít důvěru v *v* credit
mít ohled *v* regard
mít opačný účinek *v* backfire
mít prospěch *v* benefit
mít rád *v* love, care for, like
mít rozsah *v* span
mít soucit *v* sympathize
mít účinek *v* impact
mít v úmyslu *v* intend
mít vliv *v* impact
mít zájem *v* care
mít zisk *v* profit
mládě *n* cub
mládenec *n* lad, youngster
mládež *n* youth
mládí *n* youth
mladický *adj* youthful
mladík *n* juvenile
mladistvý *adj* juvenile
mladý *adj* young
mlátit *v* thresh
mlátit kolem sebe *v* lash out
mlčící *adj* silent
mlčky schvalovat *v* connote
mlčky trpět *v* connote

mléčná farma *n* dairy farm
mléčný *adj* milky
mléko *n* milk
mlh *n* fog
mlha *n* haze, mist
mlhavý *adj* foggy
mlít *v* grind
mluvčí *n* speaker
mluvit *v* speak, talk
mluvnice *n* grammar
mlýn *n* mill
mlž *n* clam
mně *pro* myself
mnich *n* friar, monk
mnoho *adj* lots
mnoho *adv* much
mnohonásobný *adj* multiple
mnohoženství *n* polygamy
mnozí *adj* many
množit se *v* breed
množné číslo *n* plural
množství *n* amount, quantity;
plenty
mobilizovat *v* mobilize
mobilní *adj* mobile
mobilní telefon *n* cell phone
moc *n* power
moc *adv* too, much
moci *v* can
mocný *adj* powerful, potent,
mighty, forceful
moct *v* may

moč *n* urine
močál *n* swamp, bog, quagmire
močálovitost *n* stagnation
močit *v* urinate
model *n* model, prototype
modelovat *v* model
moderní *adj* modern
modernizovat *v* modernize
modla *n* idol
modlářství *n* idolatry
modlit se *v* pray
modlitba *n* prayer
módní *adj* fashionable, posh,
trendy
módní slovo *n* catchword
modrý *adj* blue
modřina *n* bruise
modul *n* module
moje *adj* my
moji *adj* my
mokrý *adj* wet
mol *n* moth
molální *n* molar
molekula *n* molecule
molo *n* mole; pier
moment *n* instant
momentálně *adv* momentarily
momentka *n* snapshot
monarchie *n* monarchy
monogamie *n* monogamy
monolog *n* monologue
monopol *n* monopoly

monopolizovat *v* monopolize
montáž *n* assembly
montovat *v* mount
mor *n* plague; pest
morek *n* marrow
morfin *n* morphine
moře *n* sea
mořeplavec *n* voyager
mořská panna *n* mermaid
mořské produkty *n* seafood
most *n* bridge
mošt *n* cider
motel *n* motel
motiv *n* theme
motivovat *v* motivate
moto *n* motto
motocykl *n* motorcycle
motor *n* engine, motor
motouz *n* cord
motýl *n* butterfly
mou *adj* my
moučník *n* dessert
moudrost *n* wisdom
moudrý *adj* clever, wise
moucha *n* bug, fly
mouka *n* flour
mozaika *n* mosaic
mozek *n* brain
mozkový *adj* cerebral
možná *adv* may-be
možnost *n* option, possibility; contingency

možnosti *n* means
možný *adj* possible
mód *n* mode
móda *n* trend, fashion, vogue
mračit *v* frown
mrakodrap *n* skyscraper
mramor *n* marble
mravenec *n* ant
mravně zkazit *adj* deprave
mravní *adj* moral
mravnost *n* moral
mravy *n* manners
mráz *n* chill, frost
mrazák *n* freezer
mrazení *n* shudder
mrazit *v* freeze
mrazivý *adj* chilly, frosty, freezing
mrhat *v* dissipate
mrholení *n* drizzle
mrholit *v* drizzle
mrkat *v* blink, wink
mrkev *n* carrot
mrknutí *n* wink
mrož *n* walrus
mrskat *v* slash, flog, whip
mrštit *v* dash
mrtvice *n* stroke
mrtvola *n* corpse
mrtvý *adj* dead
mrtvý bod *n* stalemate
mrva *n* dung
mrzutost *n* chagrin

M

mstivý *adj* vindictive
mše *n* celebration
mučednictví *n* martyrdom
mučedník *n* martyr
mučení *n* torment, torture
mučírna *n* dungeon
mučit *v* torment, torture
mučivý *adj* excruciating
muka *n* agony, anguish, ordeal
mul *n* mule
mula *n* mule
mumie *n* mummy
mumlat *v* hum; mumble, murmur
munice *n* ammunition, munitions
můra *n* moth
muset *v* have to, must
muslimský *adj* Muslim
mušle *n* shell
mutovat *v* mutate
muzeum *n* museum
muž *n* man, male
muži *n* men
mužnost *n* manliness
mužný *adj* masculine, virile, manly
mužský *adj* masculine
můj *pro* mine
můj *adj* my
my *pro* we
my sami *pro* ourselves
mycí houba *n* sponge
myčka na nádobí *n* dishwasher
mýlit se *v* err

mys *n* cape
mysl *n* mind
myslet *v* reason, think
myslivec *n* hunter
myslivý *adj* thoughtful
mystický *adj* mystic
myš *n* mouse
myši *n* mice
myšlenka *n* idea, thought
mýt *v* wash
mýtné *n* toll
mýtus *n* myth
mýval *n* raccoon
mzda *n* earnings, wage

N

na *pre* at, by; upon, on; of; for
na cestě *adv* afloat
na lodi *adv* afloat
na ohni *adv* alight
na osobu *adv* apiece
na palubě *adv* aboard
na pospas *adv* adrift
na prvním místě *adj* foremost
na shledanou *e* bye
na světle *adv* alight
na zdraví *n* cheers

naběračka *n* tablespoon
nabídka *n* offer, offering; bid, proposal; menu
nabídka k sňatku *n* proposal
nabídnout *v* propose
nabídnout cenu *v* quote
nabít *v* charge
nabití *n* charge
nabitý *adj* armed
nabízet *v* offer
nabízet se slevou *v* discount
nablýskat *v* polish
nabručený *adj* grouchy
nabýt znovu *v* retrieve
nacpaný *adj* crowded
nacpat *v* cram, stuff
nacvičovat *v* study, rehearse
načež *c* whereupon
načíst *v* load
načrtnout *v* draft, outline
nad *pre* above, upon, over
nadace *n* foundation; trust
nadání *n* aptitude
nadaný *adj* gifted
nadávat *v* swear, scold
nadávka *v* slur; oath
nadbytečný *adj* superfluous, redundant, excessive, spare
nadbytek *n* opulence, excess, glut
nadčasový *adj* timeless
nade *pre* above

naděje *n* hope
nadějný *adj* rosy, auspicious
nadevšechno *adv* overall
nadhazovač *n* pitcher
nadhodnotit *v* overestimate
nadcházející *adj* forthcoming
nadchnout *v* inspire, enthuse
nadměrný *adj* excessive
nadpis *n* heading
nadpřirozený *adj* divine
nadřazenost *n* primacy, superiority, supremacy
nadřazený *adj* superior
nadřízený *adj* superior
nadšeně uvítat *v* acclaim
nadšení *n* enthusiasm
nadšený *adj* passionate
nadto *adv* furthermore
nadutý *adj* cocky; bloated; lofty
nadvláda *n* domination, dominion, ascendancy
nadýmat *v* bloat
nadzemní *n* midair
nafoukaný *adj* cocky
nafouklý *adj* bloated, puffy
nafouknout *v* blow up
nafouknutí *n* inflation
nafta *n* petroleum, oil
nafukovací člun *n* raft
nafukovat *v* inflate
nahodit *v* plaster
nahoru po schodech *adv* upstairs

N

nahota *n* nudity
nahradit *v* compensate, recompense, refund, make up for, offset; replace, substitute
nahrát *v* load
nahrávka *n* record
nahromadění *n* buildup
nahromadit *v* accumulate, agglomerate, amass, stack
náhubek *n* muzzle
nahý *adj* nude, naked
náchylný *adj* predisposed, prone
naivní *adj* naive
najímat *v* rent
najít *v* find
najmout *v* hire, charter
nakapat *v* instill
nakazit *v* contaminate, infect
nakažený *adj* infested, tainted
nakažlivý *adj* contagious, infectious, catching
nakažlivý *n* epidemic
nakladatel *n* publisher
naklánět *v* lean back, tilt
nakloněný *adj* oblique, slanted
naklonit *v* incline
naklonit se *v* recline
náklonnost *n* affection, inclination
nakonec *adv* eventually, lastly
nakrájet *v* mince
nakrájet na kostičky *v* dice

nakrájet na plátky *v* slice
nakreslit *v* sketch
nakupit *v* heap, pile up
nakupování *n* shopping
nakupovat *v* shop
naladit *v* tune up
naléhání *n* insistence
naléhat *v* insist, beseech, press, pressure, urge
naléhavá věc *n* priority
naléhavost *n* emergency, urgency
naléhavý *adj* urgent
nálepka *n* sticker, seal
nalezení *n* retrieval
naložený *adj* loaded
naložit *v* load
namačkat *v* squash
namáhavý *adj* troublesome
namazat *v* grease; anoint
namíchnout *v* stir
namísto *adv* instead
namítat *v* object
namlouvat *v* insinuate
namluvit *v* narrate
namontovat *v* install
nanejvýš *adj* most
nanovo *adv* anew, afresh
naočkovat *v* indoctrinate
naopak *adv* conversely
napadat *v* strike
napadení *n* attack; battery, charge
napadnout *v* assail, batter, charge

N

napálit *v* dupe
naparovat se *v* flourish
napětí *n* voltage; tension; suspense, suspension
napínáček *n* thumbtack
napínat *v* thrill, strain
napjatý *adj* tense, strained, uptight
naplácat *v* spank
naplnit *v* fulfill
napnout *v* spring
napnutý *adj* uptight
napodobovat *v* imitate
napomáhat *v* assist
napomenutí *n* admonition
napomínat *v* bring up
naposled *adv* last
napravit *v* correct, adjust; remedy; reclaim
naprostý *adj* absolute; stark
naproti *pre* facing
naproti *adv* opposite
napříč *pre* across
napsat *v* write down
narazit *v* crash, impact
narazit do *v* bump into
narazit na *v* bump into, come across, run into
narážet na něco *v* refer to
narážka *n* innuendo, insinuation, allusion
narodit se *v* be born

narození *n* birth
narozeniny *n* birthday
narozený *adj* born
naruby *adv* inside out
narukovat *v* enlist
narušit *v* disturb
nařídit *v* impose, order
naříkat *v* cry out
nařízení *n* decree, mandate, regulation
nařízený *adj* mandatory
nařknout *v* denounce
nás *pre* us
nasakovat *v* soak up
nasávač *adj* sucker
nasávat *v* soak
naskytnout se *v* occur, arise
nastat *v* occur
nastávající *adj* upcoming
nastavení *n* adjustment, setting; setup
nastavit *v* set up; set
nastavitelný *adj* adjustable
nástěnný koberec *n* tapestry
nastínit *v* outline
nastolit *v* install
nastoupení *n* roundup
nastoupit do letadla *v* board
nastoupit do lodě *v* board
nastoupit na místo *v* supersede
nastrojit *v* arrange
nasvícení *n* lighting

N

nasytit *v* saturate
naše *adj* our
našedlý *adj* grayish
naši *adj* our
naštípnout *v* crack
natáčet *v* film
natáhnout *v* extend, stretch
natažený *adj* outstretched
natočit *v* angle
natupírovat *v* brush up
naučit *v* learn
naučit se *v* cram
naučit se zpaměti *v* memorize
nauka *n* theory
navádění *n* navigation
navázat *v* bind
navěky *adv* forever
navíc *adv* beyond, moreover, extra
navigovat *v* navigate
navíjet *v* wind up
navlhčit *v* dampen, moisten
navlhlý *adj* damp
navrácení *n* restoration
navrácení *v* return
navrátit *v* restore
navrhnout *v* propose; draft
navrhovat *v* suggest
navrhovatel *n* plaintiff
navštěvovat *v* frequent
navštěvovat kluby *v* club
navštívit *v* visit
navyklý *adj* habitual

navýšení *n* increase
navzdory *c* despite
nazdar *e* hello
nazdar *n* cheers
naznačit *v* signify, indicate, outline, implicate, hint
naznačující *adj* suggestive
nazvat *v* call, name
náboj *n* charge, cartridge
nábor *n* recruit, recruitment
náboženský *adj* religious
náboženství *n* religion
nábytek *n* furniture
nácvik *n* rehearsal
náčrt *n* draft
nádhera *n* splendor
nádherný *adj* splendid, magnificent, gorgeous, wonderful
nádivka *n* stuffing
nádoba *n* container
nádobí *n* dish
nádobka *n* bowl
nádor *n* tumor
nádraží *n* depot
nádrž *n* basin, reservoir, tank
nádvoří *n* courtyard
náhle *adv* abruptly, suddenly
náhlé objevení se *n* flash
náhled *n* preview
náhlit *v* rash
náhlý *adj* acute, sudden

N

náhoda *n* coincidence, contingency

náhodně *adv* incidentally, randomly

náhodný *adj* coincidental

náhon *n* drive

náhrada *n* compensation, reimbursement, refund; replacement

náhrada *n* substitute

náhradní díl *n* spare part

náhražka *n* imitation

náhrdelník *n* bracelet, necklace

náhrobek *n* gravestone

náhrobní kámen *n* tombstone

náhrobní nápis *n* epitaph

nájemce *n* lessee

nájemné *n* rent

nájemní smlouva *n* lease

nájemník *n* occupant, tenant

nájemný vrah *n* assassin

nájezdník *n* raider

nákaza *n* infection, plague, contamination

náklad *n* load, cargo, freight; bulk

nákladní auto *n* truck

nákladný *adj* expensive

náklady *n* expenditure, cost

nákupní centrum *n* mall

nákres *n* sketch

nákyp *n* pudding

nálada *n* countenance, mood

náladový *adj* moody

nálev *n* infusion

náležet *v* pertain

náležitě *adv* properly

náležitost *n* prerequisite

náležitosti *n* belongings

náležitý *adj* appropriate

nálož *n* charge

nám *pre* us

námaha *n* exertion

náměstí *n* place

námět *n* motive

námitka *n* challenge, plea, objection

námořní *adj* marine

námořnictvo *n* navy

námořník *n* sailor

nános *n* deposit

nápad *n* idea; conception

nápadný *adj* eye-catching

nápis *n* inscription

náplast *n* plaster

náplň *n* filling; cartridge

nápodobně *adv* likewise

nápoj *n* drink, beverage

nápomocný *adj* helpful

nápor *n* onslaught; surge, drive; strain

nápověda *n* hint

náprava *n* remedy, redemption; reparation; correction; axle

náramek *n* bracelet

náraz *n* crash, bump, impact, jolt
nárazník *n* fender, bumper
náročný *adj* difficult, challenging, demanding
národ *n* nation
národní *adj* national
národnost *n* nationality
nárok *n* claim; pretension, pretense
nářečí *n* dialect
nářek *n* cry, lament, wail
násilí *n* aggression, violence
násilné vniknutí *n* breach
násilník *n* hoodlum; rapist
násilný *adj* violent
následek *n* impact, ramification
následně *adv* afterwards
následný *adj* subsequent
následovat *v* succeed, follow
následovník *n* follower
následující *adj* next, consecutive
násobení *n* multiplication
násobit *v* multiply
násobný *adj* multiple
nástavec *n* bit
nástin *n* outline
nástroj *n* tool
nástup *n* onset
nástupce *n* successor
nástupiště *n* platform
náš *adj* our
náš *pro* ours

nátěr *n* paint
nátlak *n* compulsion, force, pressure
náušnice *n* earring
nával *n* surge
návnada *n* bait
návod *n* manual
návrat *n* return, comeback, reentry
návrh *n* concept, proposal, suggestion, proposition; project, design
návrhář *n* draftsman
návštěva *n* visit
návštěvník *n* visitor
návykový *adj* addictive
název *n* title
náznak *n* indication
názor *n* opinion
názorný *adj* graphic
ne *adv* not
neadekvátní *adj* inadequate
nebe *n* heaven
nebeský *adj* heavenly, celestial
nebezpečí *n* risk, danger
nebezpečný *adj* unsafe
neblahé tušení *n* premonition
neblahý *adj* sullen
nebo *c* or
neboli *c* or
neboť *c* because
necitlivost *n* numbness

N

necitlivý *adj* numb, insensitive

necudný *adj* prurient

nečestně *adv* unfairly

nečestnost *n* dishonesty, unfairness

nečestný *adj* dishonest, dishonorable

nečinný *adj* idle

nečistý *adj* foul, impure

nečitelný *adj* illegible

nečlen *n* outsider

nedaleko *pre* near

nedávný *adj* latter; recent

nedbající *adj* careless

nedbalost *n* carelessness, negligence

nedbalý *adj* sloppy, lax; negligent, reckless

nedbat *v* disregard

neděle *n* Sunday

nedělitelný *adj* indivisible

nediskrétní *adj* indiscreet

nediskrétnost *n* indiscretion

nedočkavý *adj* anxious

nedodělek *n* backlog

nedokonalost *n* imperfection

nedostačující *adj* insufficient

nedostatečný *adj* deficient

nedostatek *n* deficiency, pitfall, lack, shortage, shortcoming

nedotčený *adj* unhurt

nedotknutelný *adj* untouchable

nedovolený *adj* illicit

nedozrálý *adj* premature

nedráždivý *adj* bland

nedůvěra *n* disbelief, distrust, mistrust

nedůvěřivý *adj* distrustful

nedůvěřovat *v* mistrust

neefektivní *adj* ineffective, inefficient

nefalšovaný *adj* genuine

neformální *adj* informal

neformálnost *n* informality

negativní *adj* negative

negramotný *adj* illiterate

nehet *n* nail

nehet na noze *n* toenail

nehet na ruce *n* fingernail

nehoda *n* crash, accident, incident

nehodící *adj* misfit

nehodící se *adj* unfit

nehodný *adj* worthless

nehorázný *adj* exorbitant

nehybný *adj* stationary, motionless

nechápavý *adj* dull

nechat *v* let, leave

nechráněný *adj* unprotected; naked

nechuť *n* distaste

nechutenství *n* qualm

nechutný *adj* disgusting, nasty, distasteful, tasteless

neinformovaný *adj* ignorant

nejasnost *n* fine print, obscurity

nejasný *adj* hazy, misty
nejdůležitější *adj* principal
nejednotnost *n* disunity
nejhorší *adj* worst
nejistota *n* insecurity
nejistý *adj* precarious, uncertain
nejlepší *adj* best
nejmenší *adj* least
nejmenší množství *n* minimum
nejvíce *adj* most
nejvíce *adv* mostly
nejvyšší *adj* supreme, sovereign
nejvyšší bod *n* climax
nekalý *n* sinister
neklid *n* unrest
nekompatibilní *adj* incompatible
nekompetentní *adj* incompetent
nekompetentnost *n* incompetence
nekompromisní *adj* rigid
nekončící *adj* unending
nekonečný *adj* endless, infinite
nekonzistentní *adj* inconsistent
nekrytý *adj* naked
nekuřák *n* nonsmoker
nekvalitní *adj* flimsy, shoddy
neladící *adj* dissonant
nelegální *adj* illegal
nelegitimní *adj* illegitimate
nelibost *n* displeasure, resentment, dislike
nelidský *adj* inhuman

nelítostný *adj* ruthless
neloajální *adj* disloyal
neloajálnost *n* disloyalty
nelogický *adj* illogical
nemanželský *adj* illegitimate
neměnný *adj* immutable, steady
nemilosrdný *adj* merciless
nemilý *adj* unfavorable
nemístnost *n* impertinence
nemístný *adj* impertinent
nemít rád *v* dislike
nemoc *n* disease, illness, sickness
nemocnice *n* hospital
nemocný *adj* ill, ailing
nemoderní *adj* obsolete
nemohoucí *adj* impotent
nemovitost *n* estate, realty
nemožnost *n* impossibility
nemožný *adj* impossible
nemravnost *n* immorality; depravity
nemravný *adj* immoral; outrageous
nemyslitelný *adj* unthinkable
nenapravitelný *adj* incorrigible, irreparable
nenáročnost *n* modesty
nenasytitelný *adj* insatiable
nenasytnost *n* greed
nenasytný *adj* greedy, insatiable
nenávidět *v* loathe, detest
nenávist *v* hate

N

nenávist *n* loathing
nenávistný *adj* hateful
nenucenost *n* spontaneity
nenucený *adj* spontaneous
neobeznámený s něčím *adj* unfamiliar
neoblíbený *adj* unpopular
neoblomný *adj* relentless
neobsazený *adj* unoccupied
neobvyklý *adj* odd, uncommon
neobyčejný *adj* special, unusual
neobyvatelný *adj* inhabitable
neocenitelný *adj* invaluable
neočekávaný *adj* unexpected, unforeseen
neodborník *n* layman
neodbytný *adj* pushy
neodčinitelný *adj* inexplicable
neoddělitelný *adj* inseparable
neodolatelný *adj* irresistible
neodpovídající standardu *adj* substandard
neodvolatelný *adj* irrevocable
neodvratitelný *adj* unavoidable
neodvratný *adj* inevitable
neoficiálně *adj* off-the-record, unofficially
neohebný *adj* inflexible
neohrabanost *n* clumsiness
neohrabaný *adj* rustic, clumsy
neohraničený *adj* boundless
neohrožený *adj* intrepid

neochotně *adv* reluctantly, unwillingly
neochotný *adj* reluctant
neomezený *adj* unlimited
neomluvitelný *adj* inexcusable
neopatřený *adj* unfurnished
neopodstatněný *adj* unfounded
neopracovaný *adj* crude
neoprávněný *adj* unjustified
neosobní *adj* impersonal
neotesanost *n* bluntness
neotesaný *adj* blunt
neozbrojený *adj* unarmed
neozvučený *adj* mute
nepatřící *adj* extraneous
nepatřičný *adj* incorrect
neplatný *n* invalid
neplatný *adj* null
neplodný *adj* infertile, sterile
nepoctivý *adj* crooked
nepoddajný *adj* inflexible, rigid
nepodložený *adj* baseless, groundless
nepodstatný *adj* irrelevant
nepohodlí *n* discomfort
nepohodlný *adj* uncomfortable
nepohyblivý *adj* immobile
nepochopit *v* misconstrue
nepochybně *adv* undoubtedly
nepochybný *adj* unequivocal, unmistakable
nepokoj *n* riot, disturbance
nepokojný *adj* restless, turmoil
nepopiratelný *adj* undeniable

nepopsatelný *adj* unspeakable
neporazitelný *adj* unbeatable
neporozumět *v* misunderstand
neporušený *adj* intact
nepořádek *n* muddle, disorder
neposkvrněnost *n* purity
neposkvrněný *adj* pure, immaculate, spotless
neposlouchat *v* disobey
neposlušnost *n* disobedience
neposlušný *adj* disobedient
nepostačující *adj* inadequate
nepostradatelný *adj* indispensable
nepoškozený *adj* unharmed
nepotřebný *adj* unnecessary
nepoužitelný *adj* useless
nepoužívání *n* disuse
nepovolený *adj* illegal
nepovšimnutý *adj* unnoticed
nepraktický *adj* impractical
nepravda *n* myth
nepravděpodobný *adj* improbable, unlikely
nepravdivý *adj* untrue
nepravidelný *adj* irregular
nepropustný *adj* watertight
neprůhledný *adj* opaque
nepružný *adj* inflexible
nepřátelský *adj* unfriendly, hostile
nepřátelství *n* hostility

nepředpojatý *adj* open-minded, unbiased
nepředvídatelný *adj* unpredictable
nepřemožitelný *adj* invincible
nepřesný *adj* imprecise, inaccurate
nepřetržitě *adv* ceaselessly
nepřetržitý *adj* permanent, nonstop
nepříčetnost *n* insanity
nepříčetný *adj* deranged
nepříhodný *adj* awkward, untimely
nepříjemnost *n* displeasure
nepříjemný *adj* unpleasant, uncomfortable; disagreeable; awkward; harsh, stern
nepřiměřený *adj* excessive
nepřímý *adj* circumstantial, indirect
nepřipoutaný *adj* unattached
nepřístojnost *n* nuisance
nepřístupný *adj* inaccessible, inadmissible
nepřítel *n* enemy, foe
nepřítomnost *n* absence
nepřítomný *adj* absent
nepřízeň *n* adversity
nepříznivý *adj* adverse
neradostný *adj* bleak, grim
nerealistický *adj* unrealistic
nerezavějící *adj* rust-proof
nerovnost *n* inequality
nerovnováha *n* imbalance
nerovný *adj* unequal
nerozbitý *adj* unbroken

N

nerozhodnost *n* indecision
nerozhodnutý *adj* pending, undecided
nerozpustný *adj* insoluble
nerozumný *adj* unreasonable, unwise
nerozvážný čin *n* escapade
nerv *n* nerve
nervní *adj* nervous
nervozita *n* fuss
nervózní *adj* nervous, jumpy, edgy
nesčetný *adj* numerous
neselhávající *adj* unfailing
neshoda *n* disagreement, conflict
neschopnost *n* inability
neschopný *n* invalid
neschopný *adj* unable, incapable, incompetent; impotent
neschválení *n* disapproval
neskutečný *adj* fantastic, unreal
neslavný *adj* infamous
neslučitelný *adj* incompatible
neslušnost *n* indecency
neslýchaný *adj* unheard-of
neslyšící *adj* deaf
nesmělost *n* timidity
nesmírně *adv* dearly, exceedingly
nesmírný *adj* enormous
nesmiřitelný *adj* implacable
nesmrtelnost *n* immortality
nesmrtelný *adj* immortal
nesmysl *n* rubbish, nonsense

nesmyslný *adj* senseless
nesnadnost *n* difficulty
nesnadný *adj* uneasy
nesnášenlivost *n* intolerance
nesnáz *n* distress
nesnáze *n* hardship
nesnesitelný *adj* excruciating, intolerable, unbearable
nesobecký *adj* unselfish
nesouhlas *n* disagreement, disapproval, discord
nesouhlas *v* dissent
nesouhlasící *adj* discordant, dissident
nesouhlasit *v* object, disapprove, disagree
nesouvisející *adj* unrelated
nesouvislý *adj* incoherent
nespavost *n* insomnia
nespočetný *adj* countless, innumerable
nespokojený *adj* discontent, dissatisfied
nespolečenský *adj* bashful
nespolehlivý *adj* unreliable
nesporný *adj* indisputable, undisputed
nespoutaný *adj* rampant
nespravedlivý *adj* unfair, unjust
nespravedlnost *n* injustice
nesprávně posuzovat *v* misjudge

nesprávné užití *n* misuse
nesprávně vykládat *v* misinterpret
nesrovnalost *n* discrepancy
nesrozumitelný *adj* incoherent
nestabilita *n* instability
nestálost *n* instability
nestálý *adj* unstable, unsteady
nestoudný *adj* cheeky, shameless
nestrannost *n* candor
nestranný *adj* impartial
nesvĕdomitý *adj* unfaithful
nesvůj *adj* jumpy
nešikovný *adj* inept; cumbersome
neškodný *adj* harmless
nešťastnost *n* unhappiness
nešťastný *adj* miserable, wretched, unhappy, unlucky
neštĕstí *n* misfortune, bale, misery
netaktní *adj* indiscreet
netaktnost *n* indiscretion
netečnost *n* apathy
netečný *adj* lukewarm
neteř *n* niece
netĕsnost *n* leak
netknutý *adj* intact
netknutý *n* maiden
netopýr *n* bat
netrefit *v* miss
netrpĕlivost *n* impatience
netrpĕlivý *adj* eager, impatient

netvor *n* monster
neúcta *n* disrespect
neuctivý *adj* profane, disrespectful
neúčinný *adj* ineffective
neudĕlat *v* refrain
neúmyslný *adj* accidental
neúnavný *adj* tireless
neúplný *adj* incomplete
neuposlechnout *v* disobey
neupřímnost *n* insincerity
neupřímný *adj* insincere
neurčitý *adj* indefinite, vague
neurčitý člen *a* a, an
neúrodný *adj* infertile, sterile
neurotický *adj* neurotic
neúspĕch *n* setback
neúspĕšný *adj* unsuccessful
neuspĕt *v* fall through
neuspokojit *v* displease
neuspokojivý *adj* disappointing
neustálý *adj* everlasting, incessant
neutralizovat *v* neutralize
neutrální *adj* neutral
neuvážený *adj* impetuous
neuvĕřitelný *adj* incredible, unbelievable
nevázanost *n* dissolution
nevázaný *adj* dissolute
nevdĕčný *adj* ungrateful
nevdĕk *n* ingratitude

N

nevědomost *n* ignorance
nevědomý *adj* unconscious, unaware
nevěra *n* infidelity
nevěrný *adj* unfaithful
neveřejný *adj* private
nevěřit *v* distrust
nevěsta *n* bride
nevěstinec *n* brothel
nevhodný *adj* inconvenient; improper, inappropriate; unsuitable
neviditelný *adj* invisible
nevidomý *adj* blind
nevinnost *n* innocence
nevinný *adj* blameless, innocent
nevíra *n* disbelief
nevlastní bratr *n* stepbrother
nevlastní dcera *n* daughter-in-law, stepdaughter
nevlastní matka *n* stepmother
nevlastní otec *n* father-in-law, stepfather
nevlastní sestra *n* stepsister
nevlastní syn *n* stepson
nevlídný *adj* unfriendly
nevolnost *n* qualm, nausea
nevratný *adj* irreversible
nevrlý *adj* grumpy; crusty
nevšímat si *v* ignore
nevšimnout si *v* look through
nevyčíslitelný *n* incalculable

nevyhnutelný *adj* inevitable
nevýhoda *n* drawback, disadvantage
nevýhody *n* handicap
nevyhovující *adj* substandard, incompatible, inconvenient
nevychovaný *adj* naughty, brat
nevyléčitelný *adj* incurable
nevýnosný *adj* unprofitable
nevyrovnaný *adj* uneven
nevyřešený *adj* pending
nevyvratitelný *adj* irrefutable
nevýznamný *adj* insignificant
nevyzrálost *n* immaturity
nevyzrálý *adj* immature
nevzdělaný *adj* illiterate, ignorant, uneducated
nezákonný *adj* illegal, unlawful
nezaměstnanost *n* unemployment
nezaměstnaný *adj* jobless, unemployed
nezaplacený *adj* overdue
nezapomenutelný *adj* unforgettable
nezařízený *adj* unfurnished
nezasloužený *adj* undeserved
nezasvěcenec *n* outsider
nezaujatý *adj* disinterested
nezaviněný *adj* accidental
nezávislost *n* independence
nezávislý *adj* independent

N

nezbednost *n* mischief
nezbytnost *n* necessity
nezdravý *adj* unhealthy
nezdvořilost *n* rudeness, discourtesy
nezdvořilý *adj* rude, impolite
nezkušený *adj* inexperienced
nezletilá osoba *n* minor
nezletilý *adj* minor
nezlomený *adj* unbroken
nezlomný *adj* resilient
nezměnitelný *adj* immutable
neznalost *n* ignorance
neznámá osoba *n* stranger
neznámý *adj* unknown
nezpůsobilost *n* disability
nezraněný *adj* unhurt, unharmed
nezřetelný *adj* obscure, shady
nezúčastněný divák *n* bystander
nezvratný *adj* conclusive
než *pre* before
nežádoucí *adj* undesirable
neživý *adj* lifeless
nést *v* carry
něco *adj* some
něco *pro* something
něha *n* tenderness
nějak *adv* somehow
nějaký *adj* any, some
nějakým způsobem *adv* somehow, someway
někdo *pro* somebody, someone

někdy *adv* someday, sometimes
několik *adj* some, several
Německo *n* Germany
německý *adj* German
němý *adj* dumb, speechless, mute
něžnost *n* gentleness
něžný *adj* tender
nic *n* nothing
nicméně *c* however, nonetheless
nicméně *adv* nevertheless
nicotnost *n* futility
ničení *n* demolition, destruction
ničit *v* decimate
ničitel *n* destroyer
ničivý *adj* destructive
nikam *adv* nowhere
nikde *adv* nowhere
nikdo *pro* nobody, no one; none
nikdy *adv* ever, never
niklák *n* nickel
nikoli *adv* not
nikotin *n* nicotine
nimž *pro* whom
nitka *n* floss
nitrožilní *adj* intravenous
nízké slyšitelné frekvence *n* bass
nízký *adj* short, low
Nizozemsko *n* Netherlands
níže *adv* below
nižší *adj* lower
noc *n* night

N

noční *adj* nocturnal
noční můra *n* nightmare
noční oblek *n* nightgown
noha *n* leg
nominovat *v* nominate
nora *n* burrow
norma *n* standard, norm
normalizovat *v* standardize, normalize
normálně *adv* normally
normální *adj* normal
Norsko *n* Norway
norský *adj* Norwegian
nos *n* nose
nosatý *adj* nosy
nosič *n* porter, bearer
nosit *v* carry, bear
nositel *n* bearer
nosítka *n* stretcher
nosorožec *n* rhinoceros
nostalgie *n* nostalgia
nota *n* note
notář *n* notary
nováček *n* newcomer, novice
nově *adv* anew, newly
nové vydání *n* reprint
novelizace *n* amendment
novelizovat *v* amend
novinář *n* journalist
novinka *n* novelty
novinky *n* news
novinový stánek *n* newsstand

noviny *n* newspaper
novomanželský *adj* newlywed
novorozenec *n* newborn
nový *adj* new
nozdra *n* nostril
nuceně *adv* forcibly
nucení *n* compulsion, coercion
nuda *n* boredom
nudismus *n* nudism
nudista *n* nudist
nudit *v* bore
nudný *adj* boring
nukleární *adj* nuclear
nula *n* zero
nulový *adj* null
nutící *adj* pushy, compulsive
nutit *v* force, coerce
nutně potřebovat *v* crave
nůž *n* knife
nůžky *n* scissors
nýbrž *c* but
nynější *adj* actual; current
nyní *adv* currently, now, nowadays
nýtovaný *adj* riveting
nýtovat *v* rivet

N

Ň

ňouma *adj* wimp

O

o *pre* at, by, about
o poschodí níže *adv* downstairs
oáza *n* oasis
oba *adv* either
obal *n* wrapping; tunic; skin
obálka *n* envelope
obava *n* worry, fear, misgiving
obávaný *adj* dreaded
obávat se *v* dread
občan *n* citizen
občanský *adj* civil, civic
občanství *n* citizenship
občerstvení *n* refreshment
občerstvit *v* refresh
obdělávání *n* cultivation
obdělávat *v* farm, cultivate
obdělávat půdu *v* till
obdélník *v* rectangle
obdélníkový *adj* oblong;
  rectangular
obdiv *n* respect, admiration

obdivovat *v* admire
obdivovatel *n* admirer
obdivuhodný *adj* admirable
období *n* period, term, epoch
období letního slunovratu *n*
  midsummer
obdobný případ z minulosti *n*
  precedent
obdržení *n* receipt
obdržet *v* obtain, receive
obec *n* city
obecně *adv* widely
obecně rozšířený *adj* widespread
obecný *adj* generic, universal
oběd *n* dinner, lunch
oběh *n* circulation, cycle, rotation
obejít *v* bypass, pass around
obejít se *v* get by
obejmout *v* embrace, hug
obemknout *v* encompass
obepínat *v* encircle
oběť *n* casualty, victim
obětní beránek *n* scapegoat
obětovat *v* devote
obětovat *n* sacrifice
obeznámit *v* acquaint
obézní *adj* overweight, obese
obezřetný *adj* cautious, wary
oběžná dráha *n* orbit
obhájit *v* vindicate
obhajoba *n* counsel; plea
obhajující *adj* vindictive

obchod *n* business, trade, commerce; store; deal

obchod s obuví *n* shoe store

obchodní *adj* commercial

obchodní dům *n* warehouse

obchodní partnerství *n* affiliation

obchodník *n* trader, dealer, salesman

obchodování *v* traffic

obchodovat *v* deal, trade

obíhat *v* circulate

obilí *n* grain

obilovina *n* cereal

objasnění *n* clarification

objasnit *v* illuminate, clarify, enlighten

objednat *v* order

objednávka *n* order

objekt *n* object

objektiv *n* lens

objektivita *n* candor

objem *n* volume

objemný *adj* bulky

objetí *n* hug, embrace

objev *n* discovery

objevení se *n* Advent

objevit *v* discover

objevit se *v* appear, emerge, come up

objevit se opět *v* recur

objížďka *n* bypass, detour

obklíčit *v* surround, cordon off

obklopit *v* surround, beset, mob

obkreslit *v* encircle

obláček dýmu *n* puff

oblafnout *v* bluff

oblak *n* cloud

oblast *n* area, realm, range, region

oblastní *adj* regional

obléct *v* clothe

oblečení *n* clothes, apparel, dress

obléhání *n* siege

obléhat *v* besiege, siege

oblek *n* suit

oblékat *v* dress, wear

oblíbený *adj* popular, favorite

obličej *n* face

obligace *n* bond

obloha *n* sky, heaven

oblouk *n* arch, bow, arc

obložení *n* lining

obložený *adj* riveting

obložit *v* rivet

obludný *adj* monstrous

obměkčit *v* appease

obnažený *adj* bare, nude

obnosit *v* wear out

obnova *n* restoration

obnovení *n* renewal

obnovit *v* renew, restore, refresh, recover

oboří *n* eyebrow

obohatit *v* enrich

obojek *n* collar
obojí *adj* both
obojživelný *adj* amphibious
obor *n* scope, field
obr *n* giant
obrana *n* defense
obrat *n* tack
obratel *n* vertebra
obratitelný *adj* reversible
obratný *adj* deft
obraz *n* image
obrazárna *n* gallery
obrazovka *n* screen
obrácení *n* reverse, reversal
obránce *n* defender
obránit *v* champion
obrátit *v* flip, turn over
obrázek *n* picture
obrovský *adj* enormous, vast, huge, astronomic, formidable
obruba *n* border
obrubník *n* curb
obruby *n* trimmings
obrys *n* contour, outline
obrys pobřeží *n* coastline
obřad *n* ceremony, rite
obřezat *v* circumcise
obřízka *n* circumcision
obsadit *v* cast; overrun
obsadit napřed *v* preoccupy
obsah *n* content
obsahovat *v* include, contain

obsazení *n* cast
obsazený *adj* busy, engaged
obsazovat *v* occupy
obsáhlý *adj* comprehensive, broad
obscénní *adj* nasty, dirty
obscénnost *n* indecency
obsluha *n* operation; attendant, porter
obsluhovat *v* operate; service
obstarávat *v* cater to
obstát *v* stand, hold up
obtáhnout *v* encircle
obtěžování *n* harassment
obtěžovat *v* bother, annoy, disturb, harass, pester, distress
obtěžující *adj* nagging, disturbing, annoying, bothersome, worrisome
obtíž *n* nuisance
obtížnost *n* difficulty
obtížný *adj* arduous, tricky
obtok *n* bypass
obušek *n* baton
obuv *n* footwear
obvaz *n* bandage
obvázat *v* bandage
obveselovat *v* amuse
obvinění *n* blame, charge, accusation, allegation
obvinit *v* charge, accuse, indict
obviňování *n* blame
obviňovat *v* blame
obvod *n* perimeter; circuit

obvykle *adv* ordinarily
obvyklý *adj* common, usual
obyčejný *adj* ordinary, plain
obytný přívěs *n* caravan
obývací pokoj *n* lounge, living room
obývat *v* inhabit
obyvatel *n* inhabitant
obyvatel jihu *n* southerner
obyvatel západu *adj* westerner
obyvatelný *adj* habitable
obzor *n* horizon
obzvlášť *adv* especially, particularly
obzvláště *adv* especially
obžalovaný *n* defendant
obživa *n* sustenance
ocas *n* tail
oceán *n* ocean
ocel *n* steel
ocenění *n* award; appreciation, appraisal
ocenit *v* award; appraise, award
ocet *n* vinegar
očarovat *v* beguile
očekávání *n* expectancy, expectation
očekávaný *adj* pending
očekávat *v* expect, anticipate, presuppose, await
očernit *v* denigrate
očista *n* purification, purge

očistec *n* purgatory
očistit *v* purify, cleanse, vindicate
očitý svědek *n* eyewitness
očkovat *v* vaccinate
oční řasa *n* eyelash
oční víčko *n* eyelid
od *pre* by, of
od *adv* off
od doby *c* since
od sebe *adv* apart, asunder
od té doby *adv* since then
odbarvovat *v* bleach
odbavit *v* dispatch
odbírat *v* take in
odbočit *v* digress
odbočka *n* turn
odboj *n* resistance
odbor *n* department, division
odbornost *n* proficiency
odborný *adj* professional, proficient, expert
odbýt *v* dismiss, put off
odcizený *adj* estranged
odcizit se *v* drift apart
odčerpávání *n* drainage
odčinění *n* atonement, expiation
odčinit *v* atone, undo
oddanost *n* allegiance, devotion, loyalty
oddaný *adj* loyal, committed, attached
oddat se *v* marry

oddech *n* repose, leisure
oddechovat *v* chill out, chill
oddělení *n* department, compartment, separation
oddělený *adj* separate
oddělit *v* secede, separate, split up
oddíl *n* brigade, division
ode *pre* by, from
odebírat *v* subscribe
odebraný *adj* withdrawn
odečíst *v* discount, deduct, subtract
odečitatelný *adj* deductible
odečtení *n* deduction, subtraction
odejít *v* leave, quit, get out, go away
odejít do důchodu *v* retire
odemknout *v* unlock
odepřít *v* withhold
odepsat *v* scrap
odervat *v* sever
odesílatel *n* poster, sender
odevzdání *n* consignment
odevzdat *v* deliver, present; give in
odevzdávat *v* hand in
odezva *n* answer, response
oděv *n* clothes, outfit, suit, wear
oděvy *n* clothing
odfukování *n* puff

odhad *n* appraisal, assessment, estimation, guess
odhad *v* estimate
odhadnout *v* appraise
odhadnutí *n* appraisal
odhadovat *v* reckon
odhalení *n* revelation
odhalit *v* reveal, disclose, unveil; unfold, debunk, unmask
odhalující *adj* revealing
odhlásit se *v* log off
odhodit *v* discard
odhodlání *n* determination
odhodlanost *n* resolution
odhodlaný *adj* resolute
odhodlat *v* determine
odcházet *v* depart
odchod *n* recess, departure
odchýlit *v* digress
odchylka *n* aberration, deviation
odjakživa *adv* ever
odjakživa *c* since
odjet *v* depart, drive away
odjezd *n* departure
odjíždět *v* depart
odkaz *n* reference
odkázat *v* bequeath, hand down
odklad *n* reprieve, respite, postponement
odkládat *v* procrastinate
odklidit *v* put away
odklizení *n* clearance

O

odklon *n* diversion
odklonit *v* divert
odkrýt *v* unearth, reveal, uncover
odlet *n* departure
odlétat *v* take off
odlévat *v* cast
odlišení *n* distinction
odlišit *v* vary
odlišnost *n* nuance
odlišný *adj* different, distinct, varied, dissimilar
odlitek *n* cast
odlomit *v* break off
odloučení *n* isolation, seclusion
odloučený *adj* estranged
odloučit *v* isolate, insulate, recluse
odložit *v* postpone, put off, defer, adjourn; drop off, discard
odluka *n* severance
odměna *n* bounty, reward, recompense; commission
odměnit *v* award, gratify, reward, remunerate
odměňující *adj* rewarding
odměřený *adj* aloof
odmítat *v* abhor, refuse, resent, turn down
odmítavý *adj* averse
odmítnout *v* withhold, rebuff, disclaim, revoke, decline, reject, waive
odmítnutí *n* dismissal, rejection, rebuff, refusal, refuse

odmocnina *n* root
odmocnit *v* extract
odmontovat *v* dismount
odmrštění *n* rebuff
odmrštit *v* rebuff
odnášet *v* take away
odolnost *n* immunity
odolný *adj* immune, durable
odpad *n* trash, waste, fallout; sink
odpadky *n* rubbish
odpadlictví *n* schism
odpadní vody *n* sewage
odpadnout *v* pass out, drop out
odpálení *n* lift-off, launch
odpálit *v* launch
odpálit míček *v* strike out
odpis *n* depreciation
odplata *n* revenge, retaliation
odpočinek *n* repose, rest
odpočinout si *v* lay off
odpočitatelný *adj* deductible
odpočítávání *n* countdown
odpočívárna *n* rest room
odpočívat *v* recline, relax, rest
odpojit *v* detach, disconnect, unplug
odpojitelný *adj* detachable
odpoledne *n* afternoon
odpor *n* disgust, aversion, resentment, revulsion, resistance, repulse, backlash

odporný *adj* disgusting, gross, revolting, detestable, sickening; obnoxious

odporovat *v* antagonize

odporující *adj* revolting

odposlouchávací štěnice *n* wire

odpověď *n* answer, response, reply

odpovědět *v* answer, reply

odpovědět útokem *v* counter

odpovědnost *n* responsibility

odpovědný *adj* responsible, accountable

odpovídající *adj* equivalent, appropriate, corresponding

odpovídat *v* respond, correspond

odpovídat si *v* match

odprásknout *v* zap

odpudit *v* repel

odpudivý *adj* repulsive

odpůrce *n* adversary

odpustit *v* condone, forgive

odpustitelný *adj* forgivable

odpuštění *n* grace, forgiveness

odpuzovat *v* repulse

odpykání *n* expiation

odpykat si *v* expiate

odradit *v* discourage, dissuade

odraz *n* reflection; bounce

odrazit *v* fend off, fend, rebut, strike back; rebound

odrazování *n* discouragement

odrazový *adj* reflexive

odrazující *adj* discouraging

odrážet *v* bounce

odrážet se *v* reflect

odročení *n* recess, reprieve, respite

odročit *v* adjourn

odrůda *n* breed, species

odřenina *n* graze

odříznout *v* insulate

odsátí *n* aspiration

odsouzen ke zkáze *adj* doomed

odsouzení *n* conviction

odsouzený *v* convict

odstartovat *v* launch, lift off

odstavec *n* article, paragraph

odstín *n* shade

odstoupení *n* resignation, abdication

odstoupit *v* resign, abdicate, step down

odstranění *n* disposal, removal

odstranit *v* remove

odstrašit *v* deter

odstrašování *n* deterrence

odstřižky *n* trimmings

odstup *n* interval

odstupné *n* gratuity; severance

odstupňovat *v* grade

odsuzovat *v* denounce, deplore

odškodné *n* reparation, recompense

odškodnění *n* reprisal, indemnity
odškodnit *v* compensate, recompense, repay, indemnify, reimburse
odštěpek *n* chip
odtáhnout se *v* back down
odtahovací vozidlo *n* tow truck
odtékat *v* ebb
odtud *adv* hence
odůvodnit si *v* rationalize
odvádění *n* recruitment
odvádět *v* levy
odvaha *n* guts, courage
odvar *n* concoction
odvát *v* blow out
odvázat *v* unleash
odvážit se *v* stake; dare
odvážný *adj* courageous, daring
odvěsna *n* leg
odvést *v* divert
odveta *n* reprisal
odvětit *v* rejoin
odvětví *n* industry, sector, branch, segment
odvíjet *v* unwind
odvodit *v* derive, extract
odvolání *n* reference, repeal, appeal, withdrawal
odvolat *v* withdraw, back down; renounce, recall, call off, take back, repeal, recant
odvozený *adj* derivative

odvozovat *v* derive, infer
odvrátit *v* avert
odvrhnout *v* repudiate
odvržený *adj* repugnant
Odysea *n* odyssey
odzbrojení *n* disarmament
odzbrojit *v* disarm
odznak *n* badge
oficiální *adj* official
ofina *n* fringe; bangs
oharek *n* cinder
oharky *n* embers
ohavnost *n* atrocity
ohavný *adj* atrocious, heinous
ohebný *adj* flexible, pliable
oheň *n* fire
ohlas *n* reception
ohlášení *n* report
ohlašovat *v* report
ohlávka *n* collar
ohledat *v* inspect
ohledně *pre* regarding
ohlédnutí zpět *n* hindsight
ohleduplný *adj* thoughtful, respectful
ohlušit *v* deafen
ohlušující *adj* deafening
ohnisko *n* focus
ohniště *n* fireplace
ohnivý *adj* fiery
ohňostroj *n* fireworks
ohnout *v* bend, bend down, bow

ohodnocení *n* assessment
ohodnotit *v* assess, rate
ohrada *n* barrier; pen, enclosure
ohraničit *v* confine
ohromení *n* consternation
ohromit *v* astound, amaze, astonish
ohromnost *n* immensity
ohromný *adj* tremendous, immense; stupendous, monumental; terrific, astounding
ohromující *adj* riveting, stunning
ohrozit *v* endanger, jeopardize
ohrožení *n* peril
ohrožující *adj* perilous
ohřát *v* heat, warm up
ohřívač *n* boiler, heater
ohřívač vody *n* water heater
ohýbat *v* bend, flex
ochlazení *n* chill
ochota *n* willingness, will
ochotně *adv* willingly
ochotný *adj* willing
ochrana *n* bulwark, patronage, prevention, protection
ochránce *n* guardian, patron
ochránit *v* insulate
ochranná mříž *n* fender
ochranná známka *n* trademark
ochranný plech *n* apron
ochraňovat *v* protect

ochrnutí *n* paralysis
ochromit *v* paralyze
ochuzený *adj* impoverished
ojedinělý *adj* rare, sporadic
okamžik *n* instant, moment
okamžitá platba na místě *n* down payment
okamžitě *adv* immediately, instantly
okamžitý *adj* prompt
okap *n* gutter
okázalost *n* pomposity
okázalý *adj* ostentatious
oklamání *n* deception
oklamat *v* bluff, dupe, sham; delude
oklestit *v* curtail, dock
okno *n* window
oko *n* eye; snare
okolí *n* surroundings; outskirts; environment
okolnost *n* circumstance, factor
okolo *adv* about
okolo *pro* around
okolo *pre* by, along
okouzlit *v* charm, enchant, enthrall, fascinate, mesmerize
okouzlující *adj* enchanting, enthralling
okov *n* shackle
okraj *n* brink, brim, rim, margin, verge

okrajové sídliště *n* suburb

okrajový *adj* marginal

okrást *v* rip off

okres *n* district, county

okrouhlý *adj* round

okruh *n* perimeter

okultní *adj* occult

okupace *n* occupation

okupant *n* invader, occupant

okupovat *v* occupy

okurka *n* cucumber

okusovat *v* nibble

okvětní lístek *n* petal

olej *n* oil

olivy *n* olive

oloupat *v* scale

oloupit *v* mug, rob

olověný *adj* leaded

olovo *n* lead

oltář *n* altar

oltářní oběť *n* offering

olympiáda *n* Olympics

omáčka *n* gravy, sauce, dressing

omámit *v* daze; drug

omamný *n* narcotic

omdlévat *v* faint

omeleta *n* omelet

omezenec *n* prune

omezení *n* confinement, limit, limitation

omezený *adj* crass

omezený *n* restraint

omezit *v* confine, bound, constrain, limit, restrain; prune, cut down

omezovat *v* regulate

omezovat na *v* restrict

omítání *v* censure

omítka *n* plaster

omladit *v* rejuvenate

omluva *n* apology

omluvit *v* excuse, apologize

omráčit *v* stun

omrzlina *n* frostbite

omrzlý *adj* frostbitten

omyl *n* error, mistake, slip

omyvatelný *adj* washable

on *pro* he

ona *pro* she

ona sama *pro* herself

oněmělý *adj* speechless

onemocnění *n* ailment

oni *pro* they

oni sami *pro* themselves

ony *pro* they

opačný *adj* contrary, opposite

opak *n* contrast, opposite

opakování *n* recurrence, repetition

opakovat *v* repeat

opálený *adj* tanned

opalovat se *v* bask

opasek *n* strap

opat *n* abbot

opatrně *adv* gingerly
opatrnost *n* discretion, prudence
opatrný *adj* careful, prudent
opatrovat *v* cherish, nurse
opatrovatelka dětí *n* babysitter
opatřit *v* equip, furnish, accommodate
opatřit poznámkami *v* annotate
opatřit převáděčem *v* relay
opatřit závěrem *v* cap
opatství *n* abbey
opečený pokrm *n* roast
opékat *v* toast, roast
opera *n* opera
operace *n* operation
operovat *v* operate
opět *adv* again
opětovat *v* reiterate
opětovné dosažení *v* recapture
opětovné přehrání *n* replay
opětovné setkání *n* reunion
opětovné uzákonění *n* reenactment
opětovné vytvoření *n* recreation
opětovné zvolit *v* reelect
opevnění *n* fort
opevnit *v* fortify
opice *n* ape, monkey
opilství *n* drunkenness
opilý *adj* intoxicated, drunk
opírat *v* lean

opírat se o *v* lean on
opium *n* opium
opláchnout *v* cleanse
oplatit *v* strike back, retaliate, revenge, pay back, repay, get back
oplatit útok *v* hit back
oplatka *n* wafer
oplocení *n* fence
oplývající *adj* plump
oplývat *v* abound
oplzlost *n* obscenity
oplzlý *adj* filthy, lewd, obscene
opodstatnění *n* foundation
opojený *adj* intoxicated
opominout *v* omit
opominutí *n* omission
opona *n* curtain
oponent *n* opponent
oponovat *v* dispute
opora *n* reliance, crutch
opotřebený *adj* worn-out
opotřebovat se *v* wear out, wear down
opovrhovat *v* despise
opovržení *n* contempt
opovrženíhodný *adj* despicable
opovržlivý *adj* derogatory
opovržlivý *n* scornful
opozice *n* opposition
opožděný *adj* overdue, belated, tardy

oprátka *n* noose
oprava *n* amendment, correction
opravdu *adv* indeed
opravit *v* correct, fix, mend, repair
oprávnění *n* concession, license, authorization
oprávněný *adj* eligible
oprávnit *v* license, justify, authorize
opravný prostředek *v* remedy
oproti *pre* against
opřít se o *v* rely on
optický *adj* optical
optik *n* optician
optimismus *n* optimism
optimisticky *adj* optimistic
opustit *v* leave, desert, abandon
opuštění *n* abandonment
opuštěný *adj* desolate, derelict, deserted
orangutan *n* orangutan
orat *v* plow
orazit *v* punch
ordinace *n* office
orel *n* eagle
orgán *n* organ
organismus *n* organism
organizace *n* organization
organizátor *n* mastermind
organizované vyděračství *n* racketeering

organizovat *v* organize
orchestr *n* orchestra
Orient *n* orient
orientace *n* orientation
orientální *adj* oriental
orientovaný *adj* oriented
ornament *n* ornament
ornamentální *adj* ornamental
orný *adj* arable
ortodoxní *adj* orthodox
ořech *n* nut
ořezat *v* crop; slash
ořezávat *v* trim
ořezávátko *n* sharpener
oříškový *adj* nutty
osa *n* axle, axis
osadní *adj* colonial
osadník *n* settler
osamělost *n* loneliness
osamělý *adj* alone, lonesome, solitary
osamělý *adv* lonely
osamocení *n* isolation
osazenstvo *n* crew
osázet *v* plant
osekat *v* crop
osel *n* donkey
osídlit *v* colonize
osít *v* sow
oslabit *v* weaken
oslava *n* celebration
oslavovat *v* celebrate, exalt

oslepit *v* blind
oslněný *adj* dazed
oslnit *v* daze, dazzle
oslnivý *adj* dazzling
oslňovat *v* outshine
oslovení *n* apostrophe
oslovit *v* address
osm *adj* eight
osmdesát *adj* eighty
osmina *adj* eighth
osmnáct *adj* eighteen
osmý *adj* eighth
osnování *v* mastermind
osnovat *v* plot
osnovatel *n* ringleader
osoba *n* subject, person
osobní *adj* personal
osobní věci *n* belongings
osobnost *n* personality
ospalý *adj* drowsy
ospravedlnit *v* justify
ostatek *n* relic
osten *n* spur; sting
ostražitý *adj* alert
ostrov *n* island, isle
ostružina *n* blackberry
ostrý *adj* sharp, edgy
ostřelovač *n* sniper
ostří *n* blade
ostřit *v* sharpen
ostud *n* shame
ostudný *adj* disgraceful

ostýchavý *adj* bashful
osud *n* destiny, fate
osudný *adj* fateful
osudové znamení *n* omen
osvědčení *n* certificate
osvědčit *v* certify
osvěžení *n* refreshment
osvěžit *v* rejuvenate, freshen
osvěžující *adj* refreshing
osvítit *v* illuminate
osvobodit *v* free, exonerate, acquit, absolve, liberate
osvobodit se *v* break free
osvobození *n* exemption, liberation
osvobozující rozsudek *n* acquittal
osvojení *n* adoption
osvojit si *v* adopt
ošetřovat *v* nurse
ošetřovatelka *n* nurse
ošetřovna *n* infirmary
ošidit *v* cheat, trick
ošklivý *adj* ugly
oštěp *n* spear
otáčení *n* rotation
otáčet *v* spin, whirl, screw, swivel
otáčet se *v* revolve
otálení *n* hesitation
otálet *v* linger
otázka *n* question
otcovský *adj* fatherly

O

otcovství *n* fatherhood, paternity
otec *n* father
oteklý *adj* swollen
oteplení *n* thaw
otevřenost *n* openness
otevřený *adj* candid, outspoken; open; broadminded
otevřít *v* open, open up
otékat *v* swell
otisk *n* print
otisk prstů *n* fingerprint
otisknout *v* stamp
otlouct *v* bruise
otočit *v* turn; angle
otočit zpět *v* turn back
otok *n* swelling
otrava *n* pest; poisoning
otrávit *v* poison
otravní *adj* nagging
otravný *adj* tedious
otravovat *v* nag
otrhaný *adj* shabby
otrhat *v* rip off
otroctví *n* slavery
otrok *n* slave
otrokářství *n* slavery
otřást *v* rock
otřást se *v* quake
otřes mozku *n* concussion
otřesení *n* shudder
otřesený *adj* shaken
otřesný *adj* atrocious

otupělý *adj* callous, numb
otupění *n* numbness
otupit *v* deaden
otvírák na konzervy *n* can opener
otvor *n* cavity, gap, opening; port, outlet
otylý *adj* overweight, corpulent
outsider *n* outsider
ovace *n* ovation
oválný *adj* oval
ovce *n* sheep
ovčák *n* shepherd
ověření *n* check, verification
ověřit *v* authenticate, verify
ověřit platnost *v* validate
ověřovat *v* check
ovesné vločky *n* oatmeal
ovinout *v* wind
ovladač *n* driver
ovládání *n* control
ovládat *v* wield, control
ovladatelný *adj* manageable
ovlivnit *v* affect
ovoce *n* fruit
ovocný *adj* fruity
ozbrojený *adj* armed
ozdoba *n* garnish
ozdobit *v* garnish
ozdobný *adj* decorative
označit *v* sign, stamp; pinpoint
označkovat *v* brand

O

označovat *v* denote
oznámení *n* notification, notice
oznámit *v* report, notice, inform, notify
oznamovací tón *n* dial tone
oznamovat *v* report
oznamovatel *n* announcer, reporter
ozvěna *n* echo
oženit *v* wed
oženit znovu *v* remarry
oživen *n* animation
oživit *v* animate, resuscitate, revive

P

packa *n* paw
padák *n* chute, parachute
padat *v* fall
padělaný *adj* fake
padělat *v* counterfeit, forge, fabricate, fake, falsify
padělek *n* forgery
padesát *adj* fifty
padesát na padesát *adv* fifty-fifty
padlí *n* mildew
padnout *v* lapse, collapse, drop

padnout na kolena *v* genuflect
padoucnice *n* epilepsy
pahorkatý *adj* hilly
pach *n* scent
pachatel znásilnění *n* rapist
páchnoucí *adj* putrid, fetid, smelly
pak *adv* afterwards, then
páka *n* shift, lever
paklíč *n* pick
pakostnice *n* gout
palác *n* palace
palba *n* gunfire
palec *n* inch; thumb
paličatý *adj* stubborn
palivo *n* gasoline, fuel
palivové dříví *n* firewood
paluba *n* deck
památka *n* memory, remembrance
památník *n* monument
památný *adj* memorable
pamatovat *v* remember
paměť *n* memory
paměti *n* memoirs
pan *n* mister
panák *n* jolt
pancíř *n* armor
pane *n* sir
panenka *n* doll
panenský *n* maiden
panenství *n* virginity

paní *n* lady, mistress
panika *n* panic; stampede
panna *n* maid, virgin
panoráma *n* panorama
panovačný *adj* overbearing, bossy
panovat *v* dominate
panovník *n* monarch
panské sídlo *n* mansion
pant *n* hinge
panter *n* panther
papež *n* pontiff, Pope
papežství *n* papacy
papír *n* paper
papírové kapesníky *n* tissue
papoušek *n* parrot
paprika *n* bell pepper
paprsek *n* beam, ray
paradox *n* paradox
parafovat *v* initial
parametry *n* parameters
paranoidní *adj* paranoid
parašutista *n* paratrooper
parenteze *n* parenthesis
parfém *n* perfume
park *n* park
parkování *n* parking
parkovat *v* park
parkoviště *n* parking
parlament *n* parliament
parta *n* bunch
partner *n* mate, partner

partnerství *n* partnership
partyzán *n* guerrilla, partisan
paruka *n* wig
pařez *n* stub
pařit *v* scald
pas *n* passport
pasáž *n* passage
pasažér *n* passenger
pasívní *adj* passive
pasívum *n* debit
pasovat *v* match, fit
past *n* snare, trap, pitfall
pasta *n* paste
pastelka *n* crayon
pasterizovat *v* pasteurize
pastinák *n* parsnip
pastor *n* minister
pastorační *adj* pastoral
pastva *n* pasture
pastýř *n* pastor, shepherd
pasující *adj* fitting
pašerák *n* smuggler
pata *n* footnote
patent *n* patent
patentovat *v* patent
patnáct *adj* fifteen
patolízalství *n* adulation
patriarcha *n* patriarch
patrný *adj* noticeable
patro *n* floor; palate
patron *n* benefactor, sponsor
patrové lůžko *n* bunk bed

patřičný *adj* appropriate
patřit *v* pertain, belong
pavouk *n* spider
pavučina *n* web, cobweb, spider web
pažba *n* butt
paže *n* arm
páčidlo *n* crowbar
pád *n* collapse, fall, ruin, downfall
pádlo *n* paddle
pádlovat *v* paddle
páchnout *v* stink
pájet *v* solder
pákový převod *n* leverage
pálit *v* burn
pálení žáhy *n* heartburn
pálivý *adj* hot
pálka *n* bat; racket
pán *n* master, lord; man, sir
pánev *n* frying pan, pan
pánské spodky *n* briefs
pánvička *n* saucepan
pár *n* couple, ray
pára *n* steam
párátko *n* toothpick
pás *n* waist; strap, strip, belt
pásek *n* belt, band; tape
páska *n* tape
páska přes oči *n* blindfold
pásmo *n* strip
pást se *v* graze
pátek *n* Friday

páteř *n* backbone, spine
pátrání *n* inquest, quest
pátý *adj* fifth
páv *n* peacock
pec *n* oven
pečeť *n* seal, wafer
pečlivá prohlídka *n* scrutiny
pečlivý *adj* careful
pečovat *v* care for, care, mind
pečovat o *v* look after
pedagogie *n* pedagogy
pedál *n* pedal
pekař *n* baker
pekařství *n* bakery
peklo *n* hell
pelikán *n* pelican
pence *n* penny
pendlovat *v* shuttle
peněženka *n* purse, wallet
penicilin *n* penicillin
peníze *n* dough, money
penze *n* pension
pepř *n* pepper
perfektní *adj* perfect
pergamen *n* parchment
perioda *n* period
perla *n* pearl
pero *n* pen
personál *n* staff, personnel
perspektiva *n* perspective
perverzní *adj* perverse
peří *n* feather

pes *n* dog
pesimismus *n* pessimism
pesimistický *adj* pessimistic
peskovat *v* chide
pesticid *n* pesticide
pestrý *adj* colorful
petice *n* petition
petlice *n* latch
petržel *n* parsley
pevná mysl *n* fortitude
pevnina *n* continent, mainland
pevnost *n* fort, garrison, fortress; firmness
pevný *adj* stiff, firm, solid, sturdy; adamant
péct *v* bake
péct na roštu *v* broil
péče *n* custody, care
pěší turistika *n* hike
pěchota *n* infantry
pěkně *adv* nicely
pěkný *adj* nice
pěna *n* foam, lather
pěst *n* fist
pěstování *n* cultivation
pěstovat *v* cultivate, rear
pěšina *n* runway
pět *adj* five
pětiúhelník *n* pentagon
pěvecký sbor *n* chorus
piano *n* piano
piercing *n* piercing

pieta *n* piety
piha *n* freckle
pihovatý *adj* freckled
piják *n* drinker
pijavice *n* leech
pikantní *adj* spicy
piky *n* spade
pila *n* jigsaw, saw
pilíř *n* pier; pillar
pilně *adv* busily
pilný *adj* diligent, industrious
pilot *n* pilot
pilulka *n* pill
pinta *n* pint
pinzeta *n* tweezers
pionýr *n* pioneer
pirát *n* pirate
pirátství *n* piracy
pistole *n* pistol, handgun, revolver
pištět *v* screech
pití *n* drink
pitný *adj* drinkable
pitomec *n* moron
pitomý *adj* dumb, dummy
pitva *n* autopsy
pivo *n* beer
pivovar *n* brewery
píchat *v* prick
pípa *n* tap, faucet
pírko *n* feather
písek *n* sand

P

písemná práce *n* essay
píseň *n* tune, song
pískat *v* whistle
písknutí *n* whistle
písmeno *n* letter, character
písmo *n* script, type
pít *v* drink
plachetnice *n* sail, sailboat
plachta *n* sail
plachtit *v* sail
plakát *n* banner, poster, placard
plamen *n* flame
plamenný *adj* flamboyant
plandavý *adj* baggy
planeta *n* planet
plast *n* plastic
plastelína *n* clay
plastika *n* sculpture
plat *n* salary; screw
platba *n* pay, payment
platba v hotovosti *n* down payment
platební příkaz *n* money order
platina *n* platinum
platit *v* pay
platnost *n* validity
platný *adj* active, valid
plató *n* plateau
plavání *n* swimming
plavat *v* swim
plavčík *n* lifeguard
plavec *n* swimmer

plavit se *v* cruise
plavý *adj* blond
plaz *n* reptile
plazit se *v* crawl
plácat *v* paddle
plácnout *v* smack, slap
plácnutí *n* smack, slap
pláč *n* cry, crying
pláč *v* weep
plán *n* plot, plan, program, project, design
plán objektu *n* lay-out
plánovat *v* plot, program, plan
plášť *n* cloak
plášť do deště *n* raincoat
pláštěnka *n* cape
plát *n* wafer
plátek *n* slice
plátno *n* canvas, cloth
pláž *n* beach
plech *n* tin
plechovka *n* can, canister
plemeno *n* breed, race
plena *n* diaper
plenta *n* screen
plesknutí *n* flop
plesnivět *v* mold
plesnivý *adj* moldy
plešatý *adj* bald
pleť *n* complexion
pletení se *n* interference
pletivo *n* gauze

pleťová voda *n* lotion
plevel *n* weed
plést *v* knit
plisé *n* pleat
plisování *adj* pleated
plivat *v* spit
plíce *n* lung
plíseň *n* mold, fungus, mildew
plísnit *v* chide
plít *v* weed
plížit se *v* sneak
plíživý *adj* stealthy
plně *adv* fully
plnit *v* fill
plnovous *n* beard
plný *adj* full
plný naděje *adj* hopeful
plod *n* fruit; fetus
plodit *v* breed
plodnost *n* fertility
plodný *adj* virile, fertile, fruitful
plocha *n* area, surface
plochý *adj* flat
plošina *n* platform
ploška *n* facet
plout *v* float
ploutev *n* fin
plsť *n* felt
pluk *n* regiment
plukovník *n* colonel
plundrovat *v* pillage
plutonium *n* plutonium

plyn *n* gas
plynně *adv* fluently
plyšový *adj* plush
plytký *adj* shallow
plýtvající *adj* wasteful
plýtvat *v* waste; lavish
pneumatika *n* tire
pnout se *v* sprawl
po *pre* at, by, along, about; over, during, per; after
po *n* past
po boku *pre* alongside
po schodech dolů *adv* downstairs
po sobě jdoucí *adj* consecutive
pobavení *n* amusement
pobavit *v* entertain
pobídka *n* incentive
pobízet *v* goad, prod, spur
poblíž *pro* around
pobočka *n* branch office
pobočník *n* aide
pobouření *n* outcry, outrage
pobouřit *v* put out
pobožnůstkářství *n* bigotry
pobřeží *n* coast, seashore, shore
pobřežní *adj* coastal
pobyt *n* stay
pobývat *v* dwell
pocení *n* perspiration
pocit *n* sensation, feeling
pocity *n* feelings
pocta *n* homage, tribute

P

poctít *v* dignify
poctivý *adj* thrifty
počasí *n* weather
počáteční *adj* initial, rudimentary
počátek *n* beginning; infancy
počet *n* number, count
počet obětí *n* death toll
početí *n* conception
početný *adj* plentiful
počít *v* conceive
počítač *n* computer
počítačová myš *n* mouse
počítačový bit *n* bit
počitadlo *n* counter
počítadlo kilometrů *n* odometer
počítat *v* calculate, count
pod *adv* below
pod *pre* below, beneath, under, underneath
pod vlivem *adj* intoxicated
podání *n* presentation
podání *v* service
podání v dražbě *n* bid
podat *v* submit, file, pass, present, hand over
podat zprávu *v* report
podávat *v* serve
podávat při dražbě *v* bid
podceňovat *v* belittle, depreciate
poddajnost *n* docility
poddajný *adj* pliable, docile, submissive

poddat se *v* yield
pode *pre* below, beneath
poděkování *n* thanks
podél *pre* along
podělaný *adj* crappy
podepsat *v* sign, underwrite
podezírat *v* suspect
podezřelý *adj* fishy
podezřelý *n* suspect
podezření *n* suspicion
podezřívavý *adj* suspicious
podchod *n* underpass, subway
podíl *n* portion, ratio, share; royalty
podíl v procentech *n* percentage
podílení se *n* participation
podílet se *v* participate
podívat se na *v* look into
podivnost *n* oddity
podivný *adj* weird, strange, odd
podivuhodný *adj* prodigious
podjezd *n* underpass
podjíždět *v* go under
podklad *n* bedding
podklady *n* groundwork
podkroví *n* attic
podkuřovat *v* fumigate
podlaží *n* floor
podle *pre* by
podle čeho *pre* according to
podle doslechu *adv* reputedly
podléhající *adj* amenable

podléhat *v* succumb
podlehnout *v* succumb
podlost *n* guile
podložit *v* pad, bolster
podložka *n* padding; mat
podlý *adj* wretched
podmaněný *adj* subdued
podmínečný *adj* conditional
podmíněný *adj* contingent
podmínka *n* prerequisite, condition, term
podmínky *n* terms
podnázev *n* subtitle
podnebí *n* climate
podněcování *n* incitement
podněcovat *v* instigate
podnět *n* incentive, stimulus, impulse, spur
podnik *n* firm, enterprise, venture; concern
podnikání *n* business
podnikatel *n* businessman, entrepreneur
podniknout *v* undertake
podnítit *v* stimulate, excite, incite
podnos *n* plateau
podoba *n* form
podobat se *v* resemble
podobenství *n* parable
podobná věc *n* parallel
podobnost *n* likeness, resemblance, similarity

podobný *adj* like, alike, similar
podomácku vyrobený *adj* homemade
podotknout *v* remark
podpatek *n* heel
podpaždí *n* armpit
podpěra *n* pillar
podpírat *v* back up
podpis *n* signature
podporovat *v* back, uphold, endorse, aid
podporovatel *n* supporter
podpořit *v* brace for, support
podprsenka *n* bra
podrazit *v* double-cross
podráždění *n* excitement
podrážděnost *n* aggravation
podrážděný *adj* sullen
podráždit *v* displease, exasperate
podrobení se *n* conformity
podrobit *v* remit
podrobit kvašení *v* ferment
podrobit prohlídce *v* screen
podrobit se *v* obey
podrobně vylíčit *v* detail
podrobně zkoumat *v* canvas
podrobnost *n* detail
podružný *adj* circumstantial
podrýt *v* undermine
podřadný *adj* inferior
podřezat *v* cut down
podřídit *v* conform

podřízený *adj* subsidiary; conformist
podstata *n* essence
podstatné jméno *n* noun
podstatný *adj* substantial
podstoupit *v* undergo
podtrhnout *v* underline
poduška *n* cushion
podvádění *v* swindle
podvádět *v* deceive
podvazek *n* garter
podvazky *n* suspenders
podvést *v* double-cross, gag, dupe
podvod *n* deception, deceit, fraud, scam, swindle
podvodník *n* cheater, con man, swindler
podvodný *adj* deceptive, deceitful, fraudulent
podvolit se *v* submit
podvýživa *n* malnutrition
podzemní *adj* underground
podzemní podlaží *n* basement
podzim *n* fall, autumn
poezie *n* poetry
pohádka *n* story, tale
pohánět *v* goad, drive, fuel
pohanský *adj* pagan
pohanstvo *n* heathen
pohár *n* cup
pohladit *v* caress
pohlaví *n* sex, gender

pohlavní *adj* carnal
pohlavnost *n* sexuality
pohlazení *n* caress
pohlcovat *v* absorb
pohlcující *adj* absorbent
pohled *n* look, sight, view
pohlednice *n* card, postcard
pohledný *adj* good-looking
pohltit *v* devour, engulf
pohmoždit *v* bruise
pohnutka *n* motive
pohodlí *n* comfort
pohodlný *adj* comfortable
pohostinnost *n* hospitality
pohotovost *n* aptitude, emergency
pohotový *adj* prompt
pohovka *n* sofa
pohovor *n* interview
pohrdání *n* disdain
pohrdat *v* scorn
pohroma *n* plague, calamity
pohřbívat *v* bury
pohřeb *n* funeral
pohřební *n* burial
pohřební vůz *n* hearse
pohyb *n* move, motion, movement
pohyb vpřed *v* move forward
pohyblivé schodiště *n* escalator
pohyblivý *adj* mobile
pohybovat *v* motion, move

pochlebnictví *n* adulation
pochlebování *n* flattery
pochlebovat *v* flatter
pochlubit se *v* boast
pochod *n* march
pochodeň *n* torch
pochodovat *v* march
pochopení *n* sympathy
pochopitelný *adj* reasonable
pochutnat *v* snack
pochutnat si *v* relish, savor
pochůzka *n* errand
pochvala *n* compliment, praise
pochvalný *adj* complimentary
pochvalovat *v* praise
pochybnost *n* question, quandary, dispute, doubt
pochybný *adj* doubtful, questionable, dubious, sleazy
pochybovačný *adj* doubtful
pochybovat *v* dispute, question, doubt
pointa *n* point
pojetí *n* concept
pojistit *v* assure, insure
pojištění *n* insurance
pojivo *n* paste
pokání *n* penance, repentance
pokárání *n* rebuke, scolding
pokárat *v* rebuke
pokazit *v* break down, blemish, mess up, malfunction

poklad *n* treasure
pokládat podlahu *v* deck
pokladna *n* box office
pokladní lístek *n* sale slip
pokladník *n* cashier, treasurer
pokles *n* recession, depression; remission
poklesek *n* lapse
poklidný *adj* placid, restful
pokojný *adj* still
pokojový *adv* indoor
pokora *n* humility
pokorný *adj* lowly, humble
pokořit *v* pull down
pokračování *n* sequel, continuation, resumption
pokračovat *v* go on, resume, carry on, continue, keep on
pokračující *adj* ongoing
pokročit *v* advance, progress
pokrok *n* development, advance, headway, progress
pokrokový *adj* progressive
pokropit *v* sprinkle
pokrýt *n* shroud
pokrytec *adj* hypocrite
pokrytectví *n* hypocrisy
pokrývka *n* quilt, comforter
pokrývka na postel *n* bedspread
pokřikovat *v* heckle
pokřivení *n* distortion
pokřivit *v* distort

P

pokřtít *v* baptize, christen
pokud *c* if
pokus *n* attempt, experiment
pokusit *v* attempt
pokušení *n* temptation
pokuta *n* penalty, fine
pokutování *v* fine
pokutovat *v* penalize
pokynout *v* beckon
pokyny *n* guidelines
polapit *v* catch
polární *adj* arctic, polar
pole *n* field; array
pole působnosti *n* scope
poledne *n* midday, noon
polehčující *adj* attenuating, extenuating
polechtání *n* tickle
polekaný *adj* afraid
poleno *n* chunk
polepit náplastí *v* plaster
polepit plakáty *v* placate
polevení *n* remission
polévka *n* soup
polibek *n* kiss
políbit *v* kiss
police *n* shelf, shelves
policejní ředitel *n* marshal
policie *n* police
policista *n* officer, cop, policeman
poliklinika *n* clinic
politik *n* politician

politika *n* politics
politováníhodný *adj* regrettable
polknout *v* gulp, swallow
polododávka *n* pickup
polodrahokam *n* pebble
polokoule *n* hemisphere
pololetí *n* semester
poloměr *n* radius
poloostrov *n* peninsula
polovice *n* half
poloviční *adj* half
položený *adj* situated
položit *v* put, place; recline
položka *n* item
Polsko *n* Poland
polsky *adj* Polish
polský *adj* Polish
polštář *n* cushion, pillow
polygamní *adj* polygamist
pomáhat *v* aid
pomalu vařit *v* simmer
pomalý *adj* slow
pomalý *adv* slowly
pomalý pohyb *n* slow motion
pomatenec *n* crank
pomatený *adj* demented
poměr *n* rate, ratio
pomeranč *n* orange
pomezní čára *adj* borderline
pomíchat *v* scramble
pomíjející *adj* fleeting, perishable
pominout *v* pass away

pomlčka _n_ hyphen
pomluva _n_ insinuation, slander, calumny
pomluva _v_ slur
pomník _n_ monument
pomoc _n_ assistance, aid, help
pomoci _v_ help
pomocník _n_ helper
pomocný _adj_ auxiliary
pompéznost _n_ pomposity
pomsta _n_ revenge, vengeance
pomstít _v_ retaliate, revenge, avenge
pondělí _n_ Monday
ponechat _v_ retain
poněkud _adv_ somewhat
ponětí _n_ clue
poněvadž _c_ inasmuch as
ponížení _n_ degradation, mortification
ponížit _v_ degrade, demean, humiliate
ponižující _adj_ degrading, demeaning
ponor _v_ submerge
ponoření _n_ immersion, plunge
ponořit _v_ dive, duck; sink, immerse
ponořit se _v_ soak in
ponožka _n_ sock
ponurý _adj_ somber, dim, murky
pootevřený _adj_ ajar

popadnout _v_ tackle; grab
popel _n_ cinder, ash
popelavý _adj_ livid
popelnice _n_ bin, trash can
popelník _n_ ashtray
popíchnout _v_ prod
popis _n_ description
popisný _adj_ descriptive
poplácání _n_ pat
poplach _n_ alert, alarm
poplatek _n_ duty, toll, fee
poplatky _n_ dues
poplést _v_ bewilder
popletený _adj_ mixed-up
popraviště _n_ gallows
popravit elektřinou _v_ electrocute
poprsí _n_ bust, bosom
popředí _n_ forefront, foreground
popřít _v_ deny, refute, disclaim
popsat _v_ describe
poptat se _v_ question
poptávat se _v_ demand
poptávka _n_ demand, inquiry, request
popud _n_ stimulus
populace _n_ population
popularizovat _v_ popularize
populární _adj_ popular
popuzující _adj_ displeasing
porada _n_ consultation
poradce _n_ adviser, counselor

poradenství *n* guidance
poradit *v* advise
poradit se *v* consult
poradit si *v* figure out
porazit *v* bring down, defeat
poražený *n* loser
poražený *adj* prostrate
porážka *n* defeat
porce *n* ration
porcelán *n* porcelain
porézní *adj* porous
porodní bába *n* midwife
porota *n* jury
porovnání *n* comparison
portrét *n* portrait
Portugalsko *n* Portugal
portugalský *adj* Portuguese
poručík *n* lieutenant
poručnictví *n* custody, ward
poručník *n* custodian
porucha *n* malfunction
porušení *n* infraction
porušit *v* blemish, violate;
  disturb; break out
poryv *n* gust
pořád *adv* still
pořadí *n* order
pořádný *adj* proper
posádka *n* crew, garrison
posedlost *n* frenzy,
  preoccupation, obsession
posednout *v* obsess

posel *n* courier
poselství *n* message
poschodí *n* deck
posílit *v* consolidate, reinforce
posilnit *v* strengthen
posilovat *v* work out
posily *n* reinforcements
poskakovat *v* hop
poskvrněný *adj* tainted
poskvrnit *v* stain, blot
poskytnout *v* bestow, provide
poskytnout útočiště *v* shelter
poskytnutí *n* provision
poskytovat *v* offer
poslání *n* mission
poslat *v* dispatch, send
poslat poštou *v* post, mail
poslední *adj* last, latest
poslední dobou *adv* lately
poslíček *n* porter, messenger
poslouchat *v* obey, listen
posloupný *adj* subsequent
posluchač *n* listener
posluchárna *n* auditorium
poslušnost *n* obedience
poslušný *adj* obedient
posměch *n* ridicule, mockery
posměšek *n* innuendo
posmívat se *v* ridicule
posouzení *n* inquest
pospíchat *v* hurry up
post *n* post

postačující *adj* ample
postarat se *v* manage
postarší *adj* elderly
postava *n* character, figure
postavení *n* stand
postavit *v* erect
postavit se *v* stand up
postavit se čelem k *v* face up to
postih *n* recourse
postihnout *v* afflict
postižení *n* handicap
postižený *adj* infested, disabled
postižitelný *adj* punishable
postoj *n* stand, pose, attitude
postoj těla *n* poise
postoupit *v* advance, move up;
  submit
postoupit dopředu *v* pull ahead
postrádající *adj* devoid
postrádat *v* lack
postranní *adj* lateral; oblique
postřeh *n* observation, remark
postřehnout *v* spot
postříbřený *adj* silver-plated
postup *n* procedure, process,
  policy, method
postupný *adj* gradual
postupný *adv* step-by-step,
  piecemeal
posvátnost *n* sanctity
posvátný *adj* sacred
posvětit *v* anoint, sanctify

pošetilost *n* folly
pošetilý *adj* silly
poškodit *v* discredit, impair,
  damage
poškození *n* blemish
poškozující *adj* damaging
pošpinit *v* soil, tarnish
pošta *n* mail; post office
pošťák *n* mailman, postman
poštovné *n* postage
poštovní razítko *n* postmark
poštovní schránka *n* mailbox
poštovní směrovací číslo *n* zip
  code
poštovní známka *n* stamp
pot *n* sweat, perspiration
potácet *v* stagger, buck
potácet se *v* rock
potah *n* coat
potápěč *n* diver
potápění *n* diving
potápět *v* dive
poté *adv* afterwards, then
potence *n* virility
potenciální *adj* potential
potentní *adj* potent, virile
potěšení *n* enjoyment, delight,
  pleasure
potěšený *adj* glad
potěšit *v* please
potěšitelný *adj* agreeable
potěšující *adj* gratifying, pleasing

potírat *v* smear
potit se *v* sweat, perspire
potíž *v* hassle
potíž *n* mess; trouble; hang-up
potkat *v* encounter
potlačení *n* repression
potlačený *n* restraint
potlačit *v* stamp out, quash, repress, suppress, override
potlačovat *v* bottle
potlačující *adj* stifling
potlesk *n* applause
potom *adv* afterwards, then
potom až dodnes *c* since
potomek *n* descendant
potomstvo *n* offspring, posterity
potopený *adj* sunken
potopit *v* plunge
potopit se *v* sink
potrat *n* miscarriage
potratit *v* abort, miscarry
potrava *n* food, nourishment
potravina *n* food
potraviny *n* groceries
potrestání *n* discipline
potrestat *v* sentence
potrhat *v* maul
potrhlý *adj* mad
potrhlý člověk *n* jerk
potrubí *n* pipeline
potřeba *n* need
potřebný *adj* necessary; needy

potřebovat *v* need
potřesení rukou *n* handshake
potucha *n* notion
potulování *v* hike
potulovat se *v* prowl, stroll, wander, roam
potupa *n* disgrace
potvrdit *v* confirm, affirm, attest
potvrzení *n* confirmation
potvrzovat *v* certify
potvrzující *adj* affirmative
potýkat *v* contend
poukaz *n* remittance
poukázání *n* remittance
poukázat *v* remit
poupě *n* bud
poustevník *n* hermit
poušť *n* desert
pouť *n* pilgrimage
poutavý *adj* eye-catching
poutník *n* wanderer, pilgrim
pouto *n* shackle, bond, attachment
pouzdro *n* capsule; case
pouze *adv* only, merely
použít *v* apply
použitelný *adj* applicable
použití *n* usage, use
používat *v* use
povadlost *n* limp
povaha *n* nature; temper
povalit *v* tumble

povážlivý *adj* risky
považovat *v* reckon, deem
povědět *v* say
povědomí *n* awareness
povelový soubor *n* script
pověra *n* superstition
pověření *n* assignment
pověřit *v* delegate
pověsit *v* hang up
pověst *n* reputation, rumor
povídat si *v* chat
povídka *n* story
povinnost *n* duty
povinný *adj* liable, mandatory, due, compulsory
povlak na polštář *n* pillowcase
povodeň *n* flood
povodňová výpust *n* floodgate
povolání *n* profession, vocation
povolat *v* call on
povolení *n* permission, license; dispensation
povolit *v* allow, permit, license, concede; loosen, ease
povoz *n* wagon
povrch *n* surface
povrchně se dotknout *v* skim
povrchní *adj* shallow, flimsy, futile, outward
povstalec *n* rebel
povstání *n* riot, insurgency, insurrection, uprising

povstat *v* arise, revolt
povšimnout si *v* notice
povýšení *n* promotion
povýšený *adj* arrogant, lofty, haughty
povýšit *v* promote
povzbudit *v* encourage, inspire; hearten; spur, arouse; cheer, cheer up
povzdech *n* sigh
povzdechnutí *v* sigh
povznesený *adj* elated
póza *n* pose
pozadí *n* setting, background
pozastavit *v* suspend
pozbýt *v* forfeit
pozdě *adv* late
později *adv* hereafter, later
pozdější *adj* latter, later
pozdní snídaně *n* brunch
pozdrav *n* hail
pozdravit *v* greet, hail
pozdravy *n* greetings, regards
pozdvihnout *v* uphold
pozemek *n* land
pozemský *adj* worldly; terrestrial
pozice *n* rank, position, standing; pose
pozitivní *adj* affirmative
pozměnit *v* amend, alter
poznamenat *v* remark, note
poznámka *n* comment, remark, annotation, note, memo

poznámka pod čarou *n* footnote
poznámky *n* notation
poznat *v* know
pozornost *n* attention
pozorný *adj* watchful, thoughtful, attentive
pozorovat *v* observe
pozoruhodně *adv* notably
pozoruhodný *adj* notable, noteworthy, remarkable
pozůstalost *n* inheritance
pozůstalý *adj* bereaved
pozůstatek *n* residue
pozůstatky *n* remains
pozvání *n* invitation
pozvednout *v* dignify
požádání *n* request
požádat *v* request
požádat o ruku *v* propose
požadavek *n* demand, requirement
požadovat *v* claim
požehnání *n* benediction, blessing
požehnaný *adj* blessed
poživatelný *adj* edible
pól *n* pole
pór *n* pore
pózovat *v* model, pose
pracovat *v* work, operate
pracovitost *n* diligence
pracovní pozice *n* berth

pracovní sešit *n* workbook
pracovní síla *n* manpower
pracovník *n* laborer
pragmatický *adj* pragmatist
prach *n* dust
praktický *adj* down-to-earth, practical, handy
praktikovat *v* practice
praktikující *adj* practicing
pramen *n* well
pramének *n* drizzle
pramenit *v* rise, stem
prapor *n* banner, battalion
prarodiče *n* grandparents
prasátko na peníze *n* piggy bank
prase *n* pig
praskat *v* crack
prasklina *n* crack, rift
prasknout *v* blow out
praštěný *adj* nutty
praštit *v* zap
pratelný *adj* washable
pravda *n* right, truth
pravděpodobně *adv* likely
pravděpodobnost *n* likelihood, probability
pravděpodobný *adj* probable
pravdivý *adj* right, truthful
pravé neštovice *n* smallpox
pravěký *adj* prehistoric
pravidelnost *n* regularity
pravidelný *adv* regularly

pravidlo *n* rule
pravítko *n* ruler
pravomoc *n* competence, authority
pravopis *n* spelling
pravost *n* purity
pravý *adj* genuine, right
praxe *n* practice, experience
pražená kukuřice *n* popcorn
pražit *v* parch
práce *n* work, job, labor, chore
prádelna *n* laundry
prádelník *n* dresser
prádlo *n* laundry
práh *n* brim; threshold, doorstep
prásknutí *n* crack
prásknutí *v* pop
právě *adv* already
prášek *n* powder
právní moc *n* virtue
právní odpovědnost *n* liability
právní poradenství *v* counsel
právní zástupce *n* counsel, attorney
právní zastupování *v* counsel
právník *n* lawyer
právo *n* law, right
právo vstoupit *n* entree
prázdniny *n* holiday
prázdnota *n* vacancy, emptiness
prázdný *adj* void, blank, empty,
  vacant, hollow, barren
preambule *n* preamble
precedens *n* precedent

preference *n* preference
prefix *n* prefix
preludium *n* prelude
prémie *n* bonus
premise *n* premise
president *n* president
presidentství *n* presidency
prestiž *n* prestige
prevence *n* prevention
preventivní *adj* preventive
prezentace *n* presentation
prezentovat *v* present
prchavý *adj* fleeting
prchlivý *adj* volatile
prchnout *v* flee
primitivní *adj* primitive
princ *n* prince
princezna *n* princess
princip *n* axiom, principle
priorita *n* preference, priority,
  prerogative
privilegium *n* prerogative
pro *pre* for
probádat *v* explore
probíhající *adj* ongoing
probíhající současně *adj*
  simultaneous
probíhat *v* process
problém *n* problem, issue
problematický *adj* contentious,
  questionable, problematic
probuzení *n* awakening

procedura *n* procedure
procento *n* percent
proces *n* process
proč *adv* why
pročesat *v* comb
pročesat okolí *v* canvas
pročištění *n* purge
prodávající *n* seller
prodávat *v* market, sell
prodej *n* sale
prodejna *n* outlet, shop
proděravit *v* perforate
prodlévat *v* linger
prodloužení *n* extension
prodloužit *v* extend, lengthen, prolong
prodlužovaný *adj* protracted
prodlužovat *v* protract
produkt *n* product
produktivní *adj* productive
profese *n* profession, career
profesionální *adj* professional, practical
profesor *n* reader, professor
profil *n* profile
profitovat *v* profit
program *n* agenda, program
programátor *n* programmer
programovat *v* program
prohibice *n* prohibition
prohlásit *v* declare, announce, proclaim; repeal

prohlášení *n* statement, announcement, declaration, proclamation; repeal
prohlédnout *v* look through, review
prohlídka *n* inspection, examination
prohlídnout *v* view
prohlížeč *n* browser
prohlížení pamětihodností *v* sightseeing
prohlížet *v* scan, browse
prohlubovat *v* deepen
prohnilý *adj* putrid
prohra *n* loss
prohrabat *v* ransack
prohrát *v* lose
prohřešek *n* misconduct
prohřešit se *v* sin
procházet *v* stroll; go through
procházet se *n* promenade
projednání *n* hearing
projekt *n* project
projektant *n* draftsman
projektil *n* bullet, projectile
projektová dokumentace *n* blueprint
projektovat *v* project
projev *n* speech, address
projevit *v* manifest, exhibit, display
projímavý *adj* laxative

P

projít *v* go through, get by
projít přes *v* go over
prokázaný *adj* proven
prokázat *v* prove
prokletí *v* curse
prokurátor *n* prosecutor
prolínat *v* diffuse
prolít *v* shed
prolomit *v* crack
promáčknout *v* dent
promarnit *v* throw away, squander; loaf
promazat *v* grease, lubricate
proměna *n* transformation
proměnit *v* transform
proměnná *adj* variable
promeškat *v* miss
promíchat *v* shuffle
prominentní *adj* prominent
prominout *v* condone, remit, excuse, pardon
prominutí *n* remission, pardon
promiskuitní *adj* promiscuous
promítat *v* project
promluvit *v* address
promoce *n* graduation
promočený *adj* soggy
promovat *v* master
promyslit *v* premeditate, deliberate
promyšlenost *n* premeditation
pronájem *n* charter

pronajímat *v* lease
pronajímatel *n* lessor
pronajmout *v* rent
pronásledovat *v* stalk, pursue, haunt, persecute
pronikání *n* infiltration
pronikat *v* permeate
pronikavý *adj* poignant, profound
proniknout *v* infiltrate
propad *v* slump
propadnout *v* cave in, forfeit, flunk
propadnutí *n* slump
propagace *n* promotion, propaganda
propaganda *n* propaganda
propagovat *v* advertise, promote, propagate
propast *n* precipice, abyss
propást *v* lapse
propíchnout *v* pierce
proplacení *n* refund
proplést *v* intertwine
proplétat se *v* thread
propojení *n* link
propojit *v* link
proporce *n* proportion
propuknout v *v* burst into
propuknutí *n* outbreak
propustit *v* dismiss, relegate
propustit dělníky *v* lay off
propuštění *n* dismissal

P

proradný *adj* treacherous
prorazit *v* punch
proroctví *n* prophecy
prorok *n* prophet
prorůst *v* outgrow
prosadit *v* enforce
prosakování *n* drainage
prosakovat *v* leak
prosazování *n* assertion
prosazovat *v* advocate, assert
prosazovat *v* uphold
prosba *n* request
prosévat *v* sift
prosinec *n* December
prosit *v* beg
prosit *v* please
proslov *n* prologue
proslulý *adj* renowned, famous, illustrious, notorious
prosperovat *v* prosper
prosperující *adj* well-to-do, prosperous
prospěšnost *n* expediency, benefit
prospěšný *adj* rewarding, beneficial, expedient
prospívat *v* prosper, avail
prostata *n* prostate
prostě *adv* simply
prostěradlo *n* sheet
prostoduchý *adj* naive
prostor *n* area, room, space

prostor dveří *n* doorway
prostorný *adj* roomy, spacious
prostory *n* premises
prostota *n* simplicity
prostředí *n* scenario
prostředek *n* agent, aid
prostředkovat *v* intercede
prostředky *n* means
prostředník *n* liaison, middleman
prostý *adj* simple
protáhlý *adj* protracted
protáhnout *v* protract
protějšek *n* counterpart
protest *n* outcry, protest
protestovat *v* protest
proti *pre* against, versus; towards
protichůdný *adj* conflicting
protijed *n* antidote
protikladný *adj* conflicting
protínat *v* intersect
protiřečení *n* contradiction
protiřečit *v* contradict
protivník *n* opponent
protivný *adj* disagreeable, mean, odious
protlouct se *v* get by
proto *adv* hence, therefore
protokol *n* protocol
prototyp *n* prototype, pilot
protože *adv* as
protože *c* because
protrhnout *v* rupture

protržení *n* rupture
proud *n* cataract, current, torrent
proudit *v* fluctuate
proužek *n* strip, stripe
provádět *v* conduct
provaz *n* bridle, cord, rope
provázet *v* accompany
provedení *n* make, conduct
provedení obchodu *n* transaction
proveditelný *adj* workable, feasible
prověrka *n* test, proof
prověřit *v* check
prověřovat *v* examine
provést *v* proceed, perform, execute, carry out
provincie *n* province
provinění *n* culpability
provinilec *n* delinquent
provize *n* commission, kickback
provokace *n* provocation
provokovat *v* stir
provoz *n* traffic
provozování *n* operation
provozovat *v* operate, procure, profess
provozovna *n* premises
provozující *adj* practicing
próza *n* prose
prozatímní *adj* provisional
prozíravost *n* prudence, foresight, providence
prozíravý *adj* prudent

prozkoumat *v* inspect, probe
prsa *n* breast, chest, bosom
prskavka *n* firecracker
prsní bradavka *n* nipple
prst *n* finger, digit
prst na noze *n* toe
prstenec *n* ring
prstýnek *n* ring
pršet *v* rain
pršivý *adj* rainy
prudce srazit *n* slash
prudce srazit *v* slash
prudký *adj* acute, rapid, fierce, dashing
pruh *n* stripe
pruhovaný *adj* striped
prut *n* cane, rod, ingot
pružina *n* spring
pružný *adj* flexible, elastic
průběh *n* tenor, course
průběžný *adj* continuous
průčelí *n* frontage
průdušnice *n* windpipe
průhledný *adj* transparent, see-through
průchod *n* passage, vent
průjem *n* diarrhea
průkaz *n* certificate
průkazný *adj* demonstrative
průkopník *n* pioneer, spearhead
průlom *n* breakthrough
průměr *n* mean, average, diameter

průměrnost *n* mediocrity
průměrný *adj* mediocre
průmysl *n* industry
průmyslový vzor *n* patent
průplav *n* canal
průraz *n* puncture
průřez *n* cut
průsak *n* leakage
průvod *n* parade, procession
průvodce *n* attendant, guide
průzkum *n* survey, research, exploration
průzkumník *n* explorer
průzračnost *n* clearness
prvek *n* element, component
prvenství *n* primacy
první *adj* first
prvotní *adj* prime
pryč *adv* away, out, off
pryž *n* gum
přadlena *n* spinster
přání *n* wish
přát *v* wish
přátelský *adj* approachable, folksy
přátelství *n* companionship, friendship
přeběhnout *v* go over
přebudovat *v* reorganize
přebytek *n* surplus
přece jenom *adv* nevertheless
přecenit *v* overrate
přečin *n* misdemeanor

přečíslit *v* outnumber
přečkat *v* outlast
před *adv* before
před *pre* before
předák *n* foreman
předání *n* presentation
předat *v* pass
předávkování *n* overdose
předběhnout *v* outrun
předběžné opatření *n* precaution
předběžný *adj* preliminary
předčasně zralý *adj* precocious
předčasný *adj* premature
předehra *n* prelude
předek *n* ancestor; front
předělat *v* rebuild, remake, redo
předem *adv* beforehand
předem předpokládat *v* presuppose
předem vyrobit *v* prefabricate
předepsat *v* prescribe
předešlou noc *adv* last night
předešlý *adj* prior, previous
především *adv* especially, chiefly
předcházející *adj* prior
předcházet *v* prevent; precede
předchozí *n* antecedent
předchozí *adj* last, previous, preceding
předchůdce *n* antecedent, ancestor, precursor, predecessor

předchůdci *n* antecedents
předjet *v* overtake
předkové *n* ancestry
předkrm *n* appetizer
předložka *n* preposition
předměstí *n* outskirts, suburb
předmět *n* subject, object
předmluva *n* introduction, preface, foreword
přednáška *n* reading, lecture
přednes *n* recital
přednést *v* recite
přední *adj* major, premier, front
přední strana *n* front, face
přednost *n* distinction, priority
přednostní *v* preempt
předpis *n* prescription; statute, regulation
předplatit si *v* subscribe
předplatné *n* subscription
předpojatost *n* preoccupation
předpoklad *n* supposition, assumption, prerequisite, premise, presumption
předpokládat *v* assume, presume
předpoklady *n* premises
předpona *n* prefix
předpovídat *v* forecast
předpremiéra *n* preview
předražený *adj* extravagant
předražit *v* overcharge

předscéna *n* apron
předseda *n* chief, chairman
předsedat *v* preside, chair
představa *n* imagination, fantasy
představení *n* introduction; performance
představit *v* introduce
představit si *v* visualize
představovat *v* represent
představovat si *v* picture, imagine
předstihnout *v* outrun
předstírání *n* pretense
předstíraný *adj* phony
předstírat *v* pretend, feign, simulate
předstoupit *v* come forward
předsudek *n* bias, prejudice
předtím *adv* before, formerly, previously
předtucha *n* premonition; anticipation, hunch
předvádět *v* demonstrate, show off
předvečer *n* eve
předvedení *n* presentation
předvídání *n* anticipation, prediction
předvídat *v* anticipate, foresee, predict, envisage
předvoj *n* vanguard
předvolání *n* subpoena

P

předvolat *v* subpoena
předzvěst *n* precursor, portent
přehánět *v* exaggerate, overstate
přehled *n* compendium, survey, review, overview
přehlédnout *v* overlook
přehlédnutí *n* oversight
přehlídka *n* parade
přehlížet *v* disregard, look over
přehnaný *adj* effusive, overdone, outrageous
přehnat *v* overdo
přehrada *n* barrage, dam
přechod *n* passage; transition, conversion
přechod pro chodce *n* crosswalk
přechodná ztráta paměti *n* blackout
přechodný *adj* transient
přejet *v* run over
přejít *v* come across, pass, go over
přejít zpět *v* revert
překážející *adj* impending
překážet *v* hinder
překážka *n* impediment, hindrance, hurdle, obstacle, obstruction
překladač *n* translator
překládat *v* translate
překladatel *n* translator
překlenutí *n* bypass

překonaný *adj* obsolete
překonat *v* get over; outperform
překonávat *v* outdo, surpass
překrásný *adj* exquisite
překročení *n* excess
překročit *v* overstep, transcend
překroutit *v* twist
překrýt *v* override
překrývat *v* overlap
překvapení *n* surprise
překvapit *v* overtake; surprise
překypět *v* boil over
překypující *adj* abundant
přeložit *v* replace
přelud *n* phantom
přemístění *n* relocation
přemístit *v* displace, relocate
přemoci *v* overwhelm, overpower
přemoct *v* quell
přemrštěnost *n* extravagance
přenést *v* transfer
přenosný *adj* portable
přenosný počítač *n* notebook
přepadení *n* raid, hold-up
přepadnout *v* mug, raid, ambush
přeplněný *adj* overcrowded
přepnout *v* switch
přepočíst *n* recount
přepočítat se *v* miscalculate
přepracovat *v* remodel, overhaul
přeprava *n* transit

přepravit *v* transport
přepravní služba *n* parcel post
přepsat *v* transcribe
přepych *n* luxury
přepychový *adj* luxurious, plush, fancy
přerušení *n* breach, break, recess, interruption
přerušit *v* interrupt, discontinue, abort; break in, intercept
přerušit cestu *v* stop over
přeřadit *v* shift, relegate
přes *adv* beyond
přes *pre* by, above, across, through, over
přes noc *adv* overnight
přes palubu *adv* overboard
přesadit *v* transplant
přesah *n* lap
přesáhnout *v* exceed
přesčas *adv* overtime
přeseknout *v* sever
přeskočit *v* leap, skip
přeskok *n* skip
přesnídávka *n* brunch
přesnost *n* fidelity, accuracy, precision
přesný *adj* punctual, precise, exact, accurate, distinct
přestat *v* cease, quit
přestat mluvit *v* shut up
přestavět *v* rebuild

přestávka *n* interval, interlude, break
přestávka na odpočinek *n* lull
přesto *adv* nevertheless
přestrojení *n* disguise
přestrojit *v* disguise
přestrojit se *v* masquerade
přestupek *n* offense
přestupný rok *n* leap year
přesun *n* transfer
přesunout *v* shift
přesvědčení *n* belief, persuasion
přesvědčit *v* ascertain, convince, persuade
přesvědčivý *adj* persuasive, convincing, conclusive, compelling
přesvědčující *adj* persuasive, convincing
přetékat *v* overflow
přetvářet *v* reform
přetvoření *n* reform
přetvořit *v* remodel
převaha *n* advantage
převařit *v* boil over
převážit *v* outweigh
převedení *n* convert
převést *v* convert
převládající *adj* prevalent
převládat *v* predominate, master
převléct *v* disguise
převlékárna *n* locker room

P

převod *n* shift; gear
převoz *n* ferry
převrátit *v* overturn
převrhnout *v* capsize
převýšit *v* exceed
převzít *v* take over
přezářit *v* outshine
přezdívka *n* nickname
přežít *v* survive
přežití *n* survival
přežívat *v* outlive
přeživší *n* survivor
při *pre* at, by, close to, beside; upon, on, during
příběh *n* story, tale
přiběhnout *v* run up
přibít *v* nail
přiblížit se *v* approach
přibližně *adv* about
přibližný *adj* approximate
příbory *n* cutlery
příbuzní ze strany manžela nebo manželky *n* in-laws
příbuzný *adj* congenial, related, akin
přičlenit *v* associate
přidání *n* addition
přidat *v* affix, add
přidat se *v* join
přidělat *v* attach
přidělit *v* assign, allot
přidělovat *v* dole out

přidružení *n* affiliation
přidružený *adj* subsidiary
přidružit *v* incorporate
přihazovat *v* bid
přihlásit se *v* register, enroll, log in
přihláška *n* application
přihlížející osoba *n* bystander
přihlížet *v* connote
přihození *n* bid
přihrádka *n* compartment
přihrávka *n* pass
přicházející *adj* coming
přijatelný *adj* admissible, acceptable
přijet *v* arrive, come
přijetí *n* reception, receipt; adoption, admission
přijít *v* arrive, get in, come, come over
přijít k něčemu *v* come about
přijít s *v* come up
přijít z *v* come from
přijíždět *v* come
přijmout *v* adopt
přikázání *n* commandment
přikazovat *v* dictate
přikrášlit *v* embellish
přikročit *v* proceed
přikročit k *v* step up
přikrývka *n* blanket
přikývnout *v* nod

P

přilba *n* helmet
přiléhající *adj* adjacent
přiléhat *v* cling
přiléhavý *adj* fitting, pertinent
přilehlý *adj* adjacent
přilepit *v* stick to, paste
přilepit se *v* stick
přiložit *v* enclose
přiměřený *adj* adequate
přimlouvat se *v* advocate
přimluvit se *v* intercede
přinést *v* bring
přinutit *v* constrain
připadat na stejnou dobu *v* coincide
připevnit *v* pin
připínáček *n* tack
připnout *v* attach, clip
připojení *n* connection, attachment
připojený *adj* attached
připojit *v* affix, connect
připomenout *v* remind
připomenout památku *v* commemorate
připomenutí *n* remembrance
připomínat *v* resemble
připomínka *n* comment, remark, reminder
připoutat *v* buckle up
připravenost *n* readiness
připravený *adj* ready

připravit *v* prepare
připsat *v* assign
připustit *v* admit
přirovnat *v* compare
přirozeně *adv* naturally
přirozený *adj* innate, native, natural, intrinsic
příčesek *n* hairpiece
příčestí *n* participle
příčetný *adj* sane
příčina *n* cause
přičíst *v* add
přiřadit *v* allocate, assign
přiřazení *n* assignment
přispění *n* contribution
přispět *v* contribute
přispěvatel *n* contributor
přispívat *v* subsidize
přistání *n* landing
přistát *v* land
přistávací plocha *n* airfield
přistěhovalec *n* immigrant, migrant
přistěhovalectví *n* immigration
přistěhovat se *v* immigrate
přistupovat *v* approach
přisuzovat *v* attribute
přišít zločin *v* frame
přišpendlit *v* pin
přitahovat *v* attract
přitahovat se *v* gravitate
přitažlivost *n* magnetism, attraction

P

přitažlivý *adj* magnetic, appealing, attractive
přitěžující okolnost *n* aggravation
přitížení *n* surcharge
přitulit se *v* cuddle
přivést v soulad *v* coordinate
přivítání *v* welcome
přivítat *v* greet
přivodit *v* evoke, induce
přivolat *v* summon
přivyknout si *v* accustom
přiznání *n* confession
přiznat *v* concede, plead, disclose
přiznat se *v* confess
přiznávat *v* admit
příznivý *adj* favorable
přizpůsobení *n* adjustment, adaptation, assimilation
přizpůsobený *adj* conformist
přizpůsobit *v* adjust, adapt
přizpůsobit se *v* acclimatize, assimilate
přizpůsobitelný *adj* adjustable, adaptable
přizpůsobivý *adj* adaptable; supple
příčka *n* rail, bar
příčný *adj* lateral
příčný řez *n* profile
přídavek *n* addition
přídavné jméno *n* adjective

přídavný *adj* additional
příděl *n* ration, allotment
příhoda *n* incident, episode
příhodně *adj* opportune
příhodnost *n* convenience
příhodný *adj* fitting, convenient
příchod *n* Advent; arrival, coming
příchozí *adj* incoming
příchuť *n* flavor
příjem *n* earnings, gain, income
příjemce *n* addressee, beneficiary
příjemce platby *n* payee
příjemný *adj* enjoyable, congenial, pleasant
příjezd *n* arrival
příjezdová cesta *n* driveway
přijímání svátosti *n* communion
přijímání zaměstnanců *n* recruitment
přijímat *v* receive, accept
příjmení *n* last name, surname
příkaz *v* command
příkaz *n* warrant
příklad *n* example, instance
příkop *n* kennel
příkrý *adj* brusque; steep
příležitost *n* occasion, opportunity
příležitostně *adv* occasionally
příležitostný *adj* casual
příliš *pre* over

příliš *adv* too
příliš nabít *v* overcharge
přílišný *adj* undue
příliv a odliv *n* tide
přílivová vlna *n* tidal wave
přilnavý *adj* adhesive
příloha *n* enclosure, attachment
příměří *n* armistice, cease-fire, truce
přímo *adv* head-on
přímočarý *adj* direct
přímý *adj* direct, outright, forthright
případ *n* instance, case, event
přípitek *n* toast
přípojka *n* attachment, junction
přípona *n* extension
příprava *n* preparation
přípravek *n* preparation
přípustný *adj* admissible
příroda *n* nature
přírodní *adj* scenic, natural
příručka *n* manual, handbook
přírůstek *n* increment
přírůstek hodnoty *n* appreciation
přísada *n* ingredient
přísaha *n* oath
přísahat *v* swear
příslovce *n* adverb
přísloví *n* proverb
příslušenství *n* belongings

příslušný *adj* respective
přísně *adv* sternly
přísně řídit *v* boss around
přísnost *n* austerity, rigor
přísný *adj* austere, stringent, rigid, strict
příspěvek *n* donation, contribution; post
přístav *n* port, harbor, haven
přístavba *n* annex
přístaviště *n* wharf
přístavní zátoka *n* basin
přístroj *n* device
přístup *n* access, approach
přístupný *adj* accessible, approachable, susceptible
příšera *n* monster
příšerný *adj* grisly, gruesome
příští *adj* next
přítel *n* friend, fellow, boyfriend
přítelkyně *n* girlfriend
přítomnost *n* presence
přítomný *adj* present
přítomný čas *n* present
příušnice *n* mumps
příval *n* surge
přívěsek *n* tag
přívěsný vůz *n* trailer
přívod *n* intake
příze *n* yarn
přízemí *n* ground floor
přízeň *n* favor

P

příznačný *adj* distinctive
příznak *n* symptom
přízrak *n* phantom, mirage
přízvuk *n* emphasis, accent
psací tabule *n* chalkboard
psanec *v* outlaw
psaní *n* writing
psaný *adj* written
psát *v* write
psát na stroji *v* type
psát s velkým počátečním písmenem *v* capitalize
pseudonym *n* pseudonym
pstruh *n* trout
psychiatr *n* psychiatrist
psychiatrie *n* psychiatry
psychicky *adv* mentally
psychologie *n* psychology
psychopat *n* psychopath
pšenice *n* wheat
pštros *n* ostrich
pták *n* bird
puberta *n* puberty
publicita *n* publicity
publikace *n* publication
publikum *n* audience
puč *n* coup
pud *n* instinct
puding *n* custard
pudink *n* pudding
puchýř *n* blister
puchýřek *n* pimple

pulsovat *v* pulsate, throb
pult *n* counter, bar, lectern
pumpa *n* pump
pumpovat *v* pump
punč *n* punch
punčocha *n* stocking
punčocháče *n* pantyhose
punčochy *n* hose
puntičkářský *adj* meticulous, pedantic
pupík *n* belly button, navel
purpurový *adj* purple
pustina *n* bush
pustit *v* let go
pustit bzučák *v* buzz
pustit se do *v* set about
pustit se do něčeho *v* get down to
pustošit *v* plunder, devastate, vandalize
pustota *n* desolation
pustý *adj* barren, stark
puška *n* rifle
putovat *v* wander
půda *n* soil, land
půlit *v* halve
půjčit *v* borrow; loan
půjčka *n* loan
půlnoc *n* midnight
působící nesnáze *adj* troublesome
působící starosti *adj* distressing

působit *v* react
působit proti *v* antagonize, counteract
působit radost *v* delight
působivý *adj* impressive
půst *v* fast
půst *n* Lent
půvab *n* charm, appeal
půvabný *adj* lovely, charming, graceful
původ *n* background, descent, origin
původně *adv* originally
původní *adj* original
pýcha *n* pride
pykání *n* atonement
pykat *v* atone
pyl *n* pollen
pyramida *n* pyramid
pyré *n* puree
pysk *n* lip
pyšný *adj* lofty
pytel *n* bag, sack
pyžamo *n* pajamas

R

rabín *n* rabbi
rabovat *v* loot
racek *n* gull, seagull
ráčit *v* deign
rada *n* advice, council; board
radar *n* radar
radiátor *n* radiator
radikální *adj* extremist, radical
radnice *n* city hall, town hall
radost *n* enjoyment, joy
radostně *adv* joyfully
radostný *adj* glad, enjoyable, cheerful, jolly, exhilarating, joyful
radovat se *v* rejoice
rafinérie *n* refinery
rachot *n* rumble
rachotit *v* rumble
ráj *n* paradise
rajče *n* tomato
raketa *n* missile, rocket; racket
rakev *n* casket, coffin
rakovina *n* cancer
rakovinotvorný *adj* cancerous
rameno *n* arm, shoulder
rameno řeky *n* fleet
ramínko *n* hanger
rampa *n* ramp
ranč *n* ranch

randál *n* uproar
randit *v* date
rané dětství *n* infancy
raněný *adj* hurt
ranit *v* hurt
rasa *n* race
rasismus *n* racism
rasistický *adj* racist
ratifikace *n* ratification
ratifikovat *v* ratify
razidlo *n* stamp
razie *n* raid
razit *v* strike out; stamp, mint
razítko *n* stamp
rádce *n* adviser
rádio *n* radio
rádoby *adj* would-be
ráfek *n* rim
rákosí *n* reed
rákoska *n* cane
rám *n* border, frame
rámec *n* frame
rána *n* knock, blast, blow, punch, shot
rázný *adj* radical
ráže *n* caliber
ráže zbraně *v* gauge
rčení *n* maxim, saying
reagovat *v* respond, react
reagující *adj* responsive
reakce *n* reaction
realismus *n* realism

realistický *adj* down-to-earth
rébus *n* puzzle
recenze *n* critique, review
recenzovat *v* review
recepce *n* reception
recepční *n* receptionist
recept *n* formula, recipe
recidiva *n* relapse
reciproční *adj* reciprocal
recitace *n* recital
recitovat *v* recite
recyklovat *v* recycle
referát *n* report
referendum *n* referendum
referent *n* officer
refinancovat *v* refinance
reflektovat *v* reflect
reflex *n* reflection
reflexivní *adj* reflexive
reforma *n* reform
reformovat *v* reform
refrén *n* chorus
refundovat *v* refund
regenerace *n* regeneration
registrace *n* enrollment, registration
registrovat *v* check in
regres *n* recourse
regulace *n* regulation
regulárnost *n* regularity
rehabilitovat *v* rehabilitate
rekapitulace *n* resumption

rekapitulovat *v* recap
reklama *n* advertising, promotion
reklamace *n* claim
reklamní tabule *n* banner
reklamovat *v* advertise, claim
rekonstrukce *n* reenactment
rekonstruovat *v* reconstruct
rekord *n* record
rekreace *n* holiday, recreation
rekreovat *v* recreate
rekrutovat *v* recruit
rektor *n* rector
rekurs *n* recourse
relativní *adj* relative
relativní pojem *n* relative
remise *n* remission
remíza *n* draw; tie
renomovaný *adj* renowned
renovace *n* renovation
renovovat *v* renew, refurbish, renovate
rentgenový paprsek *n* X-ray
reorganizovat *v* reorganize
replika *n* replica
replikovat *v* replicate
reportáž *n* report
represálie *n* reprisal
represe *n* repression
reprezentovat *v* represent
reproduktor *n* speaker, loudspeaker
reptat *v* grumble

republika *n* republic
reputace *n* reputation
respekt *n* respect
respektovat *v* respect
rest *n* backlog
restaurace *n* restaurant
restituce *n* restitution
ret *n* lip
retroaktivní *adj* retroactive
revidovat *v* revise
revidovat *v* audit
revize *n* revision
revmatismus *n* rheumatism
revolta *n* rebellion
rez *n* stain
rezavět *v* corrode, rust
rezavý *adj* rusty
rezerva *n* stockpile, provision
rezervace *n* reservation
rezervní *adj* auxiliary
rezervoár *n* cistern, reservoir
rezervovaný *adj* distant
rezervovat *v* earmark, reserve
reziduum *n* residue
rezignace *n* resignation
rezignovat *v* retire
rezivět *v* stain
režim *n* regime
režisér *n* director
réva *n* grapevine
riskantní *adj* risky
riskovat *v* gamble, risk

R

rivalství *n* rivalry
riziko *n* risk
robustně navržený *adj* foolproof
rock *n* rock
ročenka *n* almanac
roční *adv* yearly
roční období *n* season
ročník *n* grade, class
rod *n* breed; gender
rodiče *n* parents
rodina *n* family
rodit *v* breed
rodné město *n* hometown
roh *n* corner; horn, cornet
rohož *n* quilt, mat
roj *n* flock
rojit se *v* swarm
rok *n* year
rokle *n* ravine, chasm, gorge
rolník *n* peasant
Rom *n* gypsy
román *n* novel
romance *n* romance
romanopisec *n* novelist
ropa *n* petroleum, oil
rosa *n* drizzle, dew
rostlina *n* plant
rošt *n* grill
rošťák *n* rascal
roštovat na uhlí *v* charbroil
roub *n* graft
roubík *n* gag

roubovat *v* graft
rouhání *n* blasphemy
rouhat *v* blaspheme
roucho *n* robe
roura *n* duct, pipe
rouška *n* veil
rovina *n* flat, plane, plateau; plain
rovnající se *adj* equal, tantamount to
rovněž *adv* also, too
rovnice *n* equation
rovník *n* equator
rovnoběžka *n* parallel
rovnoměrný *adj* even
rovnost *n* equality, parity
rovnováha *n* poise; balance, equilibrium
rovný *adj* straight; plain
rozbalit *v* unpack, unwrap
rozbíjející se *adj* shattering
rozbít *v* break down
rozbít na třísky *v* splinter
rozbitný *adj* breakable
rozbočovač *n* hub
rozbor *n* analysis
rozbředlý *adj* watery
rozcuchaný *adj* ragged
rozčarovaný *adj* disenchanted
rozčílit *v* upset, aggravate
rozčilující *adj* irritating
rozčlenění *n* articulation
rozdat *v* give away, give out

rozdávat *v* hand out
rozdělení *n* split
rozdělit *v* diversify, split; ration, part
rozdíl *n* contrast, difference
rozdílnost *n* disparity
rozdrcení *n* annihilation
rozdrobit *v* disintegrate
rozdrtit *v* annihilate, crush
rozebrat *v* take apart
rozehnání *n* dispersal
rozehnat *v* drift apart
rozehřát *v* thaw
rozejít se *v* break up, drift apart
rozepjetí *n* expansion
rozepnout *v* unbutton
rozervat *v* tear
rozetřít *v* pulverize
rozeznat *v* discern
rozežrat *v* eat away
rozhlašovat *v* disseminate
rozhodce *n* arbiter
rozhodčí *n* referee, umpire
rozhodnout *v* decide
rozhodnout se *v* conclude
rozhodnutí *n* resolution, decision, verdict
rozhodný *adj* definitive, decisive, definite
rozhodovat *v* arbitrate
rozhodující *adj* crucial, critical, conclusive, deciding

rozhodující boj *n* showdown
rozhovor *n* discussion, conversation, interview
rozhřešení *n* absolution
rozhřešit *v* absolve
rozjařený *adj* jolly
rozjímání *n* meditation
rozjímat *v* meditate
rozkaz *v* command
rozkaz *n* order
rozkázat *v* order
rozkládat *v* disintegrate, decompose
rozkládat se *v* decay
rozkol *n* division, schism
rozkoš *n* delight, pleasure
rozkošný *adj* adorable, delightful
rozkrádání *n* larceny
rozkvést *v* bloom
rozkvět *n* heyday
rozladěný *adj* disgruntled
rozléhat *v* sprawl
rozličný *adj* diverse
rozlišování *n* distinction
rozlišovat *v* differ
rozlít *v* spill
rozloha *n* area
rozlomit *v* break out
rozlousknout *v* crack
rozložení *n* distribution
rozložení moci *n* dispensation
rozložit *v* distribute, set out

R

rozložit se *v* come apart
rozluštit *v* decipher
rozmačkat *v* quash, mash
rozmáčknout *v* crush
rozmach *n* boom, expansion
rozmanitost *n* diversity
rozmar *n* whim
rozmazaný *adj* blurred
rozmazat *v* blur
rozmazlit *v* spoil
rozmělnit *v* pulverize
rozměr *n* extent; dimension
rozmístění *n* lay-out; deployment
rozmístit *v* distribute, deploy, space out
rozmnožit *v* propagate, reproduction
rozmnožit se *v* procreate
rozmnožovat *v* reproduce
rozmrazit *v* defrost
rozmrzelost *n* resentment
rozmrzelý *adj* cranky, cross
rozmyslit *v* reconsider
roznětka *n* detonator
roznítit *v* fire, stir up
rozohněný *adj* rousing
rozpačitost *n* uneasiness
rozpad *n* disintegration
rozpadat *v* disintegrate, crumble, unravel
rozpadlý *adj* dilapidated
rozpaky *n* quandary, plunge

rozpětí *n* stretch, span; margin, bracket
rozpínat *v* expand, unfasten
rozplést *v* disentangle
rozpočet *n* budget
rozpojit *v* break up
rozpolcený *adj* ambivalent
rozpon *n* span
rozpor *n* breach, conflict, clash
rozpor *v* dissent
rozporuplný *adj* inconsistent
rozpouštěcí *adj* solvent
rozpoznání *n* recognition
rozpoznat *v* identify, distinguish, recognize
rozprášit *v* scatter
rozprava *n* briefing
rozptyl *n* dispersal
rozptýlení *n* distraction
rozptýlit *v* spread, disperse, dispel; distract
rozpustit *v* dissolve, disband, dismiss
rozpustný *adj* soluble
rozruch *n* commotion, furor, tumult
rozrůstat *v* expand
rozrušený *adj* deranged
rozrušit *v* upset, perturb
rozředit *v* dilute, water down
rozříznout *v* slit
rozsah *n* span, extent, latitude

rozsévat *v* disseminate

rozsoudit *v* sentence

rozsudek *n* conviction, sentence

rozšíření *n* extension

rozšířit *v* extend, broaden

rozšiřovat *v* disseminate, spread

rozštěpit *v* split, slit

rozštípat *v* splinter

roztažení *n* stretch

roztěr *n* smear

roztočit *v* spin

roztok *n* solution; lotion

roztomilý *adj* lovely, adorable, pretty, cute, lovable

roztrhávat *v* rip

roztrhnout *v* rip apart

roztrubovat *v* blaze

roztříděný *adj* assorted

roztříštit *v* shatter

rozumět *v* understand

rozumný *adj* reasonable, sensible

rozumový *adj* rational

rozvádět se *v* divorce

rozvalit *v* sprawl

rozvázat *v* loose, untie

rozvážný *adj* sober, considerate

rozvedená osoba *n* divorcee

rozvláčný *adj* sparse

rozvod *n* divorce

rozvodí *n* watershed

rozvrácený *adj* disorganized

rozvrat *n* disruption

rozvrátit *v* disrupt

rozvrh *n* schedule, timetable

rozvržení *n* setup

rozzlobený *adj* angry

rozzlobit *v* anger

rozzuřený *adj* livid

rozzuřit *v* enrage, infuriate, madden

rozžhavený *adj* red-hot

rožeň *n* barbecue

rtuť *n* mercury

rub *n* back

rubín *n* ruby

rubrika *n* column

ručit *v* warrant

ručitel *n* guarantor

ruční *adj* manual

ručník *n* towel

ruda *n* ore

rudnout *v* redden

ruina *n* ruin

ruka *n* arm, hand

rukáv *n* sleeve

rukavice *n* glove

rukodělný *adj* handmade

rukojeť *n* hilt

rukojmí *n* hostage

rukopis *n* script, handwriting, manuscript

ruměnec *n* blush

Rusko *n* Russia

ruský *adj* Russian

R

rustikální *adj* rustic
rušit segregaci *v* desegregate
rušivý *adj* disturbing
rušný *adj* bustling
růst *v* sprout, grow, growth
různorodost *n* variety
různorodý *adj* varied, diverse
různý *adj* unlike, various
růže *n* rose
růžový *adj* rosy, pink
rvačka *n* rumble, brawl, scuffle
rvát se *v* rumble
ryba *n* fish
rybář *n* fisherman
rybařit *v* fish
rybí *adj* fishy
ryby *n* fish
rychle *adv* quickly
rychle prchnout *v* fleet
rychlit *v* speed
rychlost *n* speed, velocity
rychlý *adj* rapid, speedy, express, fast, quick, swift
rychlý *adv* speedily
rýpaní *v* shovel
rys *n* feature, trait; lynx
rytectví *n* engraving
rytíř *n* knight
rytmus *n* rhythm
ryzost *n* purity
rýč *n* spade
rýha *n* furrow

rým *n* rhyme
rýsovat *v* protract
rýt *v* carve
rýže *n* rice

Ř

řada *n* line, series
řadit se *v* rank
řadit spolu *v* lump together
řadový *adj* lowly
řadový občané *adj* grassroots
řádek *n* line, row
řádně *adv* duly, properly
Řecko *n* Greece
řecký *adj* Greek
řeč *n* speech, sermon; tongue
ředitel *n* director
ředitelství *n* directory, headquarters
ředkev *n* radish
řeholnice *n* nun
řeka *n* river
řemenice *n* pulley
řemeslník *n* artisan, craftsman
řemeslo *n* craft
řešení *n* solution, resolution
řešit *v* solve

řetěz *n* chain; bridle
řetězec *n* chain, string
řetězit *v* chain
řetězová pila *n* chainsaw
řetízek *n* chain
řev *n* roar
řez *n* cut, incision
řezač *n* cutter
řezat *v* cut; whittle
řezat pilou *v* saw
řezivo *n* lumber
řezná rána *n* gash
řeznictví *n* butchery
řezník *n* butcher
říct *v* tell
říct hned *v* shoot
řidič *n* driver
řidič nákladního auta *n* trucker
řídit *v* administer, manage, direct; drive, ride
řídit se *v* abide by
řídký *adj* tenuous, thin; infrequent
říhat *v* burp, belch
říhnutí *n* burp, belch
říjen *n* October
říše *n* empire
říz *n* zest
řízení *n* operation
říznutí *n* cut
řvát *v* roar, scream

S

s *pre* along, with, from
s *adv* off
s výjimkou *pre* except
sabotáž *n* sabotage
sabotovat *v* sabotage
sáček *n* bag
sad *n* orchard
sadista *n* sadist
sádka na ryby *n* stew
sádlo *n* grease, lard
sádra *n* plaster
safír *n* sapphire
sáknout *v* soak, soak in
sako *n* jacket
salát *n* salad
sama *pre* oneself
sama sebou *pro* herself
sama sobě *pro* herself
samec *n* male
samet *n* velvet
samice *n* female
samohláska *n* vowel
samota *n* solitude
samotář *adj* loner
samotný *adj* alone
samotný *adv* solely
samovolnost *n* spontaneity
samovolný *adj* spontaneous
samozřejmý *adj* self-evident

sandál *n* sandal
sanitka *n* ambulance
sankce *n* sanction
sankcionovat *v* sanction
saponát *n* detergent
sardel *n* anchovy
sardinka *n* sardine
sarkasmus *n* sarcasm
satelit *n* satellite
satira *n* satire
savec *n* mammal
sazba *n* tariff, rate
sazenice *n* plant
sál *n* saloon
sál v hotelu *n* ballroom
sám *pre* oneself
sám *n* sole
sát *v* suck
sázet *v* gamble, bet
sázka *n* stake, bet
sběhnutí *n* defection
sběr *n* collection
sběratel *n* collector
sbírat *v* collect, pick up
sbírka *n* collection, set
sbohem *n* farewell
sbor *n* brigade, crew
sbory *n* choir
scenerie *n* setting
scéna *n* stage, scene
scénář *n* script, scenario
scvrknout *v* shrink

scvrknout se *v* boil down to
sčítání lidu *n* census
sdělení *n* statement
sdílet *v* share
sdružení *n* coalition, association
sdružit se *v* affiliate
se *adv* off
se *pre* with
sebe *pro* ourselves
sebedůvěra *n* confidence
sebeúcta *n* self-respect
sebevědomí *n* self-esteem
sebevražda *n* suicide
sebou *pre* oneself
sebrat *v* collect, pick
sečtělý *adj* literate
sed *n* sitting
sedadlo *n* seat
sedativum *n* sedation
sedění *n* session
sedět *v* fit; sit
sedlo *n* saddle
sedm *adj* seven
sedmdesát *adj* seventy
sedmikráska *n* daisy
sedmnáct *adj* seventeen
sedmý *adj* seventh
sednout *v* sit
segment *n* partition
segregace *n* segregation
segregovat *v* segregate
sehnání *n* roundup

S

sehnout *v* bend down

sekáček *n* chopper

sekané maso *n* mincemeat

sekat *v* cut, chop, hack

sekera *n* ax

seknutí *n* chop

sekretář *n* cabinet

sekretářka *n* secretary

sekta *n* sect

sektor *n* sector

sekunda *n* second

sekundární *adj* secondary

sekvence *n* sequence

sekyrka *n* hatchet

selhání *n* failure

selhat *v* fail

sem *adv* here

sémě *n* seed

semenný *adj* seedy

semestr *n* semester

seminář *n* workshop, seminary

sen *n* dream

senát *n* senate

senátor *n* senator

sendvič *n* sandwich

senilní *adj* senior, senile

seno *n* hay

sentiment *n* sentiment

sentimentální *adj* sentimental

senzační *adj* fabulous

separace *n* parting

sepsat *v* list

serenáda *n* serenade

seriál *n* series

servírka *n* waitress

servis *n* service

servítek *n* napkin

seržant *n* sergeant

seřadit *v* line up

sesadit *v* depose

seskupit *v* cluster

sesout *v* shift

sestava *n* formation, setup

sestavit *v* assemble, compile

sestoupit *v* dismount, get down, descend

sestoupit z funkce *v* bow out

sestra *n* sister

sestrojit *v* construct, project

sestřelit *v* gun down, shoot down

sestřenice *n* cousin

sestup *n* descent

sesypat *v* fall down

sešít *v* staple

sešívačka *n* stapler

sešlý *adj* seedy

setkání *n* meeting, encounter

setkat *v* meet

setmění *n* dusk

setnout hlavu *v* behead

setřídit *v* sort out

sever *n* north

severní *adj* northern

severovýchodní *n* northeast

S

Seveřan *n* northerner
sevření *n* clutch
sevřít *v* tighten, squeeze, clench, clinch
sex *n* sex
sexualita *n* sexuality
sexuálně obtěžovat *v* molest
sexuální *adj* carnal
sezení *n* session, sitting
seznam *n* list
sezónní *adj* seasonal
sežrat *v* scoff
série *n* series
sérum *n* serum
sféra *n* realm, sphere
sfouknout *v* blow out
shluk *n* bunch, cluster, burst
shluknout *v* aggregate
shnilý *adj* rotten
shoda *n* consensus, accord
shoda okolností *n* coincidence
shodit *v* precipitate
shodný *adj* like
shodovat se *v* concur
shovívavost *n* benevolence
shovívavý *adj* benevolent; indulgent
show *n* revue
shrbený *adj* hunched
shrnout *v* sum up
shromážděné informace *n* roundup

shromáždění *n* congregation, meeting, convention, gathering, rally
shromáždit *v* congregate, muster
shromáždit se *v* convene, get together
shromažďovat se *v* huddle
scházet se *v* party
schéma *n* scheme
schod *n* stair
schodek *n* deficiency, deficit
schodiště *n* staircase
schody *n* stairs
schopnost *n* aptitude, faculty, capacity, ability, capability
schopný *adj* capable, able
schopný úpravy rozměrů *adj* sizable
schoulit se *v* curl
schůdky *n* stepladder
schůzka *n* appointment, date
schválení *n* approval, adoption, endorsement
schválit *v* endorse, pass, approve
si *pre* oneself
signál *n* signal
signální oheň *n* beacon
silit *v* force
silná nechuť *n* repulse
silně *adj* strong, mighty
silně rozrušený *adj* distraught
silnice *n* road

S

silniční doprava *n* traffic
silný *adj* intense, powerful, strong; stark, severe, robust, tough
singl *n* single
singulární *adj* singular
siréna *n* buzzer, siren
sirka *n* match
sirotčinec *n* orphanage
sirotek *n* orphan
sirup *n* syrup
situace *n* circumstance, position, scenario, situation, state
sídlo *n* quarters, residence
síla *n* power, force, virility, might, strength
síla ducha *n* fortitude
síň *n* hall
síra *n* sulfur
síť *n* net, network; site; mesh
síto *n* riddle
sjednat *v* appoint
sjednocení *n* unification, union
sjednotit *v* consolidate, unify, unite
sjíždět *v* coast
skalisko *n* rock
skalistý *adj* rocky
skandál *n* scene, scandal
skandalizovat *v* scandalize
skaut *n* scout
skácet *v* topple
skákat *v* jump, bounce

skála *n* scale
skeč *n* sketch
skenovat *v* scan
skepse *n* disbelief
skeptický *adj* skeptic
skeptik *n* skeptic
sklad *n* store, warehouse, stock, stockroom
skládání *n* pleat
skládat se *v* consist
skladatel *n* composer
skladba *n* composition
skladiště *n* depot
skladovat *v* store
skládat *v* compose
skládka *n* dump, landfill
skleněné výrobky *n* glassware
sklenice *n* jar, glass
skleník *n* greenhouse
sklep *n* cellar
sklíčenost *n* gloom
sklíčený *adj* despondent
sklíčit *v* beset, dishearten
sklizeň *n* crop
sklízet *v* harvest
sklo *n* glass
sklon *n* penchant, leaning; descent
skloňování *n* declension
sklopit *v* duck
skočit *v* jump
skok *n* bounce, jump, leap

skon *n* demise
skončit *v* adjourn, end, wind up, end up
skonto *n* drawback
skopec *n* ram
skoro *adv* scarcely
skórovat *v* score
skořepina *n* shell
skořice *n* cinnamon
skosit *v* cut down
skóre *n* score
skrček *n* midget
skrčit se *v* crouch
skromně *adv* humbly
skromnost *n* humility, modesty
skromný *adj* humble, modest, unassuming
skrýš *n* shelter
skrýt *v* cover, conceal, hide
skrytý *adj* hidden
skrze *pre* through
skříň *n* cupboard
skříň na šaty *n* wardrobe
skřípat *v* creak
skřípot *v* squeak, creak
skupina *n* group
skutečně *adv* really, actually
skutečnost *n* fact, reality
skutečný *adj* actual, intrinsic, real
skutek *n* deed
skútr *n* scooter
skvěle *adv* fine

skvělost *n* greatness
skvělý *adj* brilliant, fine, superb, great, grand
skvost *n* daisy, jewel
skvostný *adj* splendid
skvrna *n* smear, blemish, stain, speck, blot
slabika *n* syllable
slabina *n* weakness; loin
slábnout *v* wane
slaboch *adj* sissy, wimp
slabost *n* weakness, qualm
slabý *adj* faint, mild, weak
sladění *n* coordination
sladit *v* harmonize, sweeten
sladkost *n* sweetness
sladkosti *n* sweets
sladký *adj* sweet
sladký brambor *n* yam
sláma *n* straw
slanina *n* bacon
slaný *adj* salty
slast *n* bliss, delight
sláva *n* fame, glory
slavík *n* nightingale
slavit *v* party
slavná osoba *n* celebrity
slavnost *n* ceremony, festivity
slavnostní *adj* solemn; festive
slavný *adj* glorious
sled *n* stream
sledování *n* surveillance

S

sledovat *v* track, monitor
slepá ulice *n* dead end
slepě *adv* blindly
slepé střevo *n* appendix
slepice *n* hen
slepota *n* blindness
slepý *adj* blind
slepý fanatismus *n* bigotry
sleva *n* rebate, discount, mark down, deduction
slévárna *n* foundry
slib *n* pledge
slíbit *n* promise
slibovat *v* pledge
slídit *v* prowl
slina *n* saliva
slinivka *n* pancreas
slisovat *v* compact
slitek *n* ingot
slitina *n* alloy
slogan *n* catchword, slogan
slohová práce *n* essay
slon *n* elephant
slonovina *n* ivory
sloučení *n* synthesis
sloučenina *n* compound
sloučit *v* compound
sloup *n* pillar, column
sloupec *n* bar
sloupek *n* column
sloužit *v* service, serve, minister
slova písně *n* lyrics

sloveso *n* verb
slovně *adv* verbally
slovní zásoba *n* vocabulary
slovníček *n* glossary
slovník *n* dictionary
slovo *n* word
slovo boží *n* gospel
složení *n* structure
složit *v* set, pile; unload, fold
složit dohromady *v* pool
složitost *n* complexity
složitý *adj* complex, intricate
složka *n* folder; component, compound
slučitelnost *n* compatibility
slučitelný *adj* compatible
sluha *n* butler, servant
sluch *n* hearing
sluchátka *n* earphones, headphones
slum *n* slum
slunce *n* sun
sluneční brýle *n* sunglasses
slunečný *adj* solar, sunny
slunit se *v* bask
slupka *n* skin, hull, peel
slušnost *n* decency, decorum
slušný *adj* decent
služba *n* duty, service
služební věk *n* seniority
služka *n* maid
slyšení *n* hearing

S

slyšet *v* hear
slyšitelný *adj* audible
slza *n* tear
smaragd *n* emerald
smát se *v* laugh
smazat *v* erase, wipe out, delete
smažený *adj* fried
smažit *v* fry
smečka *n* pack
smělost *n* boldness, confidence, audacity
smělý *adj* bold, audacious
směnit *v* exchange
směnka *n* note
směr *n* tack; direction
směrem *adv* onwards
směrem k *pre* towards
směrem nahoru *adv* upwards
směrnice *n* guidelines, direction, guidance; statute, regulation
směřující *adj* oriented
směřující dolů *adj* downturn
směřující na jih *adv* southbound
směřující na východ *adj* eastbound
směřující na západ *adv* westbound
směs *n* concoction, mixture, blend, assortment; cocktail
směšný *adj* ludicrous; funny, silly, comical, humorous, laughable
smět *v* may, can

smetí *n* trash, litter, garbage
smích *n* laugh, laughter
smíchat *v* compound
smilování *n* mercy
smírčí *adj* conciliatory
smířit *v* conciliate, reconcile; put up
smiřovatel *n* settler
smísit *v* blend
smíšení *n* concoction
smíšenina *n* mix-up
smíšený *adj* assorted, mixed-up
smlouva *n* contract, agreement, covenant; charter, deed
smlouvání *n* bargaining
smlouvat *v* haggle
smlouvat se *v* bargain
smluvně se zavázat *v* contract
smolař *n* underdog
smrt *n* death
smrt hladem *n* starvation
smrtelná past *n* death trap
smrtelná postel *n* deathbed
smrtelné nebezpečí *n* death trap
smrtelný *adj* deadly, fatal, mortal
smrtící *adj* deadly, lethal
smůla *n* misfortune
smutek *n* melancholy, mourning, sadness, grief, regret
smutný *adj* sad
smyčka *n* noose

S

smysl *n* sense, meaning
smyslná žádost *n* lust
smyslný *adj* carnal, sensual
smyslové vnímání *n* sensation
smyslový *adj* sensual
smysluplný *adj* meaningful
snad *adv* may-be, hopefully, perhaps
snadno *adv* easily
snadnost *n* ease
snadný *adj* easy
snaha *n* pursuit, willingness, endeavor
snacha *n* daughter-in-law
snášenlivost *n* tolerance
snášet *v* bear, withstand, put up, tolerate
snažit se *v* endeavor, strive
snažit se *v* pursue
sněhová vichřice *n* blizzard
sněhová vločka *n* snowflake
snesitelný *adj* bearable, tolerable
snést *v* sustain, put up with
sněť *n* gangrene
sněžení *n* snowfall
sněžit *v* snow
snídaně *n* breakfast
sníh *n* snow
snímek *n* snapshot
sníst *v* eat
snít *v* dream
snížení *n* depreciation

snížit *v* downsize, diminish, bring down, pull down, cut back, decrease, lessen, reduce
snížit se *v* condescend
snížit stav oběživa *v* deflate
snižovat *v* belittle
snoubenec *n* fiancé
snoubenka *n* fiancé
sob *n* reindeer
sobě *pre* oneself
sobě *pro* themselves; yourself
sobě navzájem *adj* each other
sobec *n* egoist
sobecký *adj* selfish
sobectví *n* egoism, selfishness
sobota *n* Saturday
socialismus *n* socialism
socialistický *adj* socialist
sociální péče *n* welfare
socha *n* sculpture, statue
socha osoby *n* effigy
sochař *n* sculptor
sok *n* adversary
solidárnost *n* solidarity
solidní *adj* solid
sondování *n* probing
sondovat *v* probe
sopka *n* volcano
sortiment *n* assortment
sotva *adv* barely, hardly, scarcely
souběžná činnost *n* spool
souběžný *adj* concurrent

souboj *n* duel
soubor *n* file
soubor pravidel *n* policy
soucit *n* sympathy, compassion
soucitný *adj* pitiful, compassionate
současně *adv* currently
současnost *n* present
současný *adj* actual, current, present, contemporary
součástka *n* component
soud *n* court
soudce *n* arbiter, judge, magistrate
soudit *v* judge
soudit se *v* plead
soudní budova *n* courthouse
soudní dvůr *n* tribunal
soudní proces *n* lawsuit
soudní řízení *n* proceedings, trial
soudní vyšetřování *n* inquest
soudní zřízenec *n* bailiff
soudný *adj* judicious
soudobý *adj* contemporary
soudruh *n* comrade
soudržnost *n* cohesion
souhlas *n* approval, endorsement, approbation, acceptance, consent
souhlasící *adj* agreeable
souhlasit *v* agree, concur, correspond, assent

souhláska *n* consonant
souhlasný *adj* affirmative; conformist
souhra *n* match
souhrn *n* summary, sum, compendium
soukromí *n* intimacy, privacy
soukromý *adj* private
soulad *n* accord, harmony
souměrnost *n* symmetry
soumrak *n* dusk, nightfall
soupeř *n* adversary, opponent, rival
soupeření *n* rivalry
soupis *n* list, catalog, directory
souprava *n* set
soused *n* neighbor
sousedící *adj* adjoining
sousedit *v* adjoin
sousedství *n* neighborhood
souslednost *n* sequence
soustava *n* scheme
sousto *n* morsel
soustrast *n* condolences
soustředěný *adj* concentric
soustředit *v* center, concentrate
soustředit se na *v* focus on
soustřeďování *n* concentration
soutěž *n* competition, contest
soutěžící *n* contestant
soutěžit *v* compete
soutěživý *adj* competitive

S

související *adj* related
souvisící *adj* pertinent, relevant
souvislost *n* context; thread; contingency
souvislý *adj* continental
souzvuk *n* accord
soužení *n* ordeal, tribulation
sova *n* owl
sovětský *adj* soviet
spad *n* fallout
spád *n* decline
spáchat *v* commit, perpetrate
spálení sluncem *n* sunburn
spálenina *n* burn
spálit *v* char, scorch
spalničky *n* measles
spalování *n* combustion
spánek *n* temple; sleep
spára *n* gap
spása *n* salvation
spasitel *n* savior, Messiah
spasma *n* convulsion
spát *v* sleep
spatřit *v* spot, behold
specialita *n* specialty
specializace *n* specialty
specializovat *v* specialize
specifický *adj* peculiar, specific
spěch *n* haste
spěchat *n* hustle, hasten, hurry, rush
spekulace *v* venture, speculation

spekulovat *v* gamble, speculate
sperma *n* sperm
spěšně *adv* busily, hastily
spící *adj* asleep
spiklenec *n* conspirator
spiknout *v* conspire
spiknutí *n* conspiracy, plot
spis *n* file
spisovatel *n* writer
spíše *adv* rather
splacení *n* repayment
spláchnout *v* flush
splasknout *v* deflate
splašit *v* bolt
splatit *v* pay back, repay
splatný *adj* due, payable
spletitý *adj* convoluted
splnění *n* fulfillment
splnit *v* accomplish, redeem
splňovat *v* comply
splynutí *n* fusion
splývat *v* float
spodní *adj* down, underlying
spodní *pre* underneath
spodní prádlo *n* underwear
spoj *n* attachment
spojenec *n* ally
spojenecký *adj* allied
spojení *n* conjunction, junction, hinge; connection, bond; contact; alliance, merger; communion

spojit *v* associate, join, merge, connect; pool; staple

spojit se *v* contact

spojka *n* conjunction, junction; clutch

spojovat *v* combine, join

spokojenost *n* satisfaction

spokojený *adj* content

spokojit se s *v* settle for

společenský *adj* sociable

společensky se stýkat *v* socialize

společenství *n* community, fellowship, communion; corporation

společně *adv* jointly, together

společně obývat *v* cohabit

společník *n* companion

společnost *n* companionship, society; corporation, company

společný *adj* common

spoléhat se na *v* reckon on

spolehlivý *adj* steady, dependable; infallible, staunch

spolehnutí *n* reliance

spolek *n* alliance, league

spolknout *v* gulp down

spolknout potravu *v* ingest

spolupachatel *n* accomplice

spolupachatelství *n* complicity

spolupráce *n* partnership, collaboration, cooperation

spolupracovat *v* collaborate, cooperate

spolupracovník *n* collaborator

spolupracující *adj* cooperative

spoluužívat *v* coexist

spolužák *n* classmate

spona *n* clip, staple, buckle

sponzor *n* donor, sponsor, patron

spor *n* argument, dispute, conflict, discord, feud, litigation, skirmish

sporadický *adj* stray

sporný *adj* contentious, questionable

sport *n* sport

sportovec *n* athlete, sportsman

sportovní *adj* athletic, sporty

spořádat *v* scoff

spotřeba *n* usage, consumption

spotřebič *n* appliance

spotřebitel *n* consumer

spotřebovat *v* deplete, consume

spousta *n* mass

spoušť *n* ravage

spouštěč *n* trigger

spoutat *v* handcuff

správa *n* management; government

správce *n* curator, warden

spravedlivě *adv* justly

spravedlivý *adj* just

spravedlnost *n* justice

S

správně *adv* duly, properly
správní samostatnost *n* autonomy
správný *adj* proper, right, correct
spravovat *v* administer, govern, manage
sprcha *n* shower
spropitné *n* gratuity
spřátelit *v* befriend
spustit *v* activate, launch, set off, trigger; play
sraz *n* reunion, rally
sráz *n* brow
srazit *v* dock, bring down
srazit se *v* collide
srážení *n* condensation
sraženina *n* clot
srážet *v* condense
srážet se *v* coagulate, curdle
srážka *n* collision; rebate, discount
srdce *n* heart
srdeční *adj* cardiac
srdeční puls *n* heartbeat
srdeční zástava *n* cardiac arrest
srdečný *adj* cordial, genial, hearty, heartfelt, sincere
srkat *v* sip
srnec *n* buck
srovnat *v* bulldoze, flatten, level; match, align, straighten out
srovnatelný *adj* comparable
srovnávající *adj* comparative

srovnávat *v* compare, equate
srozumitelnost *n* articulation
srozumitelný *adj* coherent, understandable
srp *n* sickle
srpen *n* August
srst *n* fur
srstnatý *adj* furry
stabilita *n* stability
stabilní *adj* stable
stacionární *adj* stationary
stáčet do lahví *v* bottle
stagnace *n* stagnation
stagnovat *v* stagnate
stagnující *adj* stagnant
stáhnout *v* pull out, retract; skin
stan *n* tent
standard *n* standard
standardizovat *v* standardize
stane se *v* become
stanice *n* station
stanoviště *n* post, site, station, standpoint
stanovit *v* state
stanovit termín *v* schedule
starat se *v* care, nurture
starat se o *v* foster
starat se s láskou *v* cherish
starobylost *n* antiquity
starobylý *adj* ancient, archaic
staromódní *adj* old-fashioned
starost *n* worry, chagrin, trouble

S

starosta *n* mayor
starší *n* elder
start *n* start, lift-off
startovat *v* start
starý *adj* old
stařecký *adj* senior
stařešina *n* patriarch
statečně *adv* bravely
statečnost *n* fortitude
statečný *adj* gallant, brave, valiant
statek *n* estate, farm
statistika *n* statistic
statný *adj* robust
status *n* status
statut *n* status
stav *n* status, situation, condition, standing, state
stavba *n* construction, structure
stavební *adj* constructive
stavební parcela *n* site
stavět *v* construct, build
stavět se proti *v* buck
stavět se za *v* stand for
stavit na odiv *v* display
stavitel *n* builder
stažení *n* contraction
stáj *n* stall
stále *c* yet
stále ještě *adv* still
stálost *n* stability, constancy
stálý *adj* constant, perennial, permanent

stánek *n* booth, stand, kiosk
stání *adj* standstill
stáří *n* old age
stát *v* stand; cost
stát se *v* come about, come, happen
stát se posluchačem VŠ *v* matriculate
státní příslušnost *n* nationality
stávka *v* strike, walkout
stávkující *n* striking
steh *n* stitch
stehno *n* thigh
stěhovat se *v* migrate
stejný *adj* identical, like, alike, same, even
stěna *n* wall
sténání *n* groan, moan
stepní *n* prairie
stereotyp *n* routine
sterilizovat *v* sterilize
sterilní *adj* sterile
stesk *n* nostalgia
stezka *n* path
sté výročí *n* centenary
stéblo *n* straw
stéblo trávy *n* blade
sténat *v* groan, moan
stěžeň *n* mast
stěží *adv* barely, hardly, scarcely
stěžovat si *v* complain
stimulant *n* stimulant

S

stimulovat *v* stimulate

stipendium *n* scholarship

stíhačka *n* fighter

stíhání *n* manhunt

stín *n* shade, shadow

stínidlo *n* lampshade

stínit *v* shield

stínový obraz *n* silhouette

stížnost *n* grievance, complaint, gripe

stlačení *n* compression

stlačení *adj* depressing

stláčet *v* compress

stlačit *v* compact, depress

stmívání *n* twilight

stodola *n* barn

stoh *n* stack, bundle

stoický *adj* stoic

stojan pouličního světla *n* lamppost

stojatý *adj* stagnant

stojící za to *adj* worthwhile

století *n* century

stolice *n* stool

stolovník *n* diner

stonání *n* ailment

stonavý *adj* ailing

stonek *n* stem, stalk

stopa *n* footprint, track, trail, vestige, clue

stopovat *v* track

stopy *n* feet

storno *n* cancellation

stornovat *v* cancel

stoupající *adv* uphill

stoupat *v* ascend

stoupenec *n* partisan, follower; henchman

stovka *adj* hundred

strádající *adj* destitute

strach *n* fear

straka *n* prowler

strana *n* party; page; side

stranit se *v* shun

stranou *adv* aside, off-the-record; apart; sideways

stranou od *adv* aside from

strasti *n* woes

strašidelný *adj* spooky, creepy, scary

strašidlo *n* ghost

strašlivý *adj* dreadful

strašný *adj* dreadful, horrible

strategie *n* strategy

strava *n* diet

strávení *n* spending

strávit *v* digest, spend

stráž *n* sentry

strážce *n* guardian, guard

strčit *v* plunge, jolt

stresující *adj* stressful

strhnout *v* pull down

striktní *adj* stringent

strkat *n* hustle

strkat *v* push, shove

strnulost *n* stiffness
strnulý *adj* numb
strnutí *n* paralysis
strohý *adj* stern, brief
stroj *n* machine
strom *n* tree
strop *n* ceiling
stropní světlík *n* skylight
strouhanka *n* crumb
stručně *adv* briefly
stručnost *n* brevity
stručný *adj* terse, concise
struktura *n* architecture, structure, texture
struna *n* string
strýc *n* uncle
střed *n* center, middle, mean, hub
středa *n* Wednesday
středisko *n* center
střední *adj* central, medium
středověký *adj* medieval
střecha *n* roof
střela *n* missile
střelec *n* gunman, marksman
střelec v šachu *n* bishop
střelit *v* shoot
střelná zbraň *n* firearm
střelný prach *n* gunpowder
střet *n* clash
střetnout *v* encounter
střeva *n* guts, bowels
střevo *n* gut, intestine

střežit *v* guard
stříbrné věci *n* silverware
stříbro *n* silver
stříbrotepec *n* silversmith
střídání *v* relay
střídání *n* rotation, interchange
střídat *v* alternate
střídat se *v* rotate
střídavý *adj* alternate
střihat *v* cut
stříhat *v* shear, clip
stříkat *v* spray
střízlivý *adj* sober; terse
studánka *n* fountain
student *n* learner, student
studený *adj* frigid
studovat *v* study
stuha *n* ribbon
stůl *n* table, desk
stupeň *n* grade, degree
stupnice *n* scale
stužka *n* cordon, garter
stvoření *n* creature; creation
stvrdit *v* confirm
stvrzenka *n* receipt
stý *adj* hundredth
stydlivost *n* shyness
stydlivý *adj* shy
styk *n* contact
styl *n* style
sublimační *adj* sublime
subtilní *adj* subtle

S

sud n canister, keg, barrel
sugesce n suggestion
sucho n drought
suchý adj arid
suk n knob
sukně n skirt
sůl n salt
suma n sum
sumarizovat v summarize
summit n summit
sup n vulture
supermarket n supermarket
surfovat v surf
surovost n brutality
surový adj brutal, rough, crude
suspendovat v suspend
sušenka n biscuit, cookie
sušený adj dried
sušič n dryer
sušit v parch, dry
suť n rubble
suterén n basement
sutiny n debris
suvenýr n souvenir
suverenita n sovereignty
sužovat v worry, beset, trouble
svačina n snack
svačit v snack
svádění n seduction
svádět v seduce
svah n precipice, bank, flank, hillside, slope

sval n muscle
svár n strife
svářeč n welder
svářet v weld
svařit v concoct
svářit se v quarrel
svatba n wedding
svatební adj bridal
svatební cesta n honeymoon
svatební svědek n best man
svatokrádež n sacrilege
svatořečit v canonize
svatost n holiness
svátost n sacrament
svatostánek n sanctuary
svatý adj pious, holy
svatý n saint
svatyně n shrine
svaz n alliance, association
svázanost n bondage
svázaný adj bound, attached
svazek n beam; bunch, cluster
svědčit v testify
svědectví n testament, testimony
svědek n witness
svědět v itch
svědivost n itchiness
svědomí n conscience
svědomitě adv earnestly
svéhlavě adv willfully
svého pro his
svém pro his

svému *pro* his
svěřenectví *n* trust
svěřovat *v* confide, entrust
svět *n* world
světelný *adj* light
světlice *n* flare
světlo *n* light
světlo reflektoru *n* spotlight
světlomet *n* floodlight
světlý *adj* bright, pale, light
světový *adj* worldly
svetr *n* jersey, sweater
svévolný *adj* arbitrary
svěžest *n* freshness
svěží *adj* fresh, lush
svíce *n* candle
svícen *n* candlestick
svíčková *n* sirloin
svíjet *v* writhe
svislý *adj* upright
svit *n* gleam
svítání *n* dawn
svitek *n* scroll, roll
svítící baterka *n* flashlight
svítilna *n* lantern
svítivý *adj* luminous
svléct *v* strip
svlékat *v* undress
svléknout *v* put off
svoboda *n* freedom, liberty
svobodný *adj* free, unmarried
svobodný mládenec *n* bachelor

svobodný zednář *n* mason
svolení *n* permission, courtesy
svolit *v* consent
svorka *n* clip, clamp, staple
svrhnout *v* overthrow
svrchovaný *adj* sovereign
svršek *n* top
svršky *n* belongings
svržení *n* overthrow
svůdná žena *n* siren
svůdný *adj* enticing
syčení *v* hiss
syfilis *n* syphilis
symbol *n* symbol, token, sign
symbolický *adj* symbolic
symfonie *n* symphony
sympaticky *adj* congenial
sympatický *adj* likable
sympatie *n* sympathy
sympatizovat *v* sympathize
syn *n* son
synagoga *n* synagogue
synchronizovat *v* synchronize
synonymum *n* synonym
synovec *n* nephew
syntéza *n* synthesis
sypat *v* pour
syrový *adj* crude, raw
systém *n* system
systematický *adj* systematic
sytý *adj* rich, vibrant
sýr *n* cheese

S

Š

šachta *n* pit
šachy *n* chess
šakal *n* jackal
šál *n* scarf
šálek *n* cup
šampión *n* champion
šance *n* prospect, chance, odds
šanon *n* folder
šaráda *n* charade
šarm *n* charm
šašek *n* clown
šat *n* garment
šatna *n* locker room
šatník *n* dresser, wardrobe, closet
šatstvo *n* clothing
šaty *n* clothes, dress, wardrobe
šedesát *adj* sixty
šedý *adj* gray
šedý zákal *n* cataract
šek *n* check
šeková knížka *n* checkbook
šepot *n* murmur, whisper
šeptat *v* whisper
šerednost *n* ugliness
šeredný *adj* hideous
šerm *n* fencing
šery *n* sherry
šest *adj* six
šesták *n* nickel

šestnáct *adj* sixteen
šestý *adj* sixth
šetrně *adv* sparingly
šetrnost *n* frugality
šetrný *adj* shabby, fugal
šetřit *v* economize
šev *n* seam
šéf *n* chief, boss
šéfkuchař *n* chef
šikanující *adj* bully
šikmá plocha *n* ramp
šikovný *adj* handy
šimpanz *n* chimpanzee
šipka *n* arrow, bolt, dart
široce *adv* widely, broadly
široká ulice *n* boulevard, avenue
široký *adj* broad, wide
širý *adj* vast, broad
šití *n* sewing
šíleně *adv* madly
šílenec *adj* maniac, madman
šílenství *n* insanity, frenzy, lunacy, madness
šílený *adj* mad, insane, lunatic
šíp *n* arrow
šíře *n* latitude
šířit *v* widen
šířit se *v* spread
šířka *n* breadth, width
šít *v* sew, stitch
škádlit *v* tease
škeble *n* clam, shell

šklebit se *v* grin
škoda *n* damage, detriment
škodlivý *adj* harmful, injurious; detrimental; mischievous; ill, noxious
škola *n* school
školení *n* training
školit *v* train
školitel *n* trainer, tutor
školné *n* tuition
školní tabule *n* blackboard
škrabat *v* raze
škrábnout se *v* graze
škrábnutí *n* graze, scratch
škrob *n* starch
škrobený *adj* starchy
škrtat *v* scratch
škrtit *v* strangle
škubat *v* jerk
škubnutí *n* jolt
škůdce *n* pest
škvára *n* cinder
škytavka *n* hiccup
šlapat *v* tread
šle *n* suspenders
šlehat *n* lash
šlehnutí *v* lash
šlechta *n* aristocracy, nobility
šlechtění *n* cultivation
šlechtic *n* aristocrat, nobleman
šlechtit *v* cultivate
šlépěj *n* footprint, footstep

šnek *n* snail
šňůra *n* cord
šofér *n* chauffeur
šok *n* shock
šokovat *v* astound, shock
šokující *adj* staggering, shocking
šokující zpráva *n* bombshell
špaček *n* butt
špalek *n* stub
Španěl *n* Spaniard
Španělsko *n* Spain
španělský *adj* Spanish
špatně *adv* badly
špatně se chovat *v* misbehave
špatně spravovat *v* mismanage
špatné trávení *n* indigestion
špatně umístit *v* misplace
špatné zacházení *n* mistreatment
špatně zacházet *v* manhandle, mistreat
špatnost *n* wickedness
špatný *adj* bad, wrong, ill
špatný úmysl *n* malice
špek *n* speck; lard
špendlík *n* pin
šperk *n* jewel
špice *n* apex, top
špička *n* acorn
špína *n* litter, dirt, filth, grime
špinavý *adj* dirty, filthy, messy, soiled

Š

špionáž n espionage
šplhat v climb
šrapnel n bombshell, shrapnel
šrot n scrap
šroub n bolt
šroubovák n screwdriver
šroubovat v bolt
štafetový kolík n baton
šťastný adj happy, lucky
šťáva n juice
šťáva z masa n gravy
šťavnatý adj juicy, succulent
štědrost n bounty, generosity
štědrý adj benevolent, lavish
štěkat v bark
štěkot n bark
štěně n puppy
štěnice n mole
štěpina n splinter
štěrbina n slot, crevice; leak
štěrk n rubble, gravel
štěrkový adv gravely
štěstí n fortune, happiness, luck
štětec n brush, paintbrush
štětka n brush
štíhlý adj tenuous, slender, slim
štípací kleště n pincers
štípanec n nip
štípnout v pinch
štípnutí n pinch
štír n scorpion
štít n shield

štítná žláza n thyroid
štvanec v outlaw
štvát n chase
šum n buzz, murmur
šunka n ham
šuplík n drawer
šváb n cockroach
švadlena n seamstress
švagr n brother-in-law
švagrová n sister-in-law
Švédsko n Sweden
Švédský adj Swedish
švestka n plum
švihání n swing
švihat v swing
švindl n hoax
Švýcarsko n Switzerland
švýcarský adj Swiss

T

tabák n tobacco
tablet n tablet
tableta n tablet
tabulka n chart, table, tablet
tady adv here
tah n move
tahat v pull, draw

Š
T

tajemník *n* secretary
tajemství *n* secret
tajený *adj* covert
tajně *adv* secretly
tajně poslouchat *v* eavesdrop
tajnůstkářství *n* secrecy
tajný *adj* undercover
tak *adv* as
také *adv* also, either, too
takový *adj* such, that
takovýto *adj* such
takt *n* beat, rhythm; tact
taktický *adj* tactical
taktika *n* tactics
taktní *adj* tactful
takto *adv* hereby
taky *adv* also, too
takzvaný *adj* so-called
talár *n* gown
talent *n* gift, talent
talíř *n* plate
talířek *n* saucer
tam *adv* there
támhle *adv* beyond
tamti *adj* those
tamty *adj* those
tančení *n* dancing
tančit *v* dance
tanec *n* dance
taneční sál *n* ballroom
tank *n* tank
tarantule *n* tarantula

taška *n* bag
tatínek *n* dad
tavení *n* fusion
tavit *v* melt
taxi *n* cab
tažná síla *n* traction
tábor *n* camp
táborák *n* campfire
tábořit *v* camp
tác *n* tray
táhlý *adj* protracted
táhnout *v* pull, drag, tow
táhnout se *v* thread
táta *n* dad
tázat se *v* inquire
teatrální *adj* dramatic
tečka *n* dot
tečna *n* tangent
teď *adv* now, nowadays
teenager *n* teenager
technické vybavení *n* hardware
technický *adj* technical
technik *n* engineer, technician
technika *n* technology, technique
technologie *n* know-how, technology
tekoucí písek *n* quicksand
tekutina *n* fluid
tele *n* calf
telecí maso *n* veal
telefon *n* phone, telephone
telegram *n* telegram

T

telepatie *n* telepathy
teleskop *n* telescope
televize *n* television
temno *n* gloom
temnota *n* darkness, blackness
temný *adj* dark
tempo *n* beat, pace
ten nebo onen *adv* either
tence *adv* thinly
tendence *n* propensity, tendency
tenis *n* tennis
tenký *adj* thin
tenký povlak *n* film
tenor *n* tenor
tenze *n* tension
teologie *n* theology
teorie *n* theory
tep *n* pulse
teplo *n* warmth, heat
teploměr *n* thermometer
teplota *n* temperature
teplý *adj* warm
tepna *n* artery
teprve *adv* only
terapie *n* therapy
terasa *n* patio, terrace
terč posměchu *n* laughing stock
terén *n* terrain
termín *n* deadline
termín setkání *n* appointment
terminologie *n* terminology
termit *n* termite

termostat *n* thermostat
terorismus *n* terrorism
terorista *n* terrorist
terorizovat *v* terrorize
tesák *n* tusk, fang
tesař *n* carpenter
tesařina *n* carpentry
tesknící po domově *adj* homesick
test *n* test
testovaní *v* test
testování *n* probing
teta *n* aunt
text *n* text
textura *n* structure
teze *n* proposition, thesis
téct *v* flow
téma *n* theme, issue, topic
též *adv* also, too
téměř *adv* almost, nearly
těhotenství *n* gestation, pregnancy
těhotná *adj* pregnant
tělesný *adj* bodily, corporal
těleso *n* body
tělnatý *adj* corpulent
tělo *n* body
tělocvična *n* gymnasium
těsně *adv* closely
těsně obepnout *v* clip
těsnopis *n* shorthand
těsný *adj* close, tight

T

těsto *n* dough
těšit se na *v* look forward
těžce dýchat *v* wheeze
těžit *v* mine
těžká zkouška *n* ordeal
těžkopádný *adj* dull
těžkost *n* hassle
těžký *adj* difficult, burdensome, heavy
těžký zločin *n* felony
těžký zločinec *n* felon
tchán *n* father-in-law
tchýně *n* mother-in-law
tíhnout *v* gravitate
ticho *n* quietness, silence
tichý *adj* calm, low-key, still, silent, quiet
tisíc *adj* thousand
tisíc *n* ton
tisíciletí *n* millennium
tisk *n* press, print
tiskárna *n* printer
tisknout *v* press
tisknout se *v* huddle
tisknutí *n* printing
tisková konference *n* briefing
tišina *n* calm
tišit *v* soothe
tištěný průvodce *n* guidebook
titěrný *adj* petty
tito *adj* these
titul *n* title, degree

titulek *n* subtitle, heading
tíha *n* heaviness
tílko *n* vest, jersey
tímto *adv* hereby
tíseň *n* distress, pressure
tíže *n* weight
tíživý *adj* burdensome
tkalcovský stav *n* loom
tkanice *n* braid
tkanička *n* lace
tkanička do bot *n* shoelace
tkanina *n* fabric
tkanivo *n* tissue
tkaný *adj* woven
tkát *v* weave
tkát na stavu *v* loom
tlačenice *n* throng
tlačící *adj* pressing
tlačit *v* press, pressure, push
tlačit se *v* crowd
tlačítko *n* button
tlak *n* pressure, stress
tlakoměr *n* barometer
tleskat *v* applaud, clap
tlouct *v* beat, bludgeon, pound, throb
tloušťka *n* thickness
tlučení *n* beating
tlukot *n* beat, throb
tlumič *n* muffler
tlumit *v* attenuate, baffle, muffle
tlumočení *n* interpretation

T

tlumočit *v* interpret
tlumočník *n* interpreter
tlupa *n* gang
tlusté střevo *n* colon
tlustý *adj* thick, fat
tma *n* darkness
tmavomodrý *adj* navy blue
tmavovláska *adj* brunette
tmel *n* cement
toaleta *n* lavatory, rest room
toast *n* toast
točit *v* sway, veer; rotate
točit se kolem *v* revolve
točivý *adj* winding
tohle *adj* this
tok *n* stream, flow
tolerantní *adj* broadminded
tonik *n* tonic
tonikum *n* tonic
topení *n* heating
topné těleso *n* heater
toporný *adj* stiff
tornádo *n* twister
totalista *adj* totalitarian
totalita *n* totality
totožnost *n* identity
totožný *adj* identical
touha *n* lust, desire, longing
touha po *n* craving
toustovač *n* toaster
toužit *v* lust, year, desire
toužit po *v* long for

továrna *n* plant, mill, factory
toxin *n* toxin
tón *n* tone
tradice *n* tradition
tradiční *adj* conventional
tragédie *n* tragedy
tragický *adj* tragic
trajekt *n* ferry
trakař *n* wheelbarrow
traktor *n* tractor
trampolína *n* springboard
tramvaj *n* streetcar, tram
trans *n* trance
transakce *n* transaction
transfuse *n* transfusion
transplantovaná tkáň *n* graft
transplantovat *v* transplant, graft
trapas *n* blunder
trápení *n* torment, anguish, misery, affliction
trápit *v* torment, agonize
trasa *n* path, route, line
trať *n* course
traumatický *adj* traumatic
traumatizovat *v* traumatize
tráva *n* weed, grass
trávení *n* digestion
trávník *n* turf, lawn
trdlo *n* goof
trefa *n* hit
trend *n* trend

T

trenér *n* trainer, coach
trénink *n* training
treska *n* cod
trest *n* penalty, punishment
trest po škole *n* detention
trestat *v* penalize, chastise, punish
trestně stíhat *v* prosecute
trestní *adj* criminal, vindictive
trestný čin *n* offense
trezor *n* safe
trénovaní *n* coaching
trénovat *v* coach; drill
trh *n* market
trhat *v* tear, rip, shred; pluck
trhlina *n* crack, tear, cleft
trhnutí *n* jolt
tribuna *n* pulpit
trik *n* trick
triko *n* vest
trimestr *n* trimester
triumfovat *v* prevail
trn *n* thorn
trnitý *adj* thorny
trofej *n* trophy
trochu *n* little bit
trochu *adv* somewhat
trojitý *adj* triple
trojnožka *n* tripod
trojúhelník *n* triangle
trombóza *n* thrombosis
tropický *adj* tropical

tropy *n* tropic
trouba *n* oven, moron, horn
troufalý *adj* cheeky
trpaslík *n* dwarf
trpělivost *n* meekness, patience
trpělivý *adj* meek, patient
trpět *v* bear, suffer
trpět něčím *v* suffer from
trpící závratí *adj* dizzy
trpký *adj* sour
trubice *n* duct, pipe
trubka *n* pipe; trumpet
truhla *n* chest
truchlící *adj* sorrowful
truchlit *v* grieve, mourn, wail
trup *n* trunk, hull, torso
trus *n* dung
trůn *n* throne
trvající *adj* lasting
trvající na něčem *n* dwelling
trvalý *adj* persistent
trvání *n* length, duration
trvanlivý *adj* stable
trvat *v* persist
trvat na *v* insist, abide by, dwell
tryska *n* nozzle
trýzeň *n* anguish
trýznit *v* distress
trýznivý *adj* agonizing, harrowing
tržiště *n* bazaar
třást *v* shake
třást se *v* quiver, tremble

T

tření *n* friction
třepat *v* shake
třepotat *v* flutter, wiggle
třepotat se *v* flicker
třes *v* shiver, tremor
třešeň *n* cherry
třetí *adj* third
tři *adj* three
třicet *adj* thirty
třída *n* classroom, class
třídění *n* assortment
třídit *v* classify
třináct *adj* thirteen
tříska *n* splinter
tříslo *n* groin
třít *v* rub
třpyt *n* glimmer, gleam, shine
třpytil *v* glance
třpytit *v* dazzle, glitter, twinkle
třpytivý *adj* flashy
tu *adv* here
tuberkulóza *n* tuberculosis
tucet *n* dozen
tučňák *n* penguin
tučný *adj* bold
tudíž *adv* hence, therefore, thus
tuhost *n* firmness, stiffness
tuhý *adj* rigid
tuk *n* fat
tulák *n* prowler, wanderer, bum, drifter, vagrant
tulipán *n* tulip

tuna *n* ton
tuňák *n* tuna
tunelovat *n* tunnel
tupost *n* bluntness
tupý *adj* blunt, dull
tur *n* ox
turbína *n* turbine
turbulence *n* turbulence
Turecko *n* Turkey
turecký *adj* Turk
turista *n* tourist
turistika *n* tourism
turnaj *n* tournament
tušení *n* inkling
tušit *v* suspect, sense
tuzemský *adj* domestic
tužit *v* harden
tužka *n* pencil
tvar *n* contour, form, shape
tvarovat *v* shape
tvarovatelný *adj* workable
tvářit se *v* pose, pretend
tvořit cyklus *v* cycle
tvořit základ *v* underlie
tvořivost *n* creativity
tvrdé dřevo *n* hardwood
tvrdit *v* state, claim
tvrdohlavý *adj* opinionated
tvrdost *n* rigor, hardness
tvrdý *adj* callous, stern, stiff, hard
tvrzení *n* claim, statement, preposition; predicament

T

tvůj *adj* your
tvůj *pro* yours
tvůrce *n* creator
tvůrčí *adj* creative
ty *pro* you
ty sám *pro* yourself
tyč *n* stick, post, rod, pole
tyčit se *v* soar
tyčka *n* bar
tygr *n* tiger
tyhle *adj* these
tykadlo *n* antenna
tykev *n* pumpkin
typ *n* type
typický *adj* typical
typizovat *v* standardize
tyran *n* tyrant, despot
tyranství *n* tyranny
tyto *adj* these
týden *n* week
týdenní *adv* weekly
týkat se *v* refer to, involve
týkat se *pre* regarding
týlový *adj* rear
tým *n* team
týrat *v* agonize, manhandle

Ť

ťukat *v* peck

U

u *pro* around
u *pre* at, by, beside, about, on
ublížení na zdraví *n* battery
ublížit *v* violate, harm
ubohý *adj* miserable, sleazy, pathetic, pitiful
ubohý *n* poor
úbor *n* fig
ubrečený *adj* tearful
ubrus *n* tablecloth
ubytování *n* lodging
ubytovat *v* accommodate, lodge
ubývající *n* dwelling
ubývat *v* diminish, dwindle, ebb
ucelený *adj* compact
ucpané místo *n* bottleneck
ucpaný *adj* congested, stuffy
ucpat *v* constipate, plug, jam
uctívání *n* adoration, worship
uctívat *v* adore, venerate
uctivý *adj* respectful

učarovat *v* bewitch
učebna *n* classroom
učebnice *n* textbook
učeň *n* apprentice
učenec *n* scholar
učení *n* learning
učený *adj* learned
učinit *v* make
učinit neschopným *v* incapacitate
učinit schopným *v* enable
učit *v* coach, instruct, teach
učitel *n* teacher
událost *n* event, happening
udavač *n* informant, informer
udávat *v* allege
udělat *v* do, make
udělat svazek *v* bundle
udělat znovu *v* redo
udělit *v* bestow, grant
udeřit *v* bang, strike, punch, hit
udeřit *n* strike
udit *v* smoke
udivit *v* astonish
udobřit *v* placate
udržet *v* retain
udržet v rovnováze *v* balance
udržovat *v* keep, maintain
udržovat na úrovni *v* keep up
udřít *v* smash
udupat *v* trample
udusit *v* smother

udušení *n* asphyxiation
uhasit *v* extinguish
uhel *n* charcoal
uhladit *v* smooth
uhlí *n* charcoal, coal
uhlík *n* cinder
uhnout *v* sidestep
uhradit *v* defray
uhranout *v* bewitch
úhrnná jednorázová částka *n* lump sum
uchazeč *n* candidate, applicant, contender
ucházet se *v* apply
ucházet se o *v* apply for
ucho *n* ear
uchopení *v* grasp, grip
uchopit *v* snatch
uchování *n* conservation
uchovat *v* conserve
uchýlit se k *v* resort
ujistit *v* assure, affirm, ensure, reassure
ujištění *n* assurance
ukamenovat *v* stone
ukázat se *v* turn out
ukázat se *v* come down
ukazatel *n* index
ukázka *n* preview
ukázka filmu *n* trailer
ukázkový *adj* exemplary
ukazovák *n* index

ukazovat *v* point, show
uklidnit *v* calm down, sedate
uklízeč *n* cleaner
uklízet *v* clean
uklízet mopem *v* mop
úklona *n* bow
uklonit *v* bow
uklonit se *v* bow out
ukončení *n* ending
ukončit *v* complete, end, break up, quit, terminate
ukotvení *n* bridle
ukrutnost *n* atrocity
ukrutný *adj* atrocious
ukřižování *n* crucifixion
ukřižovat *v* crucify
ulevit *v* remit, relieve
ulice *n* street
ulička *n* alley, aisle, corridor, lane
uliční lampa *n* streetlight
uličník *n* rascal
ulomit *v* break away
uložení *n* storage
uložit *v* repose, save
uložit za povinnost *v* obligate
ultimátum *n* ultimatum
ultrazvuk *n* ultrasound
umělec *n* artist
umělecké dílo *n* artwork
umělecký *adj* artistic
umělý *adj* artificial
umělý chrup *n* dentures

umění *n* art
umět *v* can
umíněnost *n* obstinacy
umíněný *adj* obstinate
umírat *v* die
umírat hlady *v* starve
umírněný *adj* moderate
umístění *n* location, site
umístěný *adj* located
umístit *v* place, locate; bestow; lay, pose
umístit na trh *v* market
umlčet *v* silence, hush up
umluvit *v* stipulate
umořovat *v* amortize
umožnit *v* enable, facilitate
umrtvení *n* numbness
umrtvit *v* deaden, mortify
umřít *v* die
umyvadlo *n* basin
umývárna *n* lavatory
unášet *v* drift
unavenost *n* tiredness
unavený *adj* weary, tired
unavovat *v* tire
unce *n* ounce
unést *v* abduct, hijack, kidnap
unie *n* union
uniforma *n* uniform
uniformita *n* uniformity
unikat *v* escape
uniknout beztrestně *v* get away

U

univerzální *adj* universal, versatile

univerzita *n* university

upadat *v* dwindle

upadnout *v* fall down, wipe out

upadnout na duchu *v* get down

upevnění *n* attachment

upevnit *v* fasten; stake

upínadlo *n* clamp

upír *n* vampire

upisovat *v* subscribe

uplatit *v* bribe

uplatnit *v* exercise

uplatňovat *v* exert

uplynout *v* elapse

upnutí *n* anchor

upomínka *n* notice

upotřebit *v* utilize

upoutaný *adj* engrossed

upoutat *v* captivate

upovídaný *adj* garrulous

upozornění *n* notification, warning

upozornit *v* warn, admonish

upozorňovat *v* alert

upravit *v* alter, edit, modify, touch up

upravit buldozerem *v* bulldoze

uprchlík *n* runner, fugitive

uprchnout *v* break away

uprostřed *pre* amid

upřeně se dívat *v* gaze

upřímně *adv* frankly

upřímnost *n* frankness, sincerity

upřímný *adj* candid, honest, outspoken, frank

upustit *v* drop

urazit *v* offend, snub, affront, insult

urážet *v* offend

urážka *n* slander, snub, affront, insult

urážlivý *adj* outrageous, offensive

určit *v* appoint, ordain; stipulate

určitý *adj* certain

urgence *n* urge

urna *n* urn

urovnat *v* flatten, sort out, smooth

urozenost *n* nobility

urozený *adj* noble

urputnost *n* tenacity

urychlovat *v* accelerate

usadit *v* settle

usadit se *v* settle down

usazenina *n* residue

usazený *adj* seated

usazovat *v* lodge

usilovat o *v* aspire, drive at

usilovat o vyřešení sporu *v* mediate

usilovat se o *v* seek

usměrňovat *v* channel, regulate

usmíření *v* appeasement

usmívat se *v* chuckle, smile
usnadňovat *v* facilitate
uspěchaně *adv* hurriedly
uspět *v* succeed
uspíšit *v* quicken
uspokojit *v* gratify, satisfy
uspokojivý *adj* satisfactory
uspokojující *adj* gratifying
uspořádání *n* alignment, arrangement
uspořádaný *adj* tidy
uspořádat *v* arrange, align, order, sort out, stage
uspořit *v* spare, save
ustájit *n* stable
ustájit *v* stall
ustálení *adj* standstill
ustanovení *n* statute, provision; constitution
ustanovit *v* constitute, institute; nominate, ordain, establish, designate
ustaraný *adj* bustling
ustat *v* desist
ustoupit *v* back down, go back, fall back, recede; budge
ustoupit dozadu *v* move back
ustrašený *adj* fearful
ustupovat *v* retreat
usuzování *n* reasoning
usuzovat *v* reason, conclude
ušetřit *v* spare

úšklebek *n* grimace, grin
uškubnout *v* rip off
ušlapovaný *adj* downtrodden
ušlechtilý *adj* noble
ušní bubínek *n* eardrum
ušní maz *n* earwax
ušpinit *v* soil, smear
uštěpačný *adj* sarcastic
uštípnout *v* nip
utáhnout *v* tighten
utahovat si *v* kid
utahovat si z *v* quiz
utajovaný *adj* clandestine
utéct *v* bolt, run away
utečenec *n* refugee
utěšit *v* console
utírat *v* wipe
utiskování *n* repression, oppression
utiskovat *v* oppress
utišit *v* calm down, silence, sedate, pacify
utišující *adj* balmy
utkání *n* match
utkat *v* clash
utlačovat *v* repress
utlumit *v* stifle
utnout hlavu *v* decapitate
utopit *v* drown
utrácení *n* spending
utrácet *v* lash out
utratit peníze *v* spend

U

utrpení *n* torment, agony, distress, suffering

utrpět *v* incur, sustain

útržek *n* stub, rag

utužit *v* toughen

utvrdit *v* affirm, harden

UV ochrana *n* sun block

uvaděč *n* usher

uvádění *n* introduction

uvádět do oběhu *v* circulate

uvázat na řetěz *v* chain

uváznout v blátě *v* bog down

uvážení *n* discretion, consideration

uvážit *v* consider

uvážit napřed *v* premeditate

uvážlivost *n* prudence

uvážlivý *adj* prudent

uvažovat *v* ponder

uvědomit si *v* realize

uvědomující si sebe *adj* self-conscious

uveřejnit *v* post

uvěřitelný *adj* believable

uvést *v* present, introduce, list

uvést do rozpaků *v* embarrass

uvést v soulad *v* conciliate

uvěznění *n* confinement

uvěznit *v* lock up, imprison, jail

uvítání *n* welcome

uvnitř *pre* in

uvolnit *v* loosen, loose, relax, unleash, extricate

uvolňující *adj* relaxing

uzávěr *n* cap

uzávěrka *n* deadline

uzavírat přístup *v* blockade

uzavření *n* closure

uzavření obchodu *n* bargain

uzavřený pevninou *adj* landlocked

uzavřený prostor *n* enclave

uzavřít *v* enclose, cordon off, shut off

uzavřít dohodu *v* conclude

uzavřít kompromis *v* compromise

uzda *n* bridle, curb, rein

uzdravit *v* cure

uzel *n* knot

uzený *adj* smoked

uznání *n* commendation

uznat *v* concede

uznávaný *adj* avowed

už *adv* already

užasnout *v* amaze

užitečnost *n* usefulness

užitečný *adj* useful

užívat *v* enjoy, exercise

uživatel *n* user

užírat *v* eat away

Ú

úbytek *n* decrease
úcta *n* piety, reverence, respect
úcta *v* regard
účast *n* attendance
účastník *n* attendant
účastník školení *n* trainee
účastnit se *v* attend
účastnit se válečného tažení *v* campaign
účel *n* purpose
účelný *adj* practical
účelově použít *v* earmark
účes *n* haircut, hairdo
účet *n* bill, invoice, account
účetní *n* accountant, bookkeeper
účetní kniha *n* ledger
účetnictví *n* bookkeeping
účinek *n* effect
účinnost *n* efficiency
účinný *adj* effective, efficient
úd *n* member
údaje *n* data
údajně *adv* reputedly, allegedly, reportedly
úder *n* knock, hit, stroke, punch, blow, impact
úděsný *adj* horrendous
údiv *n* wonder
údolí *n* valley

údržba *n* maintenance, upkeep
úhel *n* angle
úhlopříčný *adj* diagonal
úhona *n* blemish
úchop *n* grasp, grip
úchvatný *adj* breathtaking, awesome
úchylka *n* deviation
újma *n* harm
úkaz *n* phenomenon
úklad *n* intrigue
úkladná vražda *n* assassination
úkladně zavraždit *v* assassinate
úkladnost *n* premeditation
úkladný *adj* treacherous
úkryt *n* cover; hideaway
úkol *n* mission, assignment, objective, task, job
úl *n* hive
úleva *n* relief
úloha *n* problem
úlomek *n* splint, fragment, fraction
úměra *n* proportion
úměrný *adj* adequate
úmluva *n* convention
úmrtí blízké osoby *n* bereavement
úmrtnost *n* mortality
úmyslně *adv* purposely
úmyslný *adj* conscious, deliberate
únava *n* fatigue
únor *n* February
únos *n* abduction, hijack, kidnapping
únosce *n* hijacker, kidnapper

únavný *adj* burdensome, tiresome

únik *n* leak, leakage; evasion

úpadek *n* lapse, relapse, recession; decadence

úpis *n* subscription

úplatek *n* kickback, bribe

úplatkářství *n* bribery

úplně *adv* entirely, completely, quite

úplně bez peněz *adj* broke

úplný *adj* absolute, total, complete, full

úporný *adj* persistent

úprava *n* alteration

úprk *n* stampede

úroda *n* crop, harvest, yield

úrodnost *n* fertility

úrodný *adj* fertile

úrok *n* interest

úroveň *n* standard; level

úřad *n* agency, bureau, office

úřední *adj* official

úřední moc *n* authority

úřední uznání *n* approbation

úředník *n* clerk

uříznout *v* cut off

úsečka *n* segment

úsek *n* sector

úsilí *n* drive, effort, aspiration

úskalí *n* difficulty

úsměv *n* smile

úspěch *n* achievement, success; boom

úspěšný *adj* successful

úsporný *adj* economical

úspory *n* savings

ústa *n* mouth

ústav *n* institution

ústava *n* constitution

ústí *n* influx, estuary

ústně *adv* orally

ústředí *n* headquarters

ústřice *n* oyster

ústřižek *n* slip

ústup *n* withdrawal, retreat, declension

úsudek *n* reason, judgment

útěcha *n* consolation, solace

útěk *n* bolt

úterý *n* Tuesday

útes *n* cliff, reef

útlý *adj* subtle

útočiště *n* refuge, haven, shelter, asylum

útočit *v* assail, attack

útočník *n* aggressor, assailant, attacker

útočný *adj* offensive

útok *n* attack, onslaught, assault, offense, raid, charge; aggression

útrata *n* expense

útulek *n* asylum

útulný *adj* cozy, homely

úvěr *n* credit
úzce *adv* closely, narrowly
území *n* turf, territory
územní *n* area
úzkost *n* anxiety
úzkostlivý *adj* fussy, anxious, apprehensive
úzký *adj* narrow, strait
úžas *n* consternation, amazement
úžasný *adj* astounding, amazing, astonishing, mind-boggling
úžeh *n* heatstroke

V

v *pre* at, by; beneath; in; on
v centru města *n* downtown
v cizině *adv* abroad
v dálce *adv* beyond
v hloubce *adv* in depth
v jedné řadě *adv* abreast
v kondici *n* fit
v mezích *pre* within
v oběhu *adv* afloat
v pořádku *adv* okay
v průběhu *pre* within
v první řadě *adv* primarily
v současné době *adv* currently

v souladu s *pre* according to
v zahraničí *adv* abroad
v zájmu koho *adv* behalf (on)
vada *n* defect, abnormality, blemish, imperfection, flaw; vice
vadit *v* mind, matter
vadnout *v* wither
vadný *adj* defective
vagon *n* car
váha *n* weight
váhat *v* waver, vacillate
váhavý *adj* hesitant, indecisive, tentative
váhy *n* scale
vaječník *n* ovary
vaječný bílek *n* egg white
vak *n* pocket, bag
vakcína *n* vaccine
val *n* bulwark
válčení *n* warfare
valčík *n* waltz
valit se *v* roll
vana *n* bathtub
vandal *n* vandal
vandalismus *n* vandalism
vandrák *n* wanderer
vánek *n* breeze
varhaník *n* organist
varhany *n* organ
varicela *n* chicken pox
varník *n* boiler
varování *n* warning

varovat *v* warn, exhort
varovat předem *v* forewarn
vaření *n* cooking
vařič *n* stove
vařit *v* concoct, boil, cook
vařit pivo *v* brew
vatra *n* bonfire
vaz *n* ligament
vazba *n* detention
vazebný *adj* binding
vazelína *n* grease
válec *n* barrel; cylinder
váleček *n* roll
válečná loď *n* battleship, warship
válečné loďstvo *n* navy
válečné tažení *n* campaign
válečník *n* warrior
válka *n* war
Vánoce *n* Christmas, X-mas
vápenec *n* limestone
váš *pro* your, yours
vášeň *n* passion
vášnivý *adj* effusive; torrid
váza *n* vase
vázající *adj* binding
vázaný *adj* bound
vázat *v* bind, tie
vážit *v* scale; weigh
vážit si *v* esteem
vážit si čeho *v* appreciate
vážnost *n* austerity, seriousness
vážný *adj* austere, solemn, serious

vbořit se *v* sink in
včasný *adj* timely
včela *n* bee
včelín *n* beehive
včera *adv* yesterday
včlenění *n* integration
včlenit *v* integrate, incorporate
vdaná *adj* married
vdát *v* wed
vdát znovu *v* remarry
vděčnost *n* gratitude
vděčný *adj* grateful, thankful
vdech *n* aspiration
vdechovat *v* inhale
vdova *n* widow
vdovec *n* widower
ve *pre* at; beneath; in; on
ve funkci *n* sitting
ve vztahu k *pre* concerning
večer *n* evening
večerka *n* curfew
večeře *n* dinner, supper
večeřet *v* dine
večírek *n* party
vedení *n* management, supervision, plumbing, conduct, leadership
vedle *adv* aside, aside from
vedle sebe *adv* abreast
vedlejší *adj* adjoining, circumstantial, contingent, subsidiary, collateral; next door

vedlejší produkt *n* by-product
vegetace *n* vegetation
vegetarián *v* vegetarian
vejce *n* egg
vejít *v* enter, go in
velbloud *n* camel
velebit *v* exalt, praise, glorify
velení *v* command
veletrh *n* fair
velezrada *n* treason
velice *adv* dearly
velice nebezpečný *adj* perilous
veličenstvo *n* majesty
Velikonoce *n* Easter
velikost *n* size, greatness
veliký *adj* large
velitel *n* leader, commander
velitelství *n* headquarters
velká starost *n* preoccupation
velké množství *n* multitude
velké písmeno *n* capital letter
velké sáně *n* sleigh
velkolepý *adj* terrific, grand, majestic
velkoobchod *n* wholesale
velkorysý *adj* broadminded
velký *adj* sizable, great, grand, big
velký objem *n* bulk
velký stan *n* pavilion
velmi *adv* much
velmoc *n* superpower
velryba *n* whale

velvyslanec *n* ambassador
velvyslanectví *n* embassy
ven *adv* out
venkov *n* country
venkovan *n* countryman
venkovní *adj* exterior, outside, outdoor
venkovský *adj* country, rustic
venku *adv* out, outdoors
ventil *n* valve
ventilace *n* ventilation
ventilátor *n* fan
ventilovat *v* ventilate
vepř *n* hog
vepřové *n* pork
veranda *n* porch
verbovat *v* recruit
verš *n* verse
verva *n* gusto
verze *n* version
veřejně *adv* publicly
veřejně ohlásit *v* advertise
veřejný *adj* common, public
veselá oslava *n* blowout
veselit se *v* revel
veselý *adj* cheerful, hilarious, merry
veslo *n* oar
veslovat *v* row
vesmír *n* space, universe
vesnice *n* village
vesnický *adj* rural

vesničan *n* villager
vestavěný *adj* built-in
vestibul *n* lobby
veš *n* louse
veškerý *adj* every
veterán *n* veteran
veteš *n* junk
vetchý *adj* decrepit, feeble
vetovat *v* veto
vetřelec *n* invader, alien, intruder
veverka *n* squirrel
vést *v* lead, preside, manage, conduct, guide
vést boj *v* wage
vést kampaň *v* campaign
vést kolem *v* bypass
vést spor *v* litigate
vévoda *n* duke
vévodkyně *n* duchess
vézt *v* drive
vézt se *v* ride
věc *n* stuff, object, thing
věci jednoho druhu *n* bracket
věcná pozornost *n* compliment
věcný *adj* factual
věčnost *n* eternity
věčný *adj* perennial, everlasting
věda *n* science
vědec *n* scholar, scientist
vědecký *adj* scientific
vědět *v* know
vědomě *adv* knowingly

vědomé zhoršování obtíží *n* aggravation
vědomí *n* awareness, consciousness
vědomost *n* knowledge
vědomý *adj* conscious, aware
vedoucí *n* leader, manager, chief
vědro *n* pail
vějíř *n* fan
věk *n* age, era
věnčitý *adj* coronary
věnec *n* garland, wreath
věno *n* dowry
věnování *n* inscription, dedication
věnovat *v* devote, dedicate
věrnost *n* fidelity
věrný *adj* loyal, faithful
věrohodný *adj* authentic
věřící *n* believer
věřit *v* trust, believe
věřitel *n* creditor
věstit *v* foreshadow
věstník *n* bulletin
věšet *v* hang
věštec *n* oracle
věštírna *n* oracle
věštit *v* foretell
věta *n* sentence
větev *n* branch
větrací otvor *n* vent
větrák *n* fan

větrat *v* ventilate
větrný *adj* windy
větrný mlýn *n* windmill
většina *n* major, majority
většina *adj* most
většinou *adv* mostly
větvení *n* ramification
větvit se *v* branch out
vězeň *n* inmate, prisoner
vězení *n* ward, jail
věznice *n* prison
věž *n* tower, turret
vhodný *adj* advisable, suitable
vcházet *v* go in
vchod *n* way in; entrance
viadukt *n* viaduct
vibrace *n* vibration
vibrovat *v* vibrate
víc *adj* more
víčko *n* lid
vidět *v* see
viditelnost *n* visibility
viditelný *adj* outward, visible
vidle *n* rake, pitchfork, fork
vidlička *n* fork
vichřice *n* tempest
víkend *n* weekend
víko *n* lid, cap
víla *n* fairy
vina *n* blame, guilt, fault, culpability
vinařský závod *n* winery

vinen *adj* guilty
vinice *n* winery, vineyard
viník *n* culprit
vinit *v* blame
vinná réva *n* vine
vinný *adj* guilty
víno *n* wine
vinout se *v* curl
vir *n* virus
vír *v* whirl
víra *n* belief, trust, faith
virtuálně *adv* virtually
vířivá lázeň *n* whirlpool
visací zámek *n* padlock
viset *v* hang
víska *n* hamlet
visuté lůžko *n* hammock
višeň *n* cherry
vitalita *n* vitality
vitamin *n* vitamin
vítěz *n* champion, winner, victor
vítězit *v* champion, win, prevail
vítězný *adj* victorious
vítězoslavný *adj* triumphant
vítězství *n* triumph, victory
vítr *n* wind
vize *n* vision
vizitka *n* card
vizuální *adj* visual
vjem *n* sensation
vjet *v* go in
vkusný *adj* elegant, tasteful, tasty

vláda *n* government
vladař *n* ruler, regent
vládnout *v* govern, rule, reign
vládnutí *n* reign
vlajka *n* flag
vlajkové ráhno *n* flagpole
vlak *n* train
vláknitý *adj* stranded
vlákno *n* yarn, thread, fiber
vlámat se *v* break in
vlasatý *adj* hairy
vlast *n* country, homeland
vlastenec *n* patriot
vlastenecký *adj* patriotic
vlastně *adv* actually
vlastní *adj* own
vlastní zájem *n* self-interest
vlastníci *n* owner
vlastnictví *n* ownership, possession
vlastnit *v* possess, own
vlastnost *n* property
vlasy *n* hair
vlašská fazole *n* kidney bean
vlašský ořech *n* walnut
vlažný *adj* tepid
vléct *v* haul, trail
vlek *n* trailer
vleklý *adj* lingering
vlevo *adv* left
vlezlý *adj* greasy, pushy
vlhkost *n* humidity, moisture

vlhký *adj* rainy, watery, humid
vlídnost *n* kindness, clemency
vlídný *adj* kind, affable, amicable
vlichotit se *v* insinuate
vliv *n* influence
vlivný *adj* influential
vlk *n* wolf
vlna *n* wave; fleece, wool
vlna veder *n* heat wave
vlněný *adj* woolen
vlohy *n* aptitude
vloudit se *v* creep
vloupání do domu *n* burglary
vloupat se *v* break open, burglarize
vložená příloha *n* insertion
vložení *n* insertion
vložit *v* paste
vložka *n* insertion
vměšovat se *v* interfere, meddle
vně *adv* out
vnější *adj* external, outward, outer, exterior, outside
vnější podoba *n* semblance
vniknout *v* penetrate
vniknutí *n* intrusion
vnímání *n* perception
vnímat *v* perceive
vnímavý *adj* responsive, susceptible, receptive
vnitrozemí *adv* inland
vnitrozemský *adj* inland

vnitřní *adj* inward, inner; inside, interior, indoor; intrinsic
vnoření *n* immersion
vnouče *n* grandchild
vnucení *n* imposition
vnucování *adj* imposing
vnuk *n* grandson
vnutit *v* impose
vnutit se *v* intrude
voda *n* water
vodič *n* conductor
vodička *n* lotion
vodík *n* hydrogen
vodit *v* lead
vodítko *n* clue, lead
vodítko na psa *n* leash
vodivý *adj* conducive
vodnatý *adj* watery
vodní *adj* aquatic
vodní koryto *n* channel
vodní nádrž *n* cistern
vodní předěl *n* watershed
vodní vír *n* whirlpool
vodopád *n* cataract, cascade, waterfall
vodorovný *adj* horizontal
vodotěsný *adj* waterproof
voják *n* soldier
vojsko *n* troop
volání *n* call, calling
volat *v* call
volba *n* choice

volby *n* election
volejbal *n* volleyball
voli *n* oxen
volit *v* vote
volit pro *v* opt for
volitelný *adj* optional
volné místo *n* berth
volné pracovní místo *n* vacancy
volný *adj* free, loose, unattached
volný čas *n* leisure
vonný *adj* aromatic, fragrant
vosa *n* wasp
vosk *n* wax
vozík *n* cart, trolley
vozit vozíkem *v* cart
vpadnout *v* drop in, invade
vpich *n* puncture
vpravo *adv* right
vpřed *pre* along
vpřed *adv* forward, onwards
vpředu *pre* ahead
vpředu *adv* before
vpustit *v* let in
vpuštění *n* admittance
vrabec *n* sparrow
vrácení *n* return
vracet se *v* return
vrah *n* killer, murderer
vrak *n* wreckage
vrak lodě *n* shipwreck
vrána *n* crow
vráska *n* furrow, wrinkle

vrásnit *v* wrinkle
vrátit *v* bring back, give back
vrátit do vlasti *v* repatriate
vrátit ránu *v* hit back
vrátit se *v* get back, go back, come back
vrátit se do původního stavu *v* revert
vrátný *n* caretaker, janitor
vrazit *v* smash, jolt
vražda *n* homicide, murder
vrba *n* willow
vrh *v* hurl
vrhat se *v* dart
vrhnout *v* cast
vrch *n* hill
vrchní *adj* supreme, paramount
vrchol *n* climax, apex, summit, top, peak
vrchol kopce *n* hilltop
vrchol stoupání *n* brow
vrcholit *v* culminate
vroucný *adj* devout
vrozený *adj* innate
vrstevník *n* peer
vrstva *n* layer
vrtat *v* drill
vrtět *v* wiggle
vrtoch *n* crank
vrtošivý *adj* fickle
vrtule *n* fan
vrtulník *n* chopper

vrub *n* dent
vřava *n* tempest
vřed *n* ulcer
vřelost *n* warmth
vřelý *adj* fervent
vřeteno *n* spool
vsak *n* infiltration
vsazovat *v* plant
vskutku *adv* indeed, really
vstát *v* stand up, get up
vstoupit *v* enter, come in
vstoupit na cizí pozemek *v* trespass
vstříknout *v* inject
vstřikování *n* injection
vstřikovat *v* inject
vstup *n* admittance, entry, input
vsunout *v* insert
vsuvka *n* insertion
však *c* but
všední *adj* everyday
všední den *adj* weekday
všednost *n* banality, prose
všechen *adj* every
všechno *pro* everything
všemohoucí *adj* almighty
všestranný *adj* universal, versatile
vši *n* lice
všichni *pro* everyone
všímat si *v* observe, perceive
vštěpovat *v* instill
vtěsnat *v* squeeze in

vtip *n* joke
vtipálek *n* joker
vtipnost *n* wit
vtipný *adj* witty, funny
vtok *n* influx, intake
vulgární *adj* vulgar
vulgárnost *n* vulgarity
vůbec kdy *adv* ever
vůbec někdy *adv* ever
vůči *pre* towards
vůdce *n* leader, ringleader
vůdčí *adj* leading
vůl *n* ox
vůle *n* will
vůně *n* smell, fragrance
vůz *n* car, vehicle, coach, wagon
vy *pro* you
vy sám *pro* yourself
vybalit *v* unpack
výbava *n* gear
vybavení *n* equipment; outfit
vybavit *v* equip
vybavit personálem *v* staff
vybavit si v paměti *v* recollect
vybavit zařízením *v* furnish
výběr *n* choice, pick, selection
vybírat *v* select
vybíravý *adj* choosy
vybít *v* discharge
vybledlý *adj* faded
vybočení *n* aberration
vybouchnout *v* explode, blow up

vybrat *v* draft
vybrat si *v* opt for
vycítit *v* sense
vycpat *v* pad, bolster
vycpávka *n* stuffing
vycucat *v* drain
výcvik *n* drill, training
vyčerpání *n* exhaustion
vyčerpaný *v* slacken
vyčerpaný *adj* weary
vyčerpat *v* deplete, run out
vyčerpávající *adj* exhausting, grueling
vyčerpávat *v* exhaust
vyčíslit *v* enumerate
vyčistit *v* clear
vyčítat *v* nag
vyčnívat *v* stick out, stand out
vydání *n* issue, edition, publication
vydání stíhané osoby *n* extradition
vydat *v* release, publish, issue
vydat stíhanou osobu *n* extradite
vydávat *v* dispense
vydávat zákony *v* legislate
vyděděný *adj* outcast
vydědit *v* disinherit
vydělat *v* earn
vyděračství *n* blackmail, extortion, racket

vyděsit *v* scare, terrify, startle; dismay, appall

V

vydezinfikovat kouřem *v* fumigate

vydírání *n* blackmail

vydírat *v* blackmail, extort

vydláždit *v* stone

vydra *n* otter

vydrhnout *v* scour

vydržet *v* withstand, hold out

vydržovat *v* subsidize

vyfotografovat *v* snap

vyfouknutí *n* puff

vyhladit *v* annihilate, exterminate

vyhladovění *n* starvation

vyhlásit *v* declare, decree

vyhlazení *n* genocide, annihilation

vyhledávat *v* resort

vyhlídka *n* outlook, prospect, perspective

vyhlížet *v* look out

vyhnat *v* banish, exile, oust

vyhnout *v* dodge, evade

vyhnout se *v* bypass, brush aside, duck, avoid, elude

vyhnutelný *adj* avoidable

vyhodit *v* scrap, dispose

vyhodit do vzduchu *v* blow up

vyhostit *v* expel, relegate

vyhoštění *n* banishment

vyhovění *n* compliance

vyhovět *v* match, accommodate, indulge

vyhovovat *v* fit

vyhovující *adj* proper, convenient, compliant

vyhradit *v* reserve

vyhradit si *v* stipulate

vyhrát dřív prohrané *v* win back

vyhrávat *v* win

vyhrožovat *v* threaten

vyhubit *v* exterminate

vyhýbání se *n* avoidance

vyhýbat se *v* shirk

vyhýbavý *adj* elusive, evasive

vyhynulý *adj* extinct

vycházející *adj* outgoing

vycházka *n* outing

vychovat *v* raise, nurture

vychovatel *n* warden

vychovávat *v* foster, bring up

výchozí *adj* initial

vychutnat *v* enjoy

vychytralý *adj* foxy, devious, astute

vyjádření *n* articulation, expression

vyjádřit *v* state, articulate, utter, express

vyjasnit *v* clear, brighten

vyjednavač *n* mediator

vyjednávat *v* mediate, negotiate

vyjít *v* go out, come out, step out
vyjma *pre* barring
vyjmout *v* dispense, extract, take out
vyjmutý *adj* exempt
vykladač *n* interpreter
vykládaný *adj* inlaid
vykládat *v* interpret
vyklíčit *v* sprout
vyklopit *v* dump
vykloubit *v* dislocate
vykolejení *n* derailment
vykolejit *v* derail
výkon *n* performance, output
vykonat *v* execute
vykonavatel *n* bailiff
vykopat *v* excavate
vykořenit *v* eradicate, uproot
vykořisťovat *v* exploit
vykoupení *n* redemption
vykoupit *v* buy off, ransom
vykouzlit *v* conjure up
vykovat *v* forge
vykrást *v* ransack
vykreslit *v* depict
vykrmit *v* fatten
vykřiknout *v* exclaim, cry out
vyléčitelný *adj* curable
vylepšení *n* novelty
vylepšit *v* enhance, upgrade
vylíčit *n* recount
vylodit *v* disembark

vylomit *v* break open, break out
vyloučení *n* expulsion
vyloučený *adj* outcast
vyloučit *v* suspend, eliminate, drop out, exclude
vyloudit *v* coax
vyloupit *v* plunder
vyložit *v* unfold, unload
vylučovat *v* exude
vymazat *v* erase
výměna *n* swap
vyměnit *v* change, swap
vyměřit *v* gauge
vyměřovat *v* span
vymést *v* sweep
vymezit *v* define
vymítač ďábla *n* exorcist
vymoct *v* enforce
vymoženosti *n* amenities
vymřít *v* die out
vymyslet *v* concoct, devise
vymyšlený *adj* fictitious
vymýšlet si *v* make up
vymýt mozek *v* brainwash
vymýtit *v* purge
vynález *n* invention
vynalézt *v* invent
vynaložit *v* spend
vynaložit úsilí *v* exert
vynášet informace *v* leak
vynechat *v* omit, leave out
vynětí *n* exemption

vynikající *adj* brilliant, exquisite, excellent, outstanding

vynikat *v* excel

výnos *n* revenue

vynutit *v* enforce

vynutit si *v* compel, necessitate

vyobrazit *v* picture

výpadek proudu *n* blackout

vypadnout *v* drop out

vypařit *v* vaporize

vypařovat *v* evaporate

vypíchnout *v* pinpoint

vypínač *n* switch

vypínat se *v* buck

vypláchnout *v* flush, rinse

vyplašený *adj* startled

vyplatit *v* redeem; pay off; disburse

vyplatit někoho dluh *v* bail out

vyplatit z podílu *v* buy off

vyplenit *v* raid

vyplňovací vzor *n* pattern

vyplývající *adj* implicit, consequent

vyplývat *v* follow; imply

vypnout *v* switch off, turn off

vypocovat *v* exude

vypočítat *v* compute

vypoklonkovat *v* bow out

vypořádat se *v* tackle

vypouklost *n* crowning

vypouštět *v* emit

vypovědět *v* notice

vypovězení *n* banishment

vypozorování *n* observation

vypozorovat *v* sound out

vypracovat *v* work out

vyprahlost *n* drought

vyprahlý *adj* dry, torrid

vypravěč *n* teller

vyprávějící *adj* telling

vyprávět *v* narrate

vyprázdnění *n* vacation

vyprázdnit *v* empty, vacate

vyprodaný *adj* sold-out

výprodej *n* sellout

vyprostit *v* extricate

vyprovokovat *v* provoke

vypršení *n* expiration

vypršet *v* expire

vyptávat se *v* quiz

vypudit *v* banish, expel, eject, evict, oust

vypuknout *v* erupt

vypuknutí *n* outbreak, outburst

vypustit *v* launch, discharge; release, let out; deflate

vyrábět *v* produce

vyrazit *v* move out

vyrazit *n* strike

vyrážka *n* rash

vyrobit *v* manufacture, make, fabricate

vyrovnání *n* compensation, repayment, reimbursement

vyrovnaný *adj* composed
vyrovnat *v* compensate, repay, offset; align, level
vyrovnat se *v* cope
vyrovnávání *n* alignment
vyrovnávat *v* balance
vyrůst *v* outgrow, grow up
vyrušit *v* interrupt, disturb, distract
vyrýt *v* engrave
vyřadit *v* junk
vyřešit *v* solve, figure out, resolve
vyřízení *n* expedition
vysázení *n* withdrawal
vysílací pásmo *n* band
vysílač *n* broadcaster
vysílačka *n* radio
vysílání *n* broadcast
vysílat *v* transmit, broadcast, televise, air
vysilující *adj* strenuous
vyslanec *n* minister, envoy
vyslání *n* emission
vyslechnout *v* sound out
vyslechnout hlášení *v* debrief
vyslovit *v* utter, pronounce
vyslýchat *v* question, interrogate
vysmívat *v* deride
vysmívat se *v* mock
vysoce *adv* highly
vysoká škola *n* college
vysoká zvěř *n* deer

vysoký *adj* high, tall
vysoušet *v* drain
vyspělost *n* maturity
vystát *v* stand
vystavený *adj* exposed
vystavit *v* exhibit, expose; subject
vystavit účet *v* bill
vystěhovat *v* evict
vystěhovat se *v* move out
vystoupení *n* performance
vystoupit *v* perform, disembark, get off
výstraha *n* alert, caution
vystrčit *v* stick out
vystrojit se *up* spruce up
vystřelit *v* fire
vystřihnout *v* cut out
výstřižek *n* clipping
vystupňovat *v* escalate
vystupovat *v* stand out
vysunout *v* eject
vysvěcení *n* consecration, ordination
vysvědčení *n* certificate
vysvětit *v* ordain
vysvětleno jednoduše *adv* nutshell
vysvětlit *v* consecrate, outline, explain
vysvětlit rozumově *v* rationalize
vysvobodit *v* free
vyšetření *n* check up

vyšetřovací vazba *n* custody
vyšetřování *n* inquisition, inquiry, investigation
vyšetřovat *v* examine, probe, investigate
vyšívat *v* embroider
vyškrtnout *v* cross out
vyšperkovat *v* embellish
vyšší odborná škola *n* college
vyšší poschodí *adv* upstairs
vyštvaný *adj* outcast
výtah *n* compendium; elevator
vytáhnout *v* pull out
vytáhnout ze země *v* unearth
vytékání *n* leakage
vytékat *v* leak
vytepat *v* emboss
výtěžek *n* yield, proceeds
vytěžit *v* extract
vytírat *v* wipe out
výtisk *n* copy, print
vytlačený *v* dislodge
vytočit *v* dial
vytrvalý *adj* persistent, hardy
vytrvání *n* persistence
vytrvat *v* endure, hang on, persevere
vytrysknutí *n* blowout
vytříbený *adj* classy
vytváření záhybů *adj* pleated
vytvářet *v* create
vytvoření *n* creation

vytvořit *v* generate, originate
vytvořit seznam *v* itemize
vytýkat *v* reproach
vyučování *n* coaching; tuition
využít *v* utilize, employ
vyvážet *v* export
vyvážit *v* outweigh
vyvinout *v* develop
vyvinout se *v* evolve
vyvlastnit *v* expropriate
vyvolat *v* evoke, provoke, excite, invoke
vyvozovat *v* infer, deduce
vyvrátit *v* refute, disprove
vyvrtnout *v* sprain
vyvýšenina *n* hump; elevation
vyvýšený *adv* uphill
vyvýšit *v* elevate
vyzáblý *adj* emaciated
vyzařovat *v* emanate
výzbroj *n* armaments
vyzbrojit *v* arm
vyznání *n* creed
vyzradit *v* reveal, divulge
vyzrálý *adj* mature
vyzrát *v* season
výzva *n* challenge, dare
vyzvat *v* bid, exhort, challenge
vyzvedávat *v* exalt
vyzvednout *v* withdraw; pick up
vyzvídat *v* spy
vyzývající *adj* challenging

vyzývat *v* call on
vyžádání *n* claim
vyžádat *v* claim, solicit
vyžadovat si *v* require
vyžít *v* live off
výběrčí *n* collector
výboj *n* aggression, discharge
výbuch *n* eruption, blast, explosion, outburst, detonation
výbušnina *n* explosion
výbušný *adj* explosive
výčep *n* saloon
výčitka *n* remorse, reproach
výdaj *n* expense, spending
výdaje *n* expenditure, cost
výdělek *n* earnings
výheň *n* furnace
výherce *n* winner
výhled *n* outlook, viewpoint
výhoda *n* benefit, privilege, advantage
výhodná koupě *n* bargain
výhodnost *n* expediency
výhra *n* prize
výhrada *n* reservation
výhradně *adv* solely
východ *n* east; exit, way out
východ slunce *n* sunrise
východáci *n* easterner
východně *adv* eastward
východní *adj* eastern
výchova *n* upbringing

výchovný *adj* educational
výjimečný *adj* exceptional
výjimečný stav *n* emergency
výjimka *n* exemption, exception
výkal *n* crap
výklad *n* interpretation
výkonná moc *n* executive
výkonnost *n* efficiency
výkonný *adj* efficient
výkop *n* kickoff
výkřik *n* outcry
výkupné *n* ransom
výlet *n* hike, trip, excursion
výloha *n* expense
výměna názorů *n* altercation
výměnný obchod *v* barter
výmluva *n* excuse
výmluvnost *n* eloquence
výmol *n* pothole
výmysl *n* concoction
výňatek *n* excerpt
výnosný *adj* lucrative
výpary *n* fumes
výplata *n* pay
výplatní listina *n* payroll
výplatní páska *n* pay slip
výplatní šek *n* paycheck
výplň *n* filling
výpočet *n* calculation
výpovědná lhůta *n* notice
výprask *n* chastisement, spanking
výprava *n* tour, expedition, quest

výpust *n* outlet

výraz *n* phrase, expression, countenance

výrazný *adj* bold

výroba *n* output, production

výrobek *n* product, produce

výročí *n* anniversary

výroční *adj* annual

výrok *n* predicament

výron *n* discharge

výsada *n* concession, privilege

výskyt *n* occurrence

výsledek *n* outcome, output, product, result

výsledek práce *n* make

výslech *n* inquisition

výslovně *adv* expressly

výslovný *adj* explicit

výsluní *n* spotlight

výsměch *n* ridicule

výsost *n* royalty, Highness

výstava *n* exhibition

výstřední *adj* extravagant, eccentric

výstřednost *n* extravagance

výstřel *n* discharge, gunshot

výstřelek *n* fad

výšivka *n* embroidery

výška *n* altitude, height

výtečnost *n* excellence

výtka *n* reproach

výtok *n* discharge, outlet

výtržnost *n* disturbance

vývar *n* broth

vývěska *n* hanger

vývin *n* development

vývoj *n* evolution, development

výzdoba *n* décor

výzkum *n* research

vyznačkovat *v* blaze

význam *n* significance, meaning; caliber

významný *adj* significant, prominent, relevant

výživa *n* sustenance, nourishment, nutrition

výživný *adj* nutritious

vzácnost *n* scarcity

vzácný *adj* precious, rare, infrequent, scarce

vzadu *adv* back

vzadu *pre* behind

vzájemná výměna *n* interchange

vzájemné ústupky *n* compromise

vzájemný *adv* mutually

vzájemný *adj* reciprocal

vzbouřenec *n* rebel

vzbouřit se *v* revolt

vzbudit *v* awake, rouse

vzbudit se *v* wake up

vzdálenost *n* range, distance; mileage

vzdálený *adj* remote, distant, faraway

vzdát se *v* surrender, give in, resign, give up, relinquish
vzdělaný *adj* literate
vzdělávací *adj* educational
vzdělávat *v* educate
vzdor *n* spite, defiance
vzdorný *adj* sullen
vzdorovat *v* defy, resist
vzdorovitý *adj* defiant
vzduch *n* air
vzduchotěsný *adj* airtight, hermetic
vzdušný prostor *n* airspace
vzdychat *v* moan
vzejít *v* emerge
vzejít z *v* come from
vzestup *n* boost, upturn
vzhled *n* face, look, design, appearance, looks
vzhledem k tomu *c* inasmuch as
vzhledem k tomu *pre* since
vzhůru nohama *adv* upside-down
vzít *v* take
vzít zpátky *v* take back
vzít zpět *v* revoke
vzkaz *n* message
vzkříšení *n* resurrection
vzkvétat *v* flourish, boom, thrive
vzletová a přistávací dráha *n* runway
vzlykání *n* sob

vzlykat *v* sob
vznášet se *v* soar, hover
vznešenost *n* nobility, majesty
vznešený *adj* royal, noble; sublime; genteel
vznešený muž *n* nobleman
vznik *n* inception
vznikat *v* rise
vzniknout *v* originate
vznosný *adj* regal
vzor *n* example, figure, model, design
vzorec *n* formula
vzorek *n* specimen, pattern, sample
vzpínat se *v* buck
vzplanout *v* flare-up, kindle
vzplanutí *n* outburst
vzpomínat *v* remember
vzpomínka *n* recollection
vzpoura *n* rebellion, riot, mutiny, revolt
vzpružit *v* spring
vzpřímený *adj* upright
vzrůst *n* buildup
vzrůstající *adj* increasing
vzrůstání *v* rise
vzrůstat *v* increase
vzrušení *n* excitement, thrill
vzrušený *adj* frenzied
vzrušit *v* excite, arouse
vzrušovat *v* thrill

V
W
X
Z

vzrušující *adj* exciting
vztah *n* rapport, relationship
vztahující se *adj* respective
vztažné zájmeno *n* relative
vztažný *adj* relative
vztek *n* wrath, rage
vzteklina *n* rabies
vztyčený *adj* erect
vztyčit *v* erect, mount
vzývat *v* implore
vždy *adv* always
vždycky *adv* always

W

watt *n* watt
web *n* web
westernový *adj* western

X

xantipa *n* tartar

Z

z *pre* at, of, from
z *adv* off
z cesty *adv* astray
z kopce *adv* downhill
za *c* as
za *pre* at, by; beneath, behind; during; for, per
za *n* past
za každý *adv* apiece
za kus *adv* apiece
za předpokladu *c* providing that, supposing
zabalit *v* wrap, pack, wrap up
zabavení *n* confiscation
zabavit *v* confiscate, impound
zabezpečení *n* safeguard
zabiják *n* killer
zabíjení *v* slaughter
zabít *v* kill, slay
zabití *n* killing, manslaughter, slaughter
zablesknout *v* flare-up
zablokovaný *adj* deadlock
zablokovat *v* jam
zabočit *v* turn
zabránit *v* prevent, inhibit
zabrat *v* overrun, seize, engage
zaclonit *v* dim
zacpat *v* constipate, clog

zacpat ústa *v* gag
začátečník *n* apprentice, beginner
začátek *n* beginning, start, onset, outset
začínat *v* begin
začít *v* start
zadek *n* butt, bottom
zadní část *n* tail, rear, back, stern
zadní strana *n* back
zadní vchod *n* backdoor
zadní vrátka *n* backdoor, loophole
zadrhávat *v* stammer
zadržet *v* intercept, arrest, detain
zadržování *n* retention
zadržovaný *adj* pent-up
zadusit *v* asphyxiate
zahájení *n* inception, inauguration; preface
zahájit *v* open, commence; inaugurate
zahalený *adj* shrouded
zahalit *v* envelop
zahanbený *adj* ashamed
zahanbit *v* embarrass, shame
záhlaví *n* heading
zahnat *v* repel, chase away
zahnat do úzkých *v* corner
zahnout *v* fold
zahodit *v* throw away
zahrada *n* garden
zahradník *n* gardener
zahraniční *adj* foreign

zahrát *v* play; strike up
zahrávat se *v* mess around
zahrnout *v* comprise
zahrnovat *v* include
zahrnující *adv* inclusive
zahrnutý *adv* inclusive
zahustit *v* thicken
zacházení s *n* treatment
zacházet *v* manipulate
zacházet s *v* treat, handle
zacházka *n* excursion
zachovat *v* preserve
zachránce *n* savior
zachránit *v* save, salvage
zachránit finančně *v* bail out
zachraňovat *v* rescue
zachvět se *v* quake, quiver, shudder
zachycení *n* capture
zachytit *v* intercept
zachytnout *v* catch
zainteresovat *v* involve
zajatec *n* captive
zájem *n* concern, interest
zajetí *n* captivity
zajíc *n* hare
zajímat *v* concern
zajímat se *v* care about
zajímavost *n* curiosity
zajímavý *adj* intriguing, interesting
zajistit *v* assure, ensure, retain, secure
zajištění *n* assurance, security**

Z

zajmout *v* capture, seize
zakázat *v* forbid, prohibit
zakazovat *v* restrict, ban
zakládat *v* base
zakladatel *n* founder
zakopaný *adj* entrenched
zakopnout *v* trip, stumble
zakořeněný *adj* entrenched, ingrained
zakotvit *v* moor
zakrnět *v* atrophy
zakročení *n* intercession, intervention
zakročit *v* intervene
zakrslík *n* dwarf
zakrytý *adj* hidden
zakrývat *v* cover up
zakřivit *v* curve
zakvičet *v* squeak
zalátat *v* darn
zalesňování *n* foretaste
zalíbení *n* affection
zalidnit *v* populate
založit *v* file, establish, institute
zaměnit *v* exchange
zaměnitelnost *n* compatibility
zaměnitelný *adj* compatible
zaměřit *v* localize, angle
zamést *v* brush aside
zaměstnanec *n* worker, employee
zaměstnaní *n* occupation

zaměstnání *n* career, job, employment
zaměstnanost *n* employment
zaměstnat *v* hire, employ
zaměstnavatel *n* employer
zametat *v* sweep
zamezení *n* prevention
zamezit *v* avert
zamezovat *v* inhibit
zamíchat *v* mix
zamířit *v* head for
zamítnout *v* disapprove, repel, overrule
zamítnutí *n* rejection
zamlčení *n* reservation
zamlčet *v* reserve
zamluvení *n* reservation
zamluvit *v* reserve
zamlžit *v* dull
zamykat *v* lock
zamýšlet *v* contemplate
zanedbání *v* malpractice, neglect
zanedbávat *v* neglect
zanedlouho *adv* shortly
zanechat *v* bequeath
zaneprázdněný *adj* busy, engaged
zaneřáděný *adj* messy, squalid
zanícený *adj* zealous, passionate
zanítit *v* kindle
zaoceánský *adv* overseas
zaopatřit *v* procure

zaostalý *adj* backward, retarded
zaostat *v* fall behind
zaostřit na *v* focus on
zapadlý *adj* sunken
zapáchající *adj* stinking
zapálit *v* kindle, light, spark off
zapalovací svíčka *n* spark plug
zapalovač *n* lighter
zápas *n* match; struggle; wrestling
zápasit *v* contend, struggle, wrestle
zapečetit *v* seal
zapírání *n* denial
zaplašit *v* scare away
zaplatit kauci *v* bail out
zaplavený *adj* swamped
zaplavit *n* deluge
zaplavit *v* overrun, flood, inundate
zaplést *v* entangle
zaplést se *v* embroil
zápletka *n* twist
zapnout *v* fasten; switch on, turn on
zapojit *v* engage
zapojovat *v* plug
zapomenout *v* forget
zapomínající *adj* oblivious
zapomnění *n* oblivion
zaprášený *adj* dusty
zapřáhnout *v* hitch up
zapření *n* denial

zapřísahat *v* entreat
zapřisáhlý *adj* staunch
zapřít *v* deny
zapsání *n* registration
zapsat *v* write down, matriculate
zapsat se *v* enroll
zapůjčit *v* lend
zapůsobit *v* impress
zarámovat *v* frame
zarazit *v* ram
zarážející *n* striking
zaregistrovat se *v* register
zarmoutit se *v* sadden
zarovnat písmo *v* justify
zaručit *v* warrant, guarantee
zaručit se za *v* vouch for
zarytý *adj* staunch
zařadit *v* file
zařízení *n* device, appliance, gadget
zas *adv* again
zasadit *v* set, implant
zasáhnout *v* charge, hit
zasáhnout proudem *v* shock
zasahovat *v* encroach
zasahovat *v* interfere
zasázet *v* plant
zaslepeně *adv* blindly
zaslepit *v* blind
zaslíbit *v* vow
zasloužit *v* deserve, merit
zasloužit si *v* earn

Z

zasluhující *adj* deserving
zasnoubení *n* engagement
zasnoubený *adj* engaged
zasnoubit *v* engage
zastaralý *adj* antiquated, outdated, outmoded
zastat se *v* advocate
zastavárník *n* pawnbroker
zastavení *adj* standstill
zastavení *n* stay, stop, stall
zastavit *v* cease, discontinue, stay, halt, stop
zastavit pohyb *v* freeze
zastavit se *v* stop by
zastavit se u *v* drop in
zastávka *n* station
zastihnout *v* reach, overtake
zastínit *v* outshine, overshadow
zastoupení *n* agency
zastrašit *v* daunt
zastrašování *adj* daunting
zastrašovat *v* intimidate
zastrčit do zásuvky *v* plug
zastřelit *v* gun down
zastřený *adj* blurred
zastřihnout *v* curtail
zasvětit *v* consecrate, inaugurate
zaškrtnout *v* check
zaškrtnutí *n* check
zašlápnout *v* stamp out
zašpinit *v* mess up
zatáhnout *v* dull

zatajit *v* conceal, withhold
zatarasit *v* obstruct, bar, seal off
zataženo *adj* overcast
zatčení *n* arrest
zatelefonovat *v* phone
zatemnění *n* blackout
zatemnit *v* dim, darken
zatěžovat *v* burden
zatím co *adv* meanwhile
zatímco *c* while
zatížení *n* stress
zatížený *adj* laden
zatknout *v* arrest
zatlouct *v* nail
zatmění *n* eclipse
zato *c* but
zatracení *n* damnation
zatratit *v* condemn, damn
zatroubit *v* honk
zatrpklost *n* bitterness
zatrpklý *adj* bitter
zatuchlý *adj* stale
zatykač *n* warrant
zaujatost *n* prejudice, bias
zaujatý *adj* interested
zaujímat *v* occupy
zaujmout *v* captivate
zaútočit *v* assault
zavádějící *adj* misguided, misleading
zavádět *v* mislead
závan *n* puff

zavařenina *n* conserve
zavazadla *n* belongings, baggage, luggage
zavázaný *adj* committed, obliged
zavázat oči *v* blindfold
zavázat se *v* pledge, oblige
zavedení *n* installation
zavést *v* establish, implement
zavěšení *n* hang-up
zavinout *v* wrap
zavlažit *v* irrigate
zavlažování *v* water
zavolání *n* hail, call
zavolat *v* call, hail, cry out
zavrčení *v* growl
zavrhnout *v* condemn
završit *v* cap
zavržení *v* censure, condemnation
zavřený *adj* closed
zavřít *v* lock up, close, shut
zavřít do vězení *v* incarcerate
zavřít pusu *v* shut up
zavýt *v* howl
zavytí *n* howl
zazátkovat *v* plug
zaznamenat *v* register, record
zaznamenávání *n* recording
zaznamenávat *v* record, log
zazvonit *v* ring
zažehnout *v* ignite
zažívací *adj* digestive

zažívání *n* digestion
zažívat *v* digest
zábava *n* fun, entertainment
zábavný *adj* funny, amusing, entertaining
záblesk *n* flash
zábradlí *n* rail, handrail
zábrana *n* bar
záclona *n* curtain
zácpa *n* jam, congestion, constipation, retention
záda *n* back
zádrhel *n* hitch
zádumčivý *adj* somber
záhada *n* mystery
záhadný *adj* intriguing, eerie, mysterious, puzzling
záhon růží *n* rosary
záhyb *n* pleat, crease
záchod *n* toilet
záchrana *n* rescue
záchvat *n* attack, seizure
záchvěv *n* throb; thrill
zájezd *n* excursion
zájmeno *n* pronoun
zákaz *n* prohibition, ban
zákaz vycházení z domu *n* curfew
zákazník *n* buyer, consumer, client, customer
zákeřný *v* malign
zákeřný *adj* mean

Z

základ *n* base, basis, foundation, essence

základna *n* base, platform, basis

základní *adj* essential, fundamental, basic, elementary

základní kámen *n* cornerstone

základní pilíř *n* linchpin

základový *adj* underlying

základy *n* basics

zákon *n* law

zákoník *n* code

zákonitost *n* regularity

zákonitý *adj* legal

zákonný *adj* legal

zákonodárce *n* lawmaker

zákonů dbalý *adj* law-abiding

zákop *n* trench

zákopník *n* pioneer

záležet *v* matter; hinge

záležitost *n* errand; matter, affair, issue

záležitosti *n* dealings

záliba *n* hobby, fondness, liking, predilection

záliv *n* creek, gulf

zálivka na salát *n* dressing

záloha *n* deposit, backup

zálohovat *v* back up

záložní *adj* spare

záludnost *n* guile

záludný *adj* oblique

zámečník *n* locksmith

zámek *n* castle; lock

záměr *n* purpose, intention, pretension

záměrně *adv* purposely

záminka *n* guise, excuse, pretense

zámožný *adj* wealthy

zánět *n* inflammation

zánět plic *n* pneumonia

zánět průdušek *n* bronchitis

zánět slepého střeva *n* appendicitis

západ *n* west

západ slunce *n* sunset

západ slunce *n* sundown

západka *n* latch

západní *adj* western

zápach *n* smell, odor, stench, stink

zápasit s *v* cope

zápasník *n* wrestler

zápasník s býky *n* bull fighter

zápěstí *n* wrist

zápis *n* enrollment; notation

zápisník *n* diary, notebook

záplata *n* patch

záplatovat *v* patch

záplava *n* flooding

zápočet *n* credit

zápor *n* negative

záporný *adj* negative

zármutek *n* sorrow

zárodečný *adj* rudimentary
zárodek *n* embryo, fetus
záruka *v* gage
záruka *n* guarantee, warranty
záře *n* glare
záření *n* radiation
září *n* September
zářící *adj* luminous
zářič *n* radiator
zářit *v* dazzle, glow, shine
zářivý *adj* shiny
zásada *n* code, policy, principle, precept; rudder
zásadní *adj* crucial, essential, radical; underlying, fundamental
zásadový *adj* scrupulous
zásah *n* intervention, interference
zásilka *n* shipment
zásluha *n* merit
zásoba *n* pool; stack; storage
zásobit *v* stock
zásobník *n* bin, container, magazine, reservoir
zásoby *n* provision, stock
zástava *v* gage
zástava *n* mortgage
zástěra *n* apron
zástrčka *n* bolt; plug
zástup lidí *n* crowd
zástupce *n* delegate, agent
zastupování *n* proxy
zastupovat *v* represent

zásuvka *n* plug
záškub *n* convulsion
zášť *n* spite, animosity, grudge, hatred, rancor
záštita *n* bulwark
zátka *n* cork, plug
zátoka *n* creek, bay, cove
závada *n* malfunction, impediment
závazek *n* engagement, pledge, commitment, obligation
závazně *adj* obligatory
závažnost *n* severity
závažný *adj* severe, grave
závěr *n* outcome, conclusion, result; closure, ending, enclosure
závěs *n* hinge, suspension; curtain, drape
závěť *n* testament
závidět *v* envy
záviset *v* rely on, depend
závislost *n* reliance, addiction, dependence
závislý *adj* addicted, dependent
závist *n* envy
závistivý *adj* jealous, envious
závit *n* scroll
závlaha *n* irrigation
závod *n* race, rally
závodit *v* race
závoj *n* veil

Z

závora *n* latch
závorka *n* parenthesis, bracket
závrať *n* dizziness
záznam *n* record, notation
záznamník *n* recorder
zázračný *adj* marvelous, miraculous
zázrak *n* wonder, marvel, miracle
zázvor *n* ginger
zážitek *n* experience
zbaběle *adv* cowardly
zbaběle couvnout *v* chicken out
zbabělec *n* coward
zbabělost *n* cowardice
zbaven *adj* deprived
zbavení *n* deprivation
zbavit *v* strip, purge, deprive
zbavit se *v* oust, rid of
zběh *n* deserter
zběhlost *n* mastery
zběhnout *v* desert
zběsile *adv* berserk
zběžný *adj* sketchy
zbít *v* batter
zbitý *adj* beaten
zblízka *adv* closely
zbojník *n* bandit
zbortit se *v* collapse
zbořenina *n* ruin
zbořit se *v* cave in
zbourat *v* raze
zboží *n* goods, merchandise

zbožný *adj* pious
zbraň *n* gun, weapon
zbrusu nový *adj* brand-new
zbystřit *v* sharpen
zbytečnost *n* futility
zbytečný *adj* futile, pointless
zbytek *n* residue, remainder, remnant
zbytky *n* leftovers
zbývající *adj* remaining
zcela *adv* entirely, quite
zcela upoutat pozornost *v* preoccupy
zčervenání *n* blush
zda *c* whether
zdali *c* whether
zdání *n* vestige
zdát se *v* seem
zde *adv* here
zdědit *v* inherit
zdeformovaný *adj* warped
zdechlina *n* carcass
zděsit *v* frighten
zděšení *n* panic, scare, dismay, fright
zděšený *adj* aghast, appalling
zdiskreditovat *v* discredit
zdlouhavý *adj* lengthy
zdobit *v* decorate, adorn
zdokonalování *n* development
zdolat *v* overcome, subdue, vanquish

Z

zdráhat se _v_ hesitate
zdráhavě _adv_ grudgingly
zdraví _n_ health
zdraví prospěšný _adj_ wholesome
zdravotní porucha _n_ disorder
zdravotní sestra _n_ nurse
zdravý _adj_ healthy
zdravý rozum _n_ sense
zdroj _n_ resource, source
zdrtit _v_ overwhelm
zdrž _n_ basin
zdržení se _n_ pass
zdrženlivost _n_ chastity, abstinence
zdrženlivý _adj_ distant, continental
zdržet se _v_ refrain, abstain, turn in
zdržovat se _v_ stay, hang around
zdřímnout _v_ nap
zdřímnutí _n_ nap
zdůraznit _v_ exalt, pinpoint
zdůraznit _n_ highlight
zdůrazňovat _v_ emphasize
zdvihání _n_ upheaval
zdvihnout _v_ raise
zdvojit _v_ duplicate
zdvojnásobit _v_ double, redouble
zdvořilost _n_ politeness
zdvořilý _adj_ complimentary, courteous, polite, civil
ze _pre_ of, from
ze _adv_ off

zebra _n_ zebra
zeď _n_ wall
zedník _n_ mason, bricklayer
zejména _adv_ especially, chiefly, primarily
zelektrizovat _v_ electrify
zelenáč _adj_ sucker
zelenina _n_ vegetable
zelený _adj_ green
zelí _n_ cabbage
zem _n_ ground
země _n_ soil, ground, land, earth, country
zemědělský _adj_ agricultural
zemědělství _n_ agriculture, farming
zeměkoule _n_ globe
zeměpis _n_ geography
zeměpisná délka _n_ longitude
zeměpisná šířka _n_ latitude
zemětřesení _n_ earthquake
zemina _n_ ground
zemřít _v_ perish, pass away
zeptat se _v_ ask
zesílení _n_ boost, intensity
zesílit _v_ boost, bolster, beef up, intensify
zesilovač _n_ amplifier
zesilovat _v_ amplify
zeslabit _v_ attenuate
zeslábnout _v_ weaken
zesměšnit _v_ ridicule

Z

Z

zesmutnit *v* bring down
zesnulý *adj* deceased
zestručnit *v* abbreviate
zeť *n* son-in-law
zevnější *adj* extraneous
zevní *adj* external, extraneous
zhanobit *v* desecrate
zhmoždění *n* bruise
zhodnocení *n* appreciation
zhodnotit *v* appraise
zhoršení *n* setback
zhoršený *n* deterioration
zhoršit *v* aggravate, deteriorate
zhoršovat *v* worsen
zhotovený na zakázku *adj* custom-made
zhotovit *v* manufacture
zhotovitel *n* maker
zhoubnost *n* malignancy
zhoubný *v* malign
zhoubný *adj* malignant, pernicious
zhroucení *n* collapse
zhroutit *v* fall down
zhroutit se *v* cave in
zchátralý *adj* dilapidated, shabby, squalid, seedy
zchladit *v* chill, cool down
zima *n* winter
zimnice *n* rigor
zimník *n* overcoat
zinek *n* zinc

zinscenovaný *adj* trumped-up
zip *n* zipper
zisk *n* proceeds, gain, profit, interest
ziskový *adj* profitable
získání *n* acquisition
získat *v* obtain, acquire, gain
získat opět *v* reclaim
získat přízeň *v* ingratiate
získat zpět *v* retrieve
získat způsobilost *v* qualify
získávání *n* retrieval
zítra *adv* tomorrow
zívání *v* yawn
zívnutí *n* yawn
zjednodušit *v* simplify
zjemnit *v* soften, mellow
zjev *n* phenomenon
zjevení *n* phantom, apparition
zjevit *v* appear
zjevně *adv* clearly, apparently
zjevně *adv* obviously
zjevný *adj* apparent
zjistit *v* detect, find out
zkamenělina *n* fossil
zkapalnění *n* condensation
zkáza *n* destruction, annihilation, cataclysm, doom, havoc
zkazit *v* blemish, botch, spoil, deteriorate, corrupt
zkažené zboží *n* spoils
zkaženost *n* corruption

zkažený *n* deterioration
zkažený *adj* foul, putrid; corrupt
zklamání *n* disappointment
zklamat *v* disappoint, let down
zklidnit *v* calm down, chill
zklidnit se *v* chill out
zkombinovat *v* combine
zkomolenina *n* crank
zkonstruovat *v* frame
zkorumpovat *v* corrupt
zkoumání *n* research
zkoumat *v* research, examine, study, scan
zkoušení *v* test
zkouška *n* trial, probing, examination
zkrachovalý *adj* bankrupt
zkrášlit *v* beautify
zkrátit *v* abbreviate, abridge, shorten
zkratka *n* abbreviation, shortcut
zkritizování *n* snub
zkritizovat *v* snub, maul
zkrotit *v* quell, tame
zkroucený *adj* twisted
zkřížit *v* cross
zkusit *v* attempt, try
zkušenost *n* experience
zkušený *adj* versed
zlatíčko *n* sweetheart
zlatník *n* silversmith
zlato *n* gold

zlatý *adj* golden
zlehčit *v* alleviate
zlehka *adv* softly
zlepšení *n* improvement
zlepšit *v* enhance, improve, bring up
zlikvidovat *v* eliminate
zlo *n* evil
zloba *n* wrath, spite, bitterness
zlobit *v* annoy
zločin *n* crime
zločinec *v* outlaw, gangster
zločinnost *n* crime
zloděj *n* thief
zlom *n* fracture
zlomek *n* fragment, fraction
zlomení *v* break
zlomenina *n* fracture
zlomený *adj* broken
zlomit *n* break
zlomit *v* snap
zlomyslnost *n* malice
zlomyslný *adj* spiteful, mischievous, malevolent
zlostný *adj* irate
zlověstný *adj* ominous
zlověstný *n* sinister
zlovolnost *n* meanness
zlý *adj* spiteful, bad, mean, evil, vicious, wicked
zmačkání *n* crease
zmáčknout *v* squeeze, crush

Z

Z

zmařit *v* blemish, thwart

zmást *v* confound, bewilder, mystify

zmatek *n* anarchy; mayhem, chaos, uproar, disturbance; muddle, tangle, mix-up, confusion, shambles

zmatený *adj* confusing

změkčit *v* soften

změna *n* alteration, transition, change, shift

změnit *v* change, modify

zmenšit *v* downsize, diminish

zmije *n* viper

zmínit *v* mention

zmínka *n* mention

zmírnit *v* attenuate, alleviate, soften, ease, cushion, mitigate, relent

zmírňující *adj* attenuating

zmítat se *v* convulse

zmizení *n* disappearance

zmizet *v* disappear, vanish

zmlátit *v* maul

zmocnění *n* mandate

zmocnit *v* enable, usurp

zmožený *adj* weary

zmrazený *adj* frozen

zmrazit *v* freeze

zmrzačený *adj* cripple

zmrzačit *v* cripple, maim, mutilate

zmrzlina *n* ice cream

zmrzlý *adj* frozen

značení *n* mark

značit *v* mark

značka *n* sign, brand

značkovač *n* marker

značný *adj* considerable

znak *n* symbol, emblem, character, sign

znalost *n* knowledge

známá osoba *n* acquaintance

znamenat *v* entail, represent, mean

znamení *n* signal

známka *n* grade

známost *n* acquaintance, courtship

znárodni *v* expropriate

znárodnit *v* nationalize

znásilnění *n* rape

znásilnit *v* rape

znečistit *v* defile, pollute

znečištění *n* contamination, pollution

znečitelnit *v* obliterate

znehodnocení *n* depreciation, devaluation

znehodnotit *v* devalue, depreciate, degrade, impair, debase

znehybnit *v* immobilize

znechucený *adj* fed up

znelíbit se _v_ displease
znělka _n_ theme
znění _n_ wording
znepokojení _n_ fuss, concern
znepokojený _adj_ uneasy
znepokojivý _adj_ alarming
znepokojovat _v_ worry
znepokojující _adj_ worrisome
znesvěcený _adj_ profane
znesvětit _v_ desecrate
zneškodnit _v_ neutralize, dispose, defuse
znetvořit _v_ deface, disfigure
zneuctění _n_ disgrace
zneuctít _v_ disgrace
zneuctít _n_ dishonor
zneužívání _n_ abuse
zneužívat _v_ exploit, encroach, abuse
zničit _v_ annihilate, dispose, demolish, destroy, ruin, wreck
zničit bombami _v_ bomb
znít _v_ sound; read
znovu _adv_ again
znovu nabýt _v_ recuperate, regain
znovu naplnit _v_ refill
znovu otisknout _v_ reprint
znovu se objevit _v_ reappear, resurface
znovu sebrat _v_ recollect
znovu spojit _v_ rejoin
znovu vystavět _v_ rebuild

znovu vytvořit _v_ recreate
znovu zažít _v_ relive
znovu zvážit _v_ reconsider
znovunabytí _n_ retrieval
znovunalezení _n_ recovery
znovuzrození _n_ regeneration, rebirth
znuděný _adj_ bored
zobák _n_ beak
zobecňovat _v_ generalize
zobrazit _v_ portray
zobrazovat _v_ display
zodpovědný _adj_ responsible, liable
zodpovídat za _v_ account for
zóna _n_ zone
zoologická zahrada _n_ zoo
zoologie _n_ zoology
zopakovat _v_ reiterate
zorný bod _n_ viewpoint
zosobnit _v_ personify
zostudit _v_ shame
zotavení _n_ restoration, recovery; recreation
zotavit se _v_ get over, recover, recreate, recuperate
zotavující se _adj_ convalescent
zoufalství _n_ despair
zoufalý _adj_ desperate
zpackat _v_ botch
zpáteční _adj_ backward
zpět _adv_ back

Z

zpětná vazba *n* feedback
zpětný *adj* reflexive; backward
zpětný chod *n* reverse
zpětný náraz *v* rebound
zpěvák *n* singer
zpívat *v* sing
zplnomocnění *n* proxy
zplodit *v* conceive
zploštit *v* flatten
zpočátku *adv* initially
zpodobovat *v* portray
zpomalený *adj* protracted, retarded
zpomalit *v* slow down
zpopelnit *v* cremate
zpověď *n* confession
zpovědní *n* confessional
zpovědník *n* confessor
zpovídat se *v* confess
zpozdit *v* delay
zpoždění *n* hold-up, delay
zpožděný *adj* retarded
zpracovat v plsť *v* felt
zpracovávat *v* process
zpráva *n* memo, message
zpravidla *adv* ordinarily
zpravodaj *n* bulletin, newsletter; correspondent, reporter
zpravodajství *n* newscast
zprávy *n* news
zpronevěřit *v* defraud, embezzle
zprostit *v* absolve, relieve

zprostit obvinění *v* exonerate
zprostit viny *v* acquit
zprostředkovatel *n* mediator, intermediary
zprostředkovávat *v* mediate
zproštění *n* absolution
zproštění obžaloby *n* acquittal
zproštěný *adj* exempt
zpustošení *n* ravage
zpustošit *v* ravage
způsob *n* way, way in, method, fashion
způsob přípravy jídel *n* cuisine
způsobilý *adj* capable, eligible, fit
způsobit *v* entail, cause, inflict
způsobit si *v* incur
způsobovat *v* implicate
způsoby *n* means
zrada *n* treason, perjury, betrayal, treachery
zrádce *n* rat, traitor
zradit *v* double-cross, betray
zrak *n* sight, vision, eyesight
zralost *n* maturity
zralý *adj* ripe
zranění *n* injury, wound
zranit *v* bruise, injure, wound
zranitelný *adj* vulnerable
zrát *v* ripen
zrcadlo *n* looking glass, mirror
zrežírovat *v* stage
zrod *n* birth

Z

zručnost *n* craft
zručný *adj* versed
zrušení *n* cancellation, liquidation
zrušit *v* invalidate, cancel, abort, quash, revoke, abolish
zrůda *n* monster
zrychlovat *v* accelerate
zřejmý *adj* transparent, outward, obvious
zřetel *n* aspect
zřetel *v* regard
zřetelně *adv* clearly, plainly
zřetelný *adj* conspicuous
zříci se *v* disclaim, disown, forsake
zříct se *v* recant
zřídit *v* institute
zřídka *adv* rarely, seldom
zřítelnice *n* pupil
zřízení *n* dispensation, constitution, foundation
ztělesnit *v* embody
ztělesňovat *v* epitomize
ztloustnout *v* thicken
ztlumit *v* dim, cushion, defuse
ztratit *v* forfeit
ztopořit *v* erect
ztrácet se *v* dwindle
ztráta *n* loss
ztroskotanec *n* loser
ztroskotaný *adj* stranded
ztroskotat *n* castaway

ztrpčit *v* embitter
ztuhlý *adj* numb, petrified
ztuhnout *v* stiffen
zub *n* tooth
zubař *n* dentist
zubní *adj* dental
zubr *n* bison
zuby *n* teeth
zúčastněný *adj* involved
zúčtování *n* clearance
zuřivě *adv* furiously
zuřivost *n* fury
zuřivý *adj* furious
zušlechťovat *v* refine
zůstat *v* stay, remain, stick around
zvát *v* invite
zvážit *v* consider
zvedat *v* lift
zvedat se *v* rise
zvěd *n* scout, spy
zvědavý *adj* nosy, curious
zvednout *v* elevate, lift off, hoist
zvěrolékař *n* veterinarian
zvěrstvo *n* atrocity, bestiality
zveřejnit *v* publish
zvěst *n* herald
zvěstovat *v* herald
zvětralý *adj* stale
zvětšení *n* expansion, enlargement
zvětšit *v* swell, augment, enlarge, magnify
zvětšit se *v* expand

Z

zvíře *n* beast, animal
zvládat *v* cope
zvládnout *v* manage
zvlášť *adv* extra
zvláštní *adj* peculiar, special
zvlnění *n* ripple
zvlněný *adj* wavy
zvolat *v* exclaim, call out
zvolit *v* elect
zvolit si *v* choose
zvon *n* bell
zvonek u dveří *n* doorbell
zvonice *n* belfry
zvrácený *adj* perverse, twisted
zvracet *v* bring up, throw up, vomit
zvrat *n* turn
zvrátit *v* overturn, turn
zvratky *n* vomit
zvrhlík *n* pervert
zvrhlý *adj* perverse
zvučet *v* sound
zvučný *adj* resounding
zvuk *n* sound
zvukový *adj* acoustic, audible
zvyk *n* manner, custom, habit
zvyklý *adj* used to
zvykový *adj* customary
zvýšení *n* boost, increase
zvýšení sumy *n* raise
zvýšit *v* boost, increase, heighten, aggravate

zvyšovaná sázka *n* jackpot
zvyšovat *v* rise, raise
zženštilec *adj* sissy

Ž

žahadlo *v* sting
žal *n* grief, regret
žalář *n* dungeon
žalářník *n* jailer
žalobce *n* prosecutor
žalobní odpověď *n* plea
žalostný *adj* deplorable
žalovat *v* sue
žalud *n* acorn
žaludeční *adj* gastric
žaludek *n* stomach
žalující strana *n* plaintiff
žárlivost *n* jealousy
žasnout *v* wonder
žába *n* frog, toad
žádat *v* ask, request, beg, appeal; apply; demand
žádat zpět *v* reclaim
žadatel *n* applicant
žádný *adj* neither
žádný *pre* none
žadonit *v* beseech

žádost *n* claim, petition, application, appeal, plea
žádostivý *adj* lustful
žádoucí *adj* desirable
žák *n* pupil, disciple
žárlivý *adj* jealous
žárovka *n* bulb
žbluňknutí *n* flop
ždibec *n* scrap
že *c* but, because, providing that
žebrák *n* beggar
žebrat *v* beg
žebro *n* rib
žebříček *n* chart
žebřík *n* ladder
žehlit *v* iron
žehnat *v* bless
železářské zboží *n* hardware
železnice *n* railroad
železo *n* iron
želízka *n* handcuffs
želva *n* tortoise, turtle
žemle *n* bun
žena *n* female, woman
žena v domácnosti *n* housewife
ženatý *adj* married
ženich *n* bridegroom, groom
ženský *adj* feminine
ženy *n* women
žert *n* joke, prank
žertovat *v* kid, joke
žertovně *adv* jokingly

žeton *n* chip, token
žhář *n* arson, arsonist
žhavý *adj* ardent
žhavý uhel *n* embers
Žid *n* Jew
židle *n* chair
židlička *n* stool
Židovský *adj* Jewish
židovství *n* Judaism
žíla *n* vein
žíněnka *n* mat
žirafa *n* giraffe
žít *v* live
žít v souladu s *v* live up
žít z *v* live off
žito *n* rye
živel *n* element
živit *v* nourish, nurture
živit se *v* subsist
živobytí *n* livelihood
život *n* life
život v přírodě *n* wildlife
životaschopný *adj* vital
životní prostředí *n* environment
životní styl *n* lifestyle
životopis *n* biography
živý *adj* brisk, vivacious, alive, live, lively
žíznit *v* thirst
žíznivý *adj* thirsty
žlab *n* manger
žlábek *n* groove

Ž

žláza *n* gland
žloutek *n* yolk
žluč *n* bile
žlučník *n* gall bladder
žlutý *adj* yellow
žmolek *n* lump
žnout *v* reap
žolík *n* joker
žonglér *n* juggler
joviální *adj* jovial

žralok *n* shark
žrát *v* guzzle
žrout *n* glutton
žula *n* granite
župa *n* district
župan *n* bathrobe
žurnál *n* journal, log
žvýkačka *n* bubble gum
žvýkání *n* champ
žvýkat *v* chew, munch

Word to Word® Bilingual Dictionary Series

Language - Item #
ISBN #

Albanian - 500X
ISBN - 978-0-933146-49-5

Amharic - 820X
ISBN - 978-0-933146-59-4

Arabic - 650X
ISBN - 978-0-933146-41-9

Bengali - 700X
ISBN - 978-0-933146-30-3

Burmese - 705X
ISBN - 978-0-933146-50-1

Cambodian - 710X
ISBN - 978-0-933146-40-2

Chinese - 715X
ISBN - 978-0-933146-22-8

Czech - 520X
ISBN - 978-0-933146-62-4

Farsi - 660X
ISBN - 978-0-933146-33-4

French - 530X
ISBN - 978-0-933146-36-5

German - 535X
ISBN - 978-0-933146-93-8

Greek - 540X
ISBN - 978-0-933146-60-0

Gujarati - 720X
ISBN - 978-0-933146-98-3

Haitian-Creole - 545X
ISBN - 978-0-933146-23-5

Hebrew - 665X
ISBN - 978-0-933146-58-7

Hindi - 725X
ISBN - 978-0-933146-31-0

Hmong - 728X
ISBN - 978-0-933146-31-0

Italian - 555X
ISBN - 978-0-933146-51-8

Japanese - 730X
ISBN - 978-0-933146-42-6

Korean - 735X
ISBN - 978-0-933146-97-6

Lao - 740X
ISBN - 978-0-933146-54-9

Nepali - 755X
ISBN - 978-0-933146-61-7

Pashto - 760X
ISBN - 978-0-933146-34-1

Polish - 575X
ISBN - 978-0-933146-64-8

Portuguese - 580X
ISBN - 978-0-933146-94-5

Punjabi - 765X
ISBN - 978-0-933146-32-7

Romanian - 585X
ISBN - 978-0-933146-91-4

Russian - 590X
ISBN - 978-0-933146-92-1

Somali - 830X
ISBN- 978-0-933146-52-5

Spanish - 600X
ISBN - 978-0-933146-99-0

Swahili - 835X
ISBN - 978-0-933146-55-6

Tagalog - 770X
ISBN - 978-0-933146-37-2

Thai - 780X
ISBN - 978-0-933146-35-8

Turkish - 615X
ISBN - 978-0-933146-95-2

Ukrainian - 620X
ISBN - 978-0-933146-25-9

Urdu - 790X
ISBN - 978-0-933146-39-6

Vietnamese - 795X
ISBN - 978-0-933146-96-9

All languages are two-way:
English-Language / Language-English.
More languages in planning and production.

Order Information

To order our Word to Word® bilingual dictionaries or any other products from Bilingual Dictionaries, Inc., please contact us at (951) 296-2445 or visit us at **www.BilingualDictionaries.com**. Visit our website to download our current catalog/order form, view our products, and find information regarding Bilingual Dictionaries, Inc.

 **Bilingual Dictionaries, Inc.**

PO Box 1154 • Murrieta, CA 92564 • Tel: (951) 296-2445 • Fax: (951) 296-9911
www.BilingualDictionaries.com

Special Dedication & Thanks

Bilingual Dicitonaries, Inc. would like to thank all the teachers from various districts accross the country for their useful input and great suggestions in creating a Word to Word® standard. We encourage all students and teachers using our bilingual learning materials to give us feedback. Please send your questions or comments via email to **support@bilingualdictionaries.**